além do horizonte de
GEORGE ORWELL

além do horizonte de GEORGE ORWELL

com
Samir Machado de Machado
Zé Henrique de Paula
Caroline Valada Becker
Paula Cruz
Roberto Sadovski

ns
São Paulo, 2021

SUMÁRIO

Manual de futuros evitáveis — **7**
SAMIR MACHADO DE MACHADO

Quem tem medo de George Orwell? — **19**
ZÉ HENRIQUE DE PAULA

Distopia nossa de cada dia — **35**
CAROLINE VALADA BECKER

Uma espiada no Ministério da Arte — **47**
PAULA CRUZ

Futuros imperfeitos — **53**
ROBERTO SADOVSKI

Manual de futuros evitáveis

SAMIR MACHADO DE MACHADO

FOTO: PATY TESSMANN

Nasceu em Porto Alegre, em 1981. É escritor, roteirista, designer gráfico e um dos criadores da Não Editora. Autor de *Quatro soldados* e *Homens elegantes*, este último vencedor do prêmio Açorianos de melhor romance. Sua obra *Tupinilândia* venceu o Prêmio Minuano de Literatura 2019 como melhor romance/novela.

Eric Arthur Blair nasceu na Índia Britânica em 1903. Educado em colégios internos ingleses, onde foi aluno de Aldous Huxley, aos vinte anos serviu como policial em Burma, experiência que o transformou e o fez olhar para seu próprio país de forma crítica. De volta à Europa, e inspirado pelos escritos de Jack London, optou por viver nas partes mais pobres de Londres e Paris, conhecendo de perto o cotidiano das classes menos favorecidas. Ao publicar essa experiência em forma de livro, surgiu a necessidade de pensar um pseudônimo: nascia assim George Orwell. Contudo, as duas experiências que mais diretamente influenciariam sua ficção ainda estavam por vir: em 1936, parte para lutar contra os fascistas na Guerra Civil Espanhola, na qual acaba ferido. Anos depois, passa a trabalhar nas transmissões da BBC durante a Segunda Guerra Mundial.

É mais ou menos nessa época que ele vê a cena que inspiraria um de seus maiores clássicos: um garotinho com cerca de dez anos conduzindo uma carroça por um caminho estreito, em que, toda vez que o cavalo tentava se virar, era chicoteado. "Ocorreu-me que, se esses animais tivessem consciência de sua força, não teríamos poder sobre eles", disse Orwell posteriormente, "e que os homens os exploram da mesma forma que os ricos exploram o proletariado". Escrito durante a guerra e publicado em 1945, logo após seu fim, *A Revolução dos Bichos* é uma clara alegoria política que nem sempre foi bem compreendida pelo público, ainda mais quando sua tradução para outros idiomas passou a ser usada com claras intenções de propaganda política anticomunista.

Orwell era um socialista democrata, acreditava que o livre mercado conduzia inevitavelmente à pobreza e corrompia o processo democrático, nisso defendendo a nacionalização de bancos, da indústria e da terra. Para que mudanças ocorressem, acreditava sobretudo na necessidade de uma ação revolucionária à esquerda, que tirasse o poder das mãos da classe dominante. As críticas que elabora por meio de sua fábula são, sobretudo, ao que via como uma traição dos ideais socialistas e a corrupção de seus valores, feita pelo stalinismo — ou seja, a imposição de uma verdade absoluta sobre a interpretação das teorias marxistas e o culto à personalidade de seu líder, Josef Stalin (1878-1953), na União Soviética. No prefácio à edição ucraniana de 1947, Orwell reafirmou: "Nos últimos dez anos, tenho me convencido de que a destruição do mito soviético é essencial se quisermos reviver o movimento socialista".

Agora, neste início de um novo século, temos a oportunidade de ler (ou reler) *A Revolução dos Bichos* com distanciamento crítico tanto do contexto em que foi gerada inicialmente quanto daquele em que foi amplamente difundida. Décadas já se passaram desde o fim da União Soviética e da sombra de "ameaças comunistas" — exceto, claro, aos que ainda vivem presos às paranoias do século passado, durante a Guerra Fria —, o que nos permite entrar em contato com a obra levando em conta tanto suas intenções e interpretações originais quanto aquelas que se agregaram com o tempo. Ou como resumiu a resenha original no jornal inglês *The Guardian*: "uma sátira deliciosamente cáustica e bem-humorada sobre muitos serem governados por poucos". De particular interesse ao leitor brasileiro atual é a ideia de que lideranças baseadas em discursos demagógicos, assim que alçadas ao poder, traem tudo o que diziam defender até então na primeira oportunidade de ganho pessoal, até que não seja mais possível, ao olhar de porco para homem, e de homem para porco, discernir qual seja qual. Ou, parafraseando Paulo Freire: quando a educação não é libertadora, o sonho do porco é se tornar homem.

A constante atualidade de Orwell se manteve também em sua obra seguinte, cujo peso na nossa realidade talvez seja ainda maior: *1984*. Nascido na tradição distópica iniciada com o *Nós* de Yevgeny Zamyatin e o *Admirável Mundo Novo* de Aldous Huxley, *1984* é um livro de constante atualidade, e uma obra que ganha súbita urgência, tanto pela ascensão de governantes de claras pretensões autocráticas no Ocidente — incluindo-se aí o Brasil — quanto pelo crescente grau de vigilância que vamos aceitando a cada dia em nossas vidas cotidianas (não deixe a Alexa escutar que você está lendo isso!).

O sucesso de *A Revolução dos Bichos* enquanto metáfora do regime soviético fez com que os leitores buscassem novas alegorias anticomunistas em cada página. Mas então a coisa se torna bastante mais complexa: a fusão de características totalitárias que Orwell faz em *1984* reúne

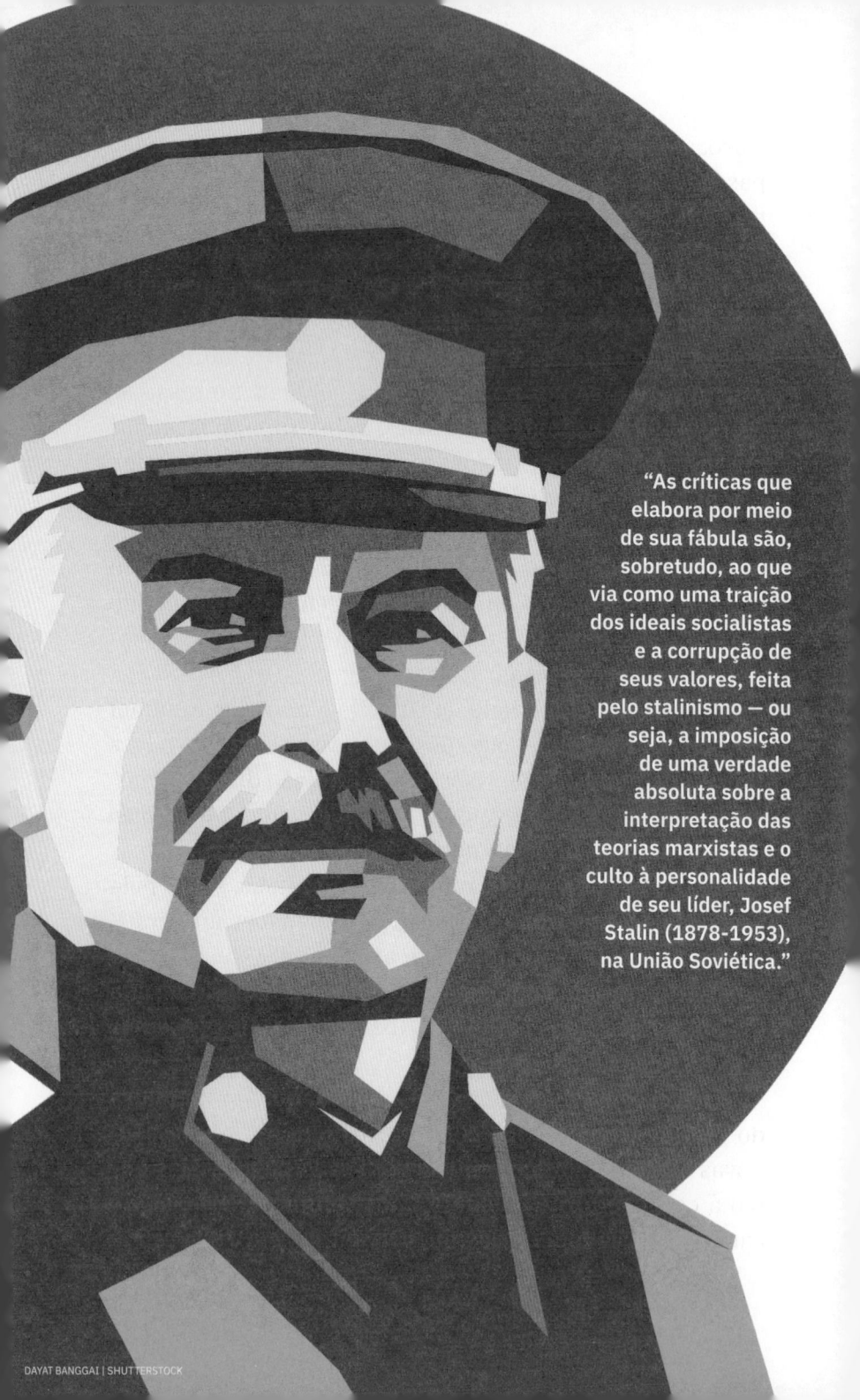

"As críticas que elabora por meio de sua fábula são, sobretudo, ao que via como uma traição dos ideais socialistas e a corrupção de seus valores, feita pelo stalinismo — ou seja, a imposição de uma verdade absoluta sobre a interpretação das teorias marxistas e o culto à personalidade de seu líder, Josef Stalin (1878-1953), na União Soviética."

elementos tanto do stalinismo à esquerda quanto do nazismo à direita, mas um aspecto pouco lembrado é que o livro reflete, em muito, a Inglaterra de 1948, ano em que a obra foi escrita. Pois muito do que Orwell exibe como parte da cultura fascista de um governo distópico não foi inspirado necessariamente no comunismo soviético ou no nazifascismo, mas em sua própria experiência, e na de sua esposa, com o trabalho nos escritórios da BBC durante a guerra. Era no democrático Reino Unido que o conselho de guerra de Churchill impunha ações internas que em nada deviam às de um regime totalitário, censurando notícias, controlando os preços e os salários e tornando liberdades civis subordinadas às necessidades de uma guerra então sem perspectiva de ter fim. O trabalho de sua esposa Eileen no Departamento de Censura do Ministério da Informação inglês durante a guerra é uma inspiração direta para o trabalho de Winston Smith no Ministério da Verdade.

Mas é sobretudo para o mundo do pós-guerra, o mundo da Guerra Fria, dividido em grandes blocos num conflito silencioso e sem fim, que a obra se dirige. "Cada linha de trabalho sério que redigi desde 1936 foi escrita, direta ou indiretamente, contra o totalitarismo e a favor do socialismo democrático tal como o conheço", escreveu o próprio Orwell. "Por razões um tanto complexas, quase toda a esquerda inglesa foi levada a aceitar o regime russo como 'socialista', embora reconhecesse em silêncio que o espírito e a prática daquele regime eram inteiramente diferentes de tudo que significava 'socialismo' neste país. Por consequência, surgiu uma espécie de sistema de pensamento esquizofrênico, no qual palavras como 'democracia' podem comportar dois significados irreconciliáveis".

O "duplipensar" orwelliano, a capacidade de acreditar em duas verdades contraditórias, é bem conhecida da psicologia social: é a dita "dissonância cognitiva", que outros chamam de "compartimentalização". No mundo totalitário criado por Orwell, é ela que garante que os superministérios que governam Oceânia tenham nomes opostos às suas funções. O Ministério da Paz promove a guerra, o Ministério da Verdade conta mentiras, o Ministério do Amor tortura e mata quem considera uma ameaça, o Ministério do Meio Ambiente se ocupa em estimular o desmatamento, o Ministério da Educação em desmontar o sistema educacional do país e... não, espere. Talvez eu esteja confundindo um pouco as coisas e já não saiba mais diferenciar o que ocorreu no livro ou fora dele. Afinal, os tempos têm sido confusos no mundo real também.

No mundo de *1984*, todas as residências contam com uma teletela, um aparelho televisor que nunca é desligado e que vigia constantemente seus usuários por meio de uma câmera embutida. Mais ou menos como o seu computador. Em *1984*, os cidadãos são arrebanhados feito gado e levados para vivenciar seus "Dois Minutos de Ódio", nos quais são induzidos a propelir todas as ofensas possíveis contra a figura do traidor da pátria, o herege Goldstein... Não lembro agora se vestiam camisas da seleção nacional de futebol ou se faziam coreografias, e confesso que não tenho certeza se seu ódio era contra o rosto do traidor Goldstein ou de algum jornalista, ministro do STF ou qualquer outra figura política do momento ao qual o regime julgasse inimiga. Já havia redes sociais em Oceânia, ou estou outra vez confundindo realidades?

Também é em *1984* que o protagonista Winston Smith ocupa seus dias adulterando as notícias nos jornais e reescrevendo a História conforme esta ou aquela informação se torna inconveniente. Para isso, conta com a própria falta de memória da população, que parece incapaz de lembrar com clareza de qualquer fato com mais de dois ou quatro anos — "onde estava a imprensa naquela época, que não noticiava isso?", já disse alguém, agora não lembro se no livro ou no Whatsapp da minha família. O que torna a obra de Orwell tão atual é o fato de que ela nunca deixou de ser atual.

E, em última instância, a compreensão do horror totalitário de *1984* não se dá por conceitos abstratos sobre controle por meio da linguagem, mas sobretudo por meio do controle sobre os sentimentos. Pois há uma história de amor ao fundo, a de Winston e Julia, uma história de como o Estado controla seus cidadãos através da vigilância sobre os afetos privados, determinando quando e com quem se pode ter um relacionamento amoroso. O curioso é que, para um leitor homossexual, em especial um que viva em sociedades repressoras, não há nada de incomum no segredo e discrição extremos com que Winston e Julia precisam driblar a vigilância constante da sociedade para vivenciar seu relacionamento. Ter revelado seu relacionamento amoroso secreto, e principalmente, o medo de cair numa armadilha e ser denunciado à polícia por ele era a realidade dos homossexuais ingleses de 1948, ano em que o livro foi escrito (e publicado um ano depois). Já para o leitor heterossexual, o horror distópico está justamente em ver algo que é intrinsecamente privado — os relacionamentos afetivos — se tornar sujeito à ingerência estatal.

No fim do livro, um dos personagens pronuncia um discurso que não apenas é exemplo máximo da fidelidade canina a esse ideal totalitário, como parece ter saído

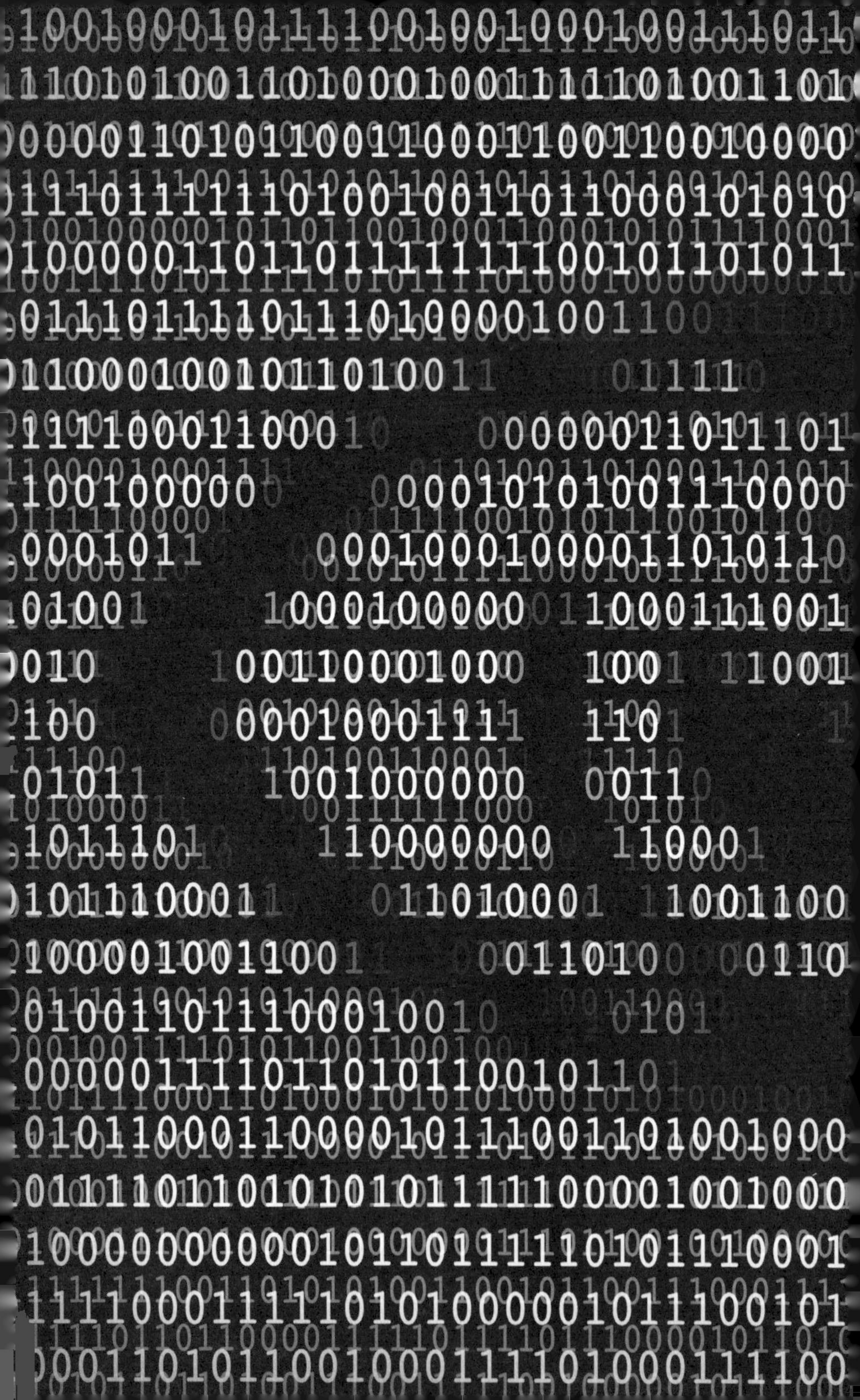

"No mundo de *1984*, todas as residências contam com uma teletela, um aparelho televisor que nunca é desligado e que vigia constantemente seus usuários por meio de uma câmera embutida. Mais ou menos como o seu computador."

direto da boca de líderes políticos atuais: "Não haverá riso, exceto pela gargalhada de triunfo por um inimigo derrotado. Não haverá arte, literatura, ciência. Quando formos onipotentes, não precisaremos mais de ciência. Não haverá distinção entre beleza e feiura. Não haverá curiosidade, nenhuma apreciação do processo da vida. [...] Sempre haverá a embriaguez de poder, sempre aumentando e sempre ficando mais sutil. Em quase todos os momentos, haverá a emoção pela vitória, a sensação de pisotear um inimigo impotente. Se você quiser uma visão do futuro, imagine uma bota pisando num rosto humano... para sempre". Contudo, faltou uma coisa para que as previsões de Orwell se tornassem mais assustadoras: os tantos que ficariam felizes em se prostrar e lamber essa bota. Ou talvez esta tenha sido uma das grandes falhas do século 20: que com tantas alegorias preventivas, como *A Revolução dos Bichos* e *1984*, enquanto uns as leram como alertas de realidades evitáveis, outros as leram como manuais para o futuro que desejam implantar.

Quem tem medo de George Orwell?

ZÉ HENRIQUE DE PAULA

FOTO: ANNELIZE TOZETTO

Diretor teatral, ator, cenógrafo e figurinista, além de diretor artístico do Núcleo Experimental. Vencedor dos prêmios Shell, APCA, Reverência, Bibi Ferreira, Arte Qualidade Brasil e Aplauso Brasil, dirigiu recentemente os espetáculos *Um Panorama Visto da Ponte*, *Dogville*, *1984*, *Natasha, Pierre e o Grande Cometa de 1812*, *Pacto, a História de Leopold e Loeb*, *Lembro Todo Dia de Você* e *Urinal, o Musical*, entre outros. Bacharel em Arquitetura e Urbanismo pela Universidade Mackenzie, com pós-graduação em Artes Cênicas pela Escola de Comunicações e Artes da USP, recebeu o título de Mestre em Direção Teatral pela University of Essex e cursou Figurino na University of the Arts, ambas em Londres. Também estudou interpretação e direção teatral na Gitis – Universidade Russa de Artes Teatrais.

> *"O presente é sempre um lugar horrível para se estar."*
> Tony Kushner, dramaturgo estadunidense
> (*Homebody/Kabul*)

Sorocaba, 1983

Quando garoto, um dos meus passatempos prediletos, sendo filho único, era vasculhar a biblioteca da minha mãe. Como professora universitária e aficionada por leitura, a quantidade e a variedade de livros que ela havia acumulado durante os anos me permitia ficar ali dentro por várias horas, se eu quisesse. Pouco a pouco, fui aprendendo como os livros estavam organizados e mergulhei com fervor nas prateleiras de História Geral. Especialmente História Antiga, que tem todos os ingredientes capazes de fascinar um adolescente de doze anos de idade. Os gregos eram, de longe, os meus prediletos.

Numa dessas incursões vespertinas, eu me afastei temporariamente de Odisseu, Perseu, Teseu e quetais, escapando para as prateleiras de ficção contemporânea. E foi ali que eu vi a lombada desse livro de título curioso que, por alguma razão desconhecida, me fez sentir imediatamente um arrepio gelado percorrendo a espinha.

O livro era *1984*, de George Orwell.

Eu tirei o volume da estante e fiquei hipnotizado pela capa – mas mais ainda pelo título. O que poderia haver ali dentro sobre o futuro que nós ainda viríamos a viver, dali a exatos doze meses? Instintivamente, eu intuí que não deveria ser boa coisa. Devolvi o livro na estante e nunca mais o tirei de lá. De vez em quando, passava os olhos pela lombada, arriscava alguns segundos a mais contemplando as letras e os algarismos. Chegava até a deslizar pelos números com a ponta do dedo: 1 – 9 – 8 – 4, como se fosse possível depreender um pouco do seu caráter misterioso apenas pelo tato. Mas nada mais que isso, nunca. Eu não queria saber o que Orwell nos reservava.

Eu tinha medo de *1984*.

Londres, 2013

Trinta anos depois, eu estava cursando o mestrado em Direção Teatral na East 15 Acting School, um braço acadêmico da Universidade de Essex, dedicado às Artes Cênicas em suas variadas disciplinas. Numa aula com o ator, dramaturgo e diretor Matthew Dunster, ele menciona sua adaptação para teatro do romance de Orwell. A essa altura, eu já tinha lido a saga desafortunada de Winston Smith na sombria Oceânia, embora curiosamente não conseguisse lembrar exatamente quando tinha sido. Mas naquela aula, quando Matthew pronunciou o título, eu senti o mesmo frio na espinha de trinta anos antes, na biblioteca da minha mãe. Entendi imediatamente que eu precisava ler a adaptação dele para o palco, mas acima de tudo entendi – agora que eu de fato conhecia o conteúdo do romance

– que aquele temido ano de 1984 tinha chegado no calendário, mas nunca havia terminado.

Coincidentemente, poucos meses depois, uma outra adaptação de *1984* estrearia em Londres, no Almeida Theatre. Adaptada pelos diretores e dramaturgos britânicos Robert Icke e Duncan Macmillan, a montagem teve enorme sucesso, casas esgotadas e recebeu diversas indicações a prêmios. Eu não consegui assistir à peça, mas li a adaptação assim que pude. Tenho uma lembrança vívida dessa primeira leitura, principalmente da sensação irrefreável de que ela explicitava ainda mais as relações entre o romance de Orwell e a nossa sociedade na segunda década do século 21. Ali tudo ficou claro: eu tinha que dirigir aquela peça.

Nova York, 2017

"*1984* lidera as vendas de livros nos EUA desde a posse de Trump", dizia o título da matéria replicada em vários sites de notícias em janeiro daquele ano. E dizia ainda: "Desde a posse do mandatário, 'as vendas aumentaram 10.000%', diz editora da obra de Orwell". Era o início do mandato, e a principal assessora de Trump naquele momento havia cunhado a expressão "fatos alternativos", como forma de explicar a realidade a partir não de elementos concretos e palpáveis, mas sim subjetivos e moldáveis às necessidades políticas da presidência dos Estados Unidos.

O *zeitgeist* parecia inequívoco – 2017 era 1984.

Em junho, finalmente consegui assistir à impressionante montagem do Almeida, quando ela foi transferida para a Broadway devido ao estrondoso sucesso em Londres. O impacto na plateia de Nova York não foi menor, e a ambulância bem na porta do teatro já denunciava o que

"*1984* lidera as vendas de livros nos EUA desde a posse de Trump", dizia o título da matéria replicada em vários sites de notícias em janeiro daquele ano. E dizia ainda: "Desde a posse do mandatário, 'as vendas aumentaram 10.000%', diz editora da obra de Orwell".

DANA_GORG | SHUTTERSTOCK

a mídia repetia incansavelmente: é a experiência teatral mais desagradável da temporada.

As pessoas, de fato, passavam mal. Flashes súbitos de luz eram direcionados à plateia de tempos em tempos, acompanhados por sons metálicos em volume extraordinariamente alto. Blecautes bruscos e curtos eram seguidos por mudanças súbitas na configuração dos atores em cena, gerando uma sensação de desorientação crescente no público, análoga àquela experimentada por Winston Smith ao longo de sua trajetória no romance de Orwell.

Relatos de desmaios, enjoos e náusea eram frequentes. Grupos inteiros de espectadores abandonavam o teatro na segunda parte da peça, depois que Winston é capturado e sofre repetidas sessões de tortura, conduzidas por seu algoz O'Brien. Perto do clímax, quando uma caixa de metal com ratos era trazida ao palco, era possível ouvir gritos e testemunhar espasmos na plateia. Tudo isso construiu uma aura de perigo à montagem, o que, em última análise, somente colaborou para que ela fosse alçada à categoria de uma experiência cult.

Mas, acima de toda a cadeia repugnante de reações físicas que a peça provocava, o horror estava lá e era palpável. A mesma sensação provocada pela leitura do romance. E esse horror, em seu sentido mais estrito – a sensação de choque e medo gerada pela percepção de algo ameaçador –, esse horror era o que me interessava como diretor. Não em sua configuração espetaculosa e gratuita, mas sim como resultado de fazer o espectador experimentar um microcosmo que refletisse a crueldade do sistema que nos impusemos – ou nos impuseram – como sociedade.

São Paulo, 2018

Apesar de ficar trabalhando na tradução e de ter havido algumas leituras com o elenco no segundo semestre de 2017, os ensaios começaram de fato no ano seguinte, em fevereiro de 2018. Como normalmente acontece, as primeiras etapas do processo de ensaio de uma peça são dedicadas àquilo que se chama de "mesa" – sentados ao redor de uma, diretor e elenco realizam uma leitura mais cuidadosa de cada trecho da peça, analisando seus pontos fundamentais e debatendo sobre as questões que são levantadas pelas cenas lidas pelos atores. No trabalho de mesa de *1984*, ficou inequívoco que estávamos diante de uma obra que, mesmo décadas depois de ter sido escrita, falava de maneira direta com o nosso tempo. É como se, espelhando o seu próprio protagonista, Orwell tivesse escrito sua obra "para o futuro, para os não nascidos":

> O'BRIEN – Você estava escrevendo para eles. Para os não nascidos.
> WINSTON – Eu consigo vê-los. Consigo visualizar tão claramente.
> O'BRIEN – Você tinha esperança de inspirá-los a mudar as coisas.
> WINSTON – Tinha!
> O'BRIEN – Você queria passar a sua mensagem para eles.
> WINSTON – Sim!*

E foi nesse trabalho de mesa que o assombro se instaurou, à medida em que simplesmente comprovávamos que as nossas suspeitas eram todas mais reais e contundentes. A começar pela maneira como *1984* retrata um assunto que domina as nossas vidas atualmente: a *vigilância*.

---

* Os trechos citados aqui e doravante, bem como alguns outros conceitos e definições, foram retirados do roteiro da própria peça; portanto, podem estar ligeiramente diferentes da tradução da Luisa Geisler que acompanha esse suplemento.

Os paralelos são inevitáveis – se no fictício ano de 1984 (que paradoxalmente Winston é incapaz de atestar como a data precisa em que vive) a vigilância é garantida tecnologicamente pelas teletelas e por um pelotão de pessoas que forma o exército da Polícia das Ideias (incluindo os aprendizes cooptados na Liga da Juventude), hoje em dia a tecnologia de reconhecimento facial, aliada aos metadados coletados pela nossa atividade on-line, permite o exercício de um controle inclusive mais insidioso sobre as populações. Além disso, fica cada vez mais nítido que existe grande esforço em esconder de todos essa vigilância sub-reptícia, tanto por parte de governos quanto de corporações:

> Não havia como descobrir se você estava sendo observado, em momento algum. Com qual frequência, ou de que maneira, a Polícia das Ideias observava um indivíduo em particular, era pura especulação. Era possível, inclusive, que eles observassem todo mundo o tempo todo.

É impossível não lembrar a forma como o *aparato policial* tem crescido e atuado com mais intensidade ao redor do mundo. São inúmeros os exemplos do controle, da coerção e do abuso praticados por esse aparato em diversas sociedades, tanto ocidentais quanto orientais, dos Estados Unidos a Hong Kong. A ideia de Orwell é levar essa atuação ao paroxismo: o aparato policial tem acesso à sua mente. Estamos de fato tão longe disso? O quanto a nossa atividade em redes sociais permite que se torne pública e transparente a nossa visão de mundo? Postar em redes sociais pode configurar pensamentocrime? As questões não paravam de surgir e isso só fazia com que o processo ficasse mais intenso. E a peça mais urgente de ser levada à cena.

Uma pergunta que aparecia com frequência nos ensaios era: quem é o nosso equivalente ao Grande Irmão? Qual é a entidade que, ao mesmo tempo em que demanda a nossa idolatria e reverência, nos oprime e torna cada vez mais estreita a nossa liberdade, inclusive a de pensamento? O Grande Irmão é uma figura central no romance e, numa aposta arriscada porém extremamente bem-sucedida, permanece obscuro ao leitor o tempo todo. Há descrições de seu rosto em cartazes e panfletos, mas ele, de fato, nunca aparece. Só sabemos que o Grande Irmão está sempre nos observando. Nesse sentido, seu caráter ubíquo e onisciente, somado às restrições de liberdade associativa ou de expressão, o torna a personificação singular dos assim chamados *regimes totalitários*. Não é preciso ir muito longe para achar seus pares contemporâneos, infelizmente numerosos, e cada vez mais com renovada influência.

Como a maioria dos líderes totalitários que a História nos dá como exemplos, o Grande Irmão – representação máxima da ideologia do Partido – trabalha com dois motores de mobilização das massas: a *disseminação do ódio* e a *instauração do medo*. A associação desses dois elementos acaba por configurar as condições ideais para o exercício da manipulação dos afetos da população, sempre uma ferramenta política de alcance insuspeito. Winston e todos os outros habitantes da Oceânia, à exceção dos "proletas" (a casta mais baixa dessa sociedade, equiparada aos animais), deveriam aderir compulsória e diariamente aos Dois Minutos de Ódio. A cerimônia, uma demonstração cívica de anuência aos ideais do Partido, consistia em externalizar o ódio em relação aos inimigos do Grande Irmão, especialmente a mitificada figura do arquirrival Goldstein, líder de uma suposta – embora nunca comprovadamente verdadeira – facção revolucionária.

Os atores não tiveram dificuldade em entender a penetração nociva de um ambiente de ódio, estimulado pelas nossas ditas ou supostas lideranças: o governo e o mercado. Nas redes sociais, a simples existência de um botão de "dislike" é capaz de gerar intensas correntes de ódio em plataformas outrora pacíficas e mais lenientes. Obviamente, tais correntes geram benefícios para essas lideranças, embora o dano para a sociedade e a psique coletiva, a longo prazo, ainda permaneça invisível à maioria dos usuários.

O investimento governamental na manutenção da figura de Goldstein é uma das marcas do fascismo, que depende da definição de inimigos, reais ou simbólicos, para perpetuar-se no poder e manter a sociedade sob estrito controle. Mas o fato de sequer ser possível atestar sua existência como pessoa é um dos elementos mais contundentes de *1984*: a *criação de fake news*. E foi nesse momento da discussão que um dos atores trouxe novamente à tona o jargão utilizado pela chefe de campanha de Donald Trump em 2016: "fatos alternativos". Já viria a explicar O'Brien para Winston:

> Você acredita que a realidade é algo objetivo. Que a realidade existe por conta própria. Você acha que se você vê alguma coisa, todos os outros veem o mesmo que você. Mas você está enganado. A realidade existe apenas na mente e em nenhum outro lugar. Não na mente individual, que é passível de erros e que mais cedo ou mais tarde morre – mas na mente do Partido, que é precisa, coletiva e imortal.

"É impossível não lembrar a forma como o aparato policial tem crescido e atuado com mais intensidade ao redor do mundo. São inúmeros os exemplos do controle, da coerção e do abuso praticados por esse aparato em diversas sociedades, tanto ocidentais quanto orientais."

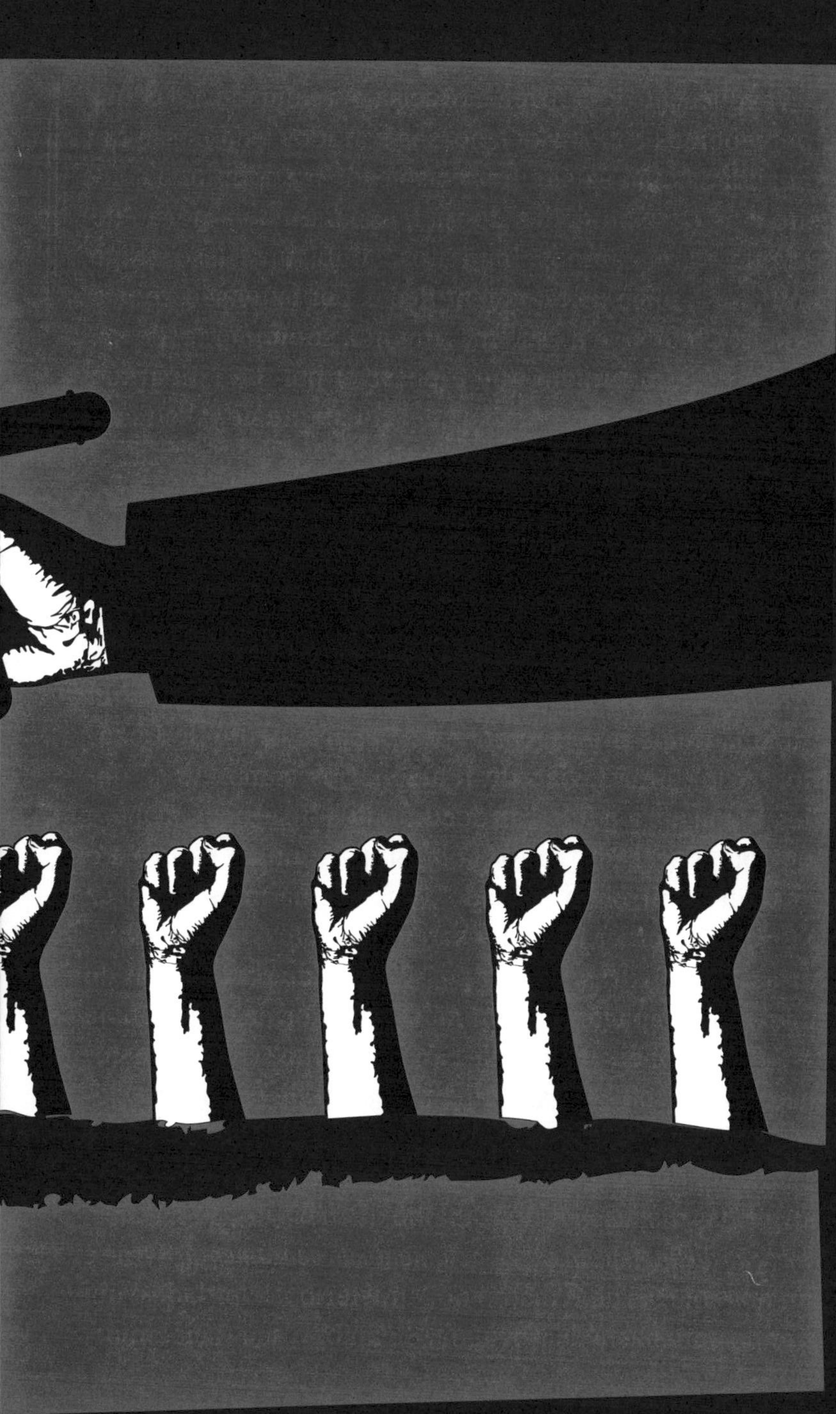

EUGENE IVANOV | SHUTTERSTOCK

A explicação de O'Brien é precisa. A realidade, tal como a percebemos a partir dos nossos sentidos e da nossa racionalidade, não existe. É preciso esticar ao limite o conceito e as possibilidades do real, expandindo a noção de verdade para campos inauditos, ambíguos. Isso exige combater a ideia de fato científico e, por extensão, toda a Ciência. Chama-se a esse movimento, comumente, de *negacionismo*. Um projeto que é possível porque amparado solidamente por um bombardeio constante de fake news e desinformação.

Vivemos sujeitos a uma enxurrada de desinformação. Na Oceânia de *1984*, como agora, isso tem um claro propósito: turvar a percepção do cidadão comum e tornar mais fácil dobrá-lo conforme as necessidades vigentes. Uma das formas mais perniciosas desse procedimento é o *revisionismo histórico*. No Ministério da Verdade, onde Winston trabalha (mais precisamente no Departamento de Documentação), uma legião de funcionários como ele se dedica a apagar e adulterar documentos históricos. "Quem controla o passado, controla o futuro. E quem controla o presente, controla o passado", nos ensina mais uma vez O'Brien. Distorcer fatos, reescrever eventos, inventar histórias, criar figuras, apagar pessoas – tudo parece falar de hoje. Afinal, apagar alguém não é uma forma do que hoje se convencionou chamar de cancelamento? Os ecos distópicos de Orwell criavam uma narrativa de similitude decerto óbvia, mas não por isso menos incômoda.

Mas, dentre tantos, havia ainda um elemento capital a surgir nas discussões do trabalho de mesa de *1984*: a *deterioração da linguagem* e o *esvaziamento do pensamento*. Syme é um dos colegas de Winston no Ministério da Verdade e um grande entusiasta da Novafala. Sigamos o seu raciocínio:

SYME – Você não gosta muito de Novafala, não é, Winston? Não gosta muito? Você não precisa ser um especialista para saber que a Novafala é a única língua no mundo cujo vocabulário fica menor a cada ano que passa. No final, nós faremos com que o pensamentocrime seja literalmente impossível, porque não haverá palavras para expressá-lo.

O projeto de que uma grande parcela da população seja formada por analfabetos funcionais é cristalino. Aqui, degradar o idioma é a ferramenta utilizada, mas sabemos por experiência que existem outras – desmonte e desinvestimento em educação, obstrução do acesso a bens culturais, perseguição aos intelectuais e artistas, negacionismo científico, instauração de mecanismos de censura e depreciação do conhecimento. Parece familiar?

A desintegração da linguagem se dá, no romance e na peça, por meio da substituição gradual e insidiosa da Velhafala por um novo idioma, em tese mais simples e direto, a Novafala. Mas o ataque é nítido e tem um ganho adjacente, chamado por Orwell de duplipensamento. De acordo com o relato de Winston, duplipensamento é a "capacidade de manter duas crenças contraditórias e simultâneas – e aceitar a ambas". E nada resume melhor essa definição do que os três lemas assustadores que regem a vida na Oceânia:

GUERRA É PAZ.
LIBERDADE É ESCRAVIDÃO.
IGNORÂNCIA É PODER.

A montagem brasileira de *1984* estreou em maio de 2018, no Teatro Anchieta do Sesc Consolação. Foi a primeira encenação teatral profissional dessa obra de Orwell no Brasil. Depois fez novas temporadas no Teatro Porto Seguro e no Teatro do Núcleo Experimental. É, sem dúvida, uma das minhas realizações preferidas como diretor. Mesmo com todo o horror que a trama orwelliana retrata, as plateias paulistanas permaneciam fixadas no palco e no avassalador aniquilamento de Winston Smith até se tornar uma "despessoa". Um ser vivo que foi nulificado, cuja utilidade ao sistema é ser inofensivo, acéfalo, manso, leal e obediente. O sonho de qualquer ditador.

Estejamos alertas e atentos, saudemos George Orwell e sua obra estonteante e esplêndida porque, como bem disse uma vez o ator britânico Stephen Fry: "Se a História nos ensinou uma coisa, é que o progresso pode ser revertido".

Distopia nossa de cada dia

CAROLINE VALADA BECKER

Licenciada em Letras (UFRGS), mestra e doutora em Teoria da Literatura (PUCRS). No doutorado, desenvolveu a tese *Inscrições distópicas no romance português do século XXI*. Atualmente, é professora de Língua Portuguesa e Literatura no Colégio de Aplicação da UFRGS, instituição na qual desenvolve a pesquisa *O livro é um convite: projetos de leitura e formação de leitores na educação básica* e coordena o programa de extensão "Práticas pedagógicas do CAp/UFRGS em diálogo" (Prapedi).

> *"A utopia, após designar um país, acabou por designar qualquer país imaginário."*
> (Claude-Gilbert Dubois, *Problemas da utopia*, p. 21)

> *"[...] a distopia, o mau lugar, o lugar da distorção."*
> (Teixeira Coelho, *O que é utopia?*, p. 45)

É inegável: a palavra *distopia* invadiu nosso vocabulário, com destaque para o adjetivo *distópico*, o qual tem acompanhado descrições do cotidiano, ou seja, alguns fragmentos da vida pertencentes ao âmbito político, à saúde ou, ainda, às relações interpessoais (mediadas pela tecnologia). Estes são alguns fatos recentes que nos aproximam, inegavelmente, ao distopismo: governantes com tendência autoritária;[1] manipulação

---

1 Refiro-me especialmente ao ex-presidente dos Estados Unidos, Donald Trump (https://brasil.elpais.com/brasil/2017/01/26/cultura/1485423697_413624.html), e ao presidente do Brasil, Jair Messias Bolsonaro (https://diplomatique.org.br/bolsonaro-1984-ou-black-mirror/).

da informação (desinformação e fake news);[2] vigilância por meio da tecnologia;[3] mudanças climáticas;[4] pandemia;[5] censura e controle de manifestações artísticas.[6]

O mundo tem gritado, com intensidade assustadora, que "A vida nem sempre é um conto de fadas". Essa frase recepcionou os e as visitantes do parque temático "Dismaland", exposição de arte idealizada, em 2015, por Banksy (reconhecido por seus grafites e instalações) e composta por obras de mais de cinquenta artistas. O museu a céu aberto, icônico da arte contemporânea, apresentou-se como releitura subversiva do parque Disneyland. A terra de Walt Disney (1901-1966), ao longo de várias décadas, povoou (e povoa) nosso imaginário com finais felizes, mundos mágicos e alegrias desmedidas; na contramão, a Dismaland de Banksy propôs uma arte-espelho capaz de revelar e enfatizar problemas sociais do século 21.

Cada uma das obras expostas em Dismaland funcionou como um espelho da realidade, cuja imagem refletida, apesar de deformada, mantém-se reconhecível. O parque figurou como revelação (Quem somos? O que fazemos?

---

[2] Faço referência à deturpação das informações, manipulando-as, assemelhando-se ao que acontece com o Ministério da Verdade, no livro *1984*, de George Orwell.

[3] Refiro-me ao monitoramento da localização das pessoas, por meio do celular, e ao reconhecimento facial.

[4] Refiro-me às mudanças climáticas, ao aquecimento global (https://www.nationalgeographicbrasil.com/meio-ambiente/2019/07/geleiras-do-alasca-estao-derretendo-100-vezes-mais-rapido-do-que-se-imaginava).

[5] Refiro-me à pandemia de Covid-19.

[6] Refiro-me ao fechamento da exposição *Queermuseu – Cartografias da Diferença na Arte Brasileira* (https://brasil.elpais.com/brasil/2017/09/11/politica/1505164425_555164.html).

Imagens da exposição "Dismaland", idealizada pelo artista britânico Banksy

Como agimos?) e, ao mesmo tempo, como denúncia. Devido a todas essas características, a exposição pode ser analisada como representação, no mundo das artes, do conceito de distopia: enquanto a Disneyworld e sua fantasia apresentam o horizonte utópico, Dismaland delineia os contornos do distopismo.

Distopia, distópico e *distopismo*[7] são palavras cuja origem está na literatura, e que convoca outras palavras: *utopia* e *utopismo*.[8] No século 20, no campo literário, os primeiros passos da tradição distópica vêm com esta tríade de romances e autores: *Nós* (1921), de Yevgeny Zamyatin; *Admirável Mundo Novo* (1932), de Aldous Huxley; e *1984* (1949), de George Orwell – essas são as chamadas "distopias clássicas". Nos cinquenta anos posteriores, novas tendências emergiram e, já no século 21, podemos afirmar que novas publicações revisitam, ressignificam e atualizam o fazer literário distópico. Os teóricos do distopismo organizam o estudo sobre os romances distópicos em duas grandes classificações: as já mencionadas distopias clássicas e as distopias críticas – as quais vão ao encontro de outras definições, como distopias pós-apocalípticas e distopias pós-humanistas).

---

7   Em *distopia*, o prefixo grego "dus" – que significa doença, falha, dificuldade, anormalidade, algo ruim – une-se à ideia de lugar (KLEIN, 2009, p. 85).

8   O estudo do conceito de distopia implica uma busca histórica, pois, primeiramente, vamos à palavra utopia, cuja composição foi um neologismo proposto por Thomas More e dá nome ao livro *Utopia*, publicado no século 16. Em *utopia*, os radicais gregos "u" (negação) e "topos" (lugar) compõem o não lugar da utopia, o lugar que não existe. Na palavra *eutopia*, "eu" significa bom e agradável, daí a acepção positiva, eutopia como o bom lugar – por isso, a obra de More evoca, ao mesmo tempo, o sentido positivo da ordem e da impossibilidade.

BREVE LINHA DO TEMPO DAS DISTOPIAS LITERÁRIAS

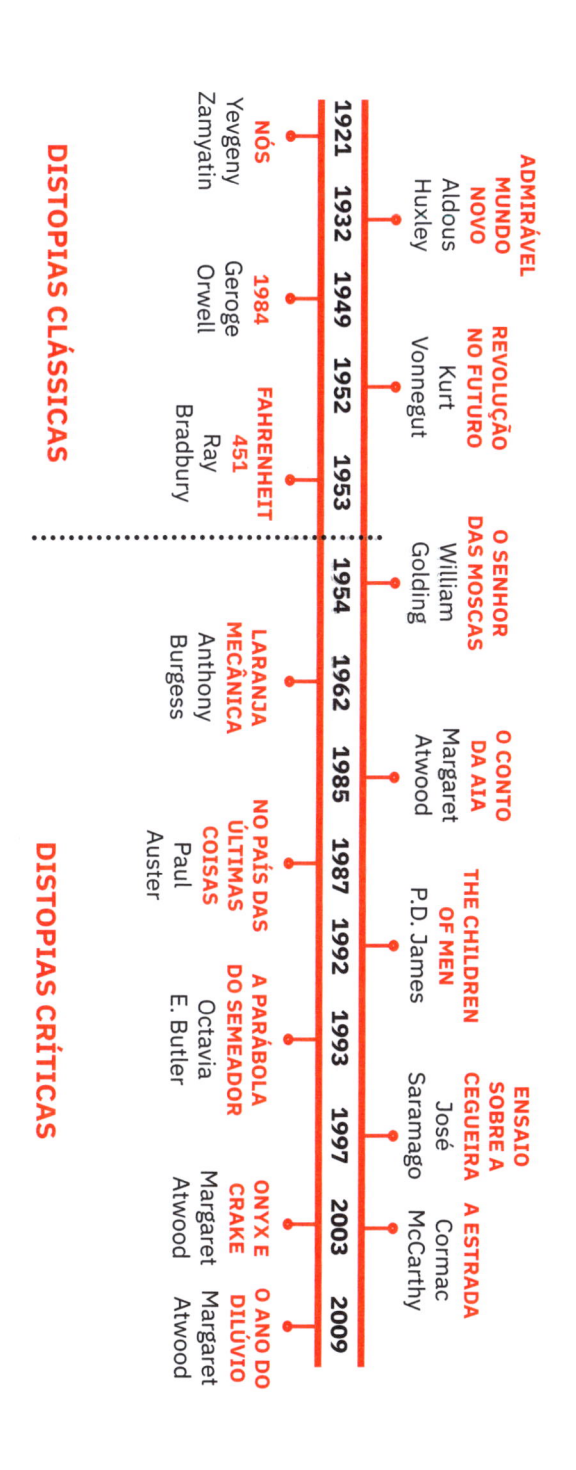

DISTOPIAS CLÁSSICAS

- **1921 — NÓS** — Yevgeny Zamyatin
- **1932 — ADMIRÁVEL MUNDO NOVO** — Aldous Huxley
- **1949 — 1984** — George Orwell
- **1952 — REVOLUÇÃO NO FUTURO** — Kurt Vonnegut
- **1953 — FAHRENHEIT 451** — Ray Bradbury

DISTOPIAS CRÍTICAS

- **1954 — O SENHOR DAS MOSCAS** — William Golding
- **1962 — LARANJA MECÂNICA** — Anthony Burgess
- **1985 — O CONTO DA AIA** — Margaret Atwood
- **1987 — NO PAÍS DAS ÚLTIMAS COISAS** — Paul Auster
- **1992 — THE CHILDREN OF MEN** — P.D. James
- **1993 — A PARÁBOLA DO SEMEADOR** — Octavia E. Butler
- **1997 — ENSAIO SOBRE A CEGUEIRA** — José Saramago
- **2003 — A ESTRADA** — Cormac McCarthy
- **2003 — ONYX E CRAKE** — Margaret Atwood
- **2009 — O ANO DO DILÚVIO** — Margaret Atwood

Analisando o século 20, é possível assinalar dois eixos temáticos inerentes à historicidade da distopia. Temos, nos primeiros cinquenta anos, narrativas cujo cerne são sistemas totalitários de governo; no segundo momento, encontramos romances cujos enredos representam o medo das guerras (desta vez, nucleares) e dos possíveis colapsos ambientais.

Vamos à busca das especificidades da distopia literária analisando, justamente, as distopias clássicas, entre as quais, podemos afirmar sem receio, *1984* é a mais expressiva. De modo geral, a ficção distópica representa problemas que circundam o autor empírico, porém projeta-os no futuro (*ucronia*) – por exemplo, o romance de George Orwell, publicado em 1949, tem a narrativa localizada em um tempo outro, especificamente 1984. Ao imaginar o futuro, o romancista tece um aviso ao leitor e à leitora, convidando, dessa forma, à reflexão. Ao ler uma distopia, "nós percebemos que as falhas da nossa sociedade podem seguir para a próxima geração a não ser que tentemos, hoje, eliminar tais problemas" (GOTTLIEB, 2001, p. 4). No caso de *1984*, o aviso referia-se às ameaças à liberdade dos sujeitos.

As distopias clássicas apresentam mundos ficcionais – dilacerados e problemáticos – nos quais encontramos uma ou mais destas características: sistema de governo (esfera política, econômica, religiosa) totalitário e hegemônico, ancorado em regras e cerceamentos – o que leva à violência; presença exacerbada ou simplesmente negativa das máquinas e da tecnologia; vigilância e abolição da individualidade em nome de uma coletividade abstrata e deturpada; linguagem escassa devido às relações artificiais, superficiais ou regulamentadas; inibição dos sentimentos; apagamento do passado histórico.

O contexto social e histórico da primeira metade do século 20 foi responsável por engendrar o mundo enquanto pesadelo, por delinear o "imaginário negativo" (MOYLAN, 2000, p. XII) ou "imaginário apocalíptico" (CLAEYS, 2013, p. 207), pois trouxe muitas frustrações: a primeira delas refere-se às promessas do próprio utopismo, àquelas imagens de harmonia, organização social ideal e bem-estar coletivo que permaneceram apenas no plano das ideias; a segunda frustração é representada pela percepção dos limites da ciência e da tecnologia, as quais se tornaram responsáveis por criar problemas ao invés de liberdade; a terceira grande frustração é desenhada pela fraqueza das reformas sociais, isto é, pela falência do socialismo ou do comunismo.[9]

É pertinente assinalarmos que, ao principiar a leitura de uma distopia, somos imediatamente apresentados ao caos (recurso *in media res*), somos jogados à rotina das personagens e desvendamos, cena após cena, a partir da perspectiva da personagem, as regras desse mundo distinto e ao mesmo tempo semelhante ao nosso. As narrativas distópicas não se preocupam em explicar os motivos pelos quais a ordem implementada é aquela; sua estratégia narrativa é diferente da utilizada pela utopia, na qual a personagem principal, um viajante, desembarca na

---

[9] Podemos referir, ainda, que as duas grandes guerras do século 20 foram responsáveis por deslocar e ressignificar o modo de pensar. A Segunda Guerra Mundial, devido, em especial, às ações nazistas, foi determinante: "Depois do holocausto, tudo é possível. Mas nunca o paraíso" (BESSA, 1998, p. 169).

sociedade considerada utópica e a conhece pouco a pouco, ouvindo explicações do anfitrião.

Conhecemos o mundo desenhado em *1984* a partir da perspectiva de Winston – é seu olhar diante do mundo que permite ao leitor afirmar "sim, diante de uma distopia". Ele tenta resistir ao mundo opressor em que está inserido, especialmente por meio da escrita – a palavra inscrita em seu diário é transbordamento de subjetividade. Contudo, o ato de escrever é um exercício de individualidade e de subjetividade, aspectos cerceados em um mundo totalitário que tenta organizar os sujeitos enquanto massa a ser manipulada – é assim, por exemplo, que o uso dos uniformes, a vigilância e o controle da linguagem figuram como instrumentos de apagamento da subjetividade.

Relações explícitas com os anseios engendrados pela presença do totalitarismo na União Soviética, pelo fim da Primeira Guerra Mundial e pelo anúncio e efetivação da Segunda Guerra Mundial surgem no romance. Há uma figura opressora, o Grande Irmão, que controla a organização social. No romance, há um ministério responsável por reescrever a história, o *Ministério da Verdade*, que, ao lado dos Ministérios *do Amor, da Paz* e da Abundância, compõe a burocratização e a força estatal de controle, cujos lemas são *Guerra é paz, Liberdade é escravidão* e *Ignorância é força*. O poder centralizador é representado pelo *Partido* e pela personificação do líder – o Grande Irmão. A vigilância é incessante e seus recursos são a *Polícia do Pensar* e as *teletelas* – as quais transmitem propaganda política e monitoram a movimentação dos sujeitos, inclusive nas suas casas. Nesse mundo distópico, há uma guerra intermitente entre Oceânia, Eurásia e Lestásia, aspecto que, somado ao cerceamento das relações amorosas, a uma rotina árdua e regrada de trabalho e a alguns rituais – como os *Dois Minutos de Ódio* –, torna-se ferramenta de controle social.

O distopismo, desde que ganhou contornos na ficção, não deixou de existir, entretanto, no tempo presente, tornou-se signo dominante. Narrativas fílmicas, séries e romances contemporâneos revisitam as distopias clássicas, especialmente *1984*, para criar mundos ficcionais distópicos. Objetivando compreender eventos políticos recentes, as distopias clássicas têm sido retomadas.

O mundo ficcional de George Orwell, infelizmente, tem sido um espelho para a realidade: o controle da linguagem, a manipulação das palavras e a paradoxal retórica discursiva de governantes têm trazido à tona o mundo desenhado em *1984*; as fake news e toda desinformação que circulam no mundo virtual relembram as máximas orwellianas; o discurso de ódio dissipado nas redes sociais dá eco aos *minutos de ódio* que compõem o cotidiano dos proletários, na narrativa de Orwell; as *teletelas* e seu caráter de vigilância lembram tanto as câmeras de segurança e a identificação facial quanto a coleta de informações realizada a partir do mundo virtual; a imagem do Grande Irmão, representação autoritária, figura, no tempo presente, como identidade associada a governantes cujos discursos e condutas representam a intransigência.

Toda produção estética é capaz de propor vínculos entre ficção e realidade. A distopia, enquanto romance, apropria-se desse processo mimético e soma-o a outros recursos, entre eles, o exagero e a deformação. O autor empírico de distopias seleciona aspectos do mundo à sua volta (sejam fatos, sejam sentimentos dissipados na sociedade) e recria-os na ficção. Pensando nessas características, podemos descrever as distopias como sátiras políticas, não devido ao riso, mas sim devido à crítica, à observação dos costumes e à deformação. Daí lermos *1984* como representação assombrosa dos poderes totalitários emergentes.

A criação de George Orwell, além de definir as especificidades de um perfil romanesco, chega ao século 21 como chave de leitura para compreendermos a sociedade. Tendo em vista as características de nosso tempo presente, aparentemente não compreendemos os avisos dissipados nas narrativas distópicas.

Referências

BESSA, António Marques. *Utopia, uma visão da engenharia dos sonhos.* Sintra: Publicações Europa-América, 1998.

CLAEYS, Gregory. *Utopia:* a história de uma ideia. Tradução de Pedro Barros. São Paulo: Edições Sesc, 2013.

COELHO, Teixeira. *O que é utopia?* São Paulo: Brasiliense, 1981. Série Princípios.

DUBOIS, Claude-Gilbert. *Problemas da utopia.* Tradução de Ana Cláudia Romano Ribeiro. Campinas: Unicamp-IEL--Setor de Publicações, 2009.

GOTTLIEB, Erika. *Dystopian fiction East and West*: universe of terror and trial. Montreal: McGill-Queen's University Press, 2001.

KLEIN, Gérard. "Ficção científica". In: RIOT-SARCEY, Micèle; BOUCHET, Thomas; PICON, Antoine (Org.). *Dicionário das Utopias*. Tradução de Carla Bogalheiro Gamboa e Tiago Marques. Lisboa: Edições Texto e Grafia, 2009.

Uma espiada no Ministério da Arte

PAULA CRUZ

É graduada em Design pela EBA/UFRJ e mestra em Design pela PUC-Rio, onde desenvolveu pesquisa sobre publicações híbridas e novas formas de leitura. Atravessou o Atlântico para estudar os mestres do design holandeses na Willem de Kooning Academie em Rotterdam, Holanda. Atualmente mora no Rio de Janeiro e atua como professora de design + ilustração no Crehana e na Miami Ad School desde 2019.

É criadora do Modernismo Funkeiro, projeto que une a irreverência do funk com a sobriedade do design modernista numa série de cartazes tipográficos, e sócia-fundadora da editora Farpa. Já trabalhou para clientes como Google, Descomplica, Editora Morro Branco, *O Globo* e Youtube Brasil.

Quando recebi o e-mail da Novo Século pedindo que fizesse propostas para este box, confesso que fui atingida em cheio! *1984* foi a primeira capa que fiz para um projeto de faculdade. Eu simplesmente AMO o George Orwell.

Minha preocupação era criar algo bem diferenciado das edições do mercado, com uma pegada pop. Procurei trabalhar o conceito de distopias modernas e contemporâneas, considerando que a leitura da obra do Orwell vem muito a calhar agora, para as novas gerações – e que a Novo Século tinha a intenção de apresentar o Orwell para esse novo público. Busquei incorporar algo que remetesse ao visual das edições clássicas, mas procurei ir além, acrescentando fatores visuais mais contemporâneos, tanto no traço quanto na paleta.

Para a ilustração da caixa, a ideia era misturar os elementos de ambas as capas. A princípio, usei os olhos onipresentes da capa de *1984* com alguns dos animais de *A Revolução dos Bichos*. Ao fundo, um eixo hipnótico que direciona o olhar para o nome do autor. A ideia era reforçar como o universo do Orwell te suga para dentro dele, e como os personagens e os leitores são tragados por essas narrativas que falam tanto das estruturas políticas da sociedade.

Ao longo do processo, decidi mudar um pouco essa ilustração. Comecei a finalizar a composição e senti que tinha muita coisa acontecendo. Pensei que seria mais interessante termos dois elementos principais, um de cada história, e cheguei aos olhos onipresentes da capa de *1984* somados ao porco Napoleão de *A Revolução dos Bichos*. O plano de fundo da ilustração é hipnótico, convergindo o olhar para o protagonista suíno. Ao mesmo tempo, temos os olhos ao redor do Napoleão, o que remete ao Grande Irmão. Também retirei o nome do autor das faces do box e o coloquei na lombada – uma proposta mais ousada, que deixa a ilustração mais poderosa.

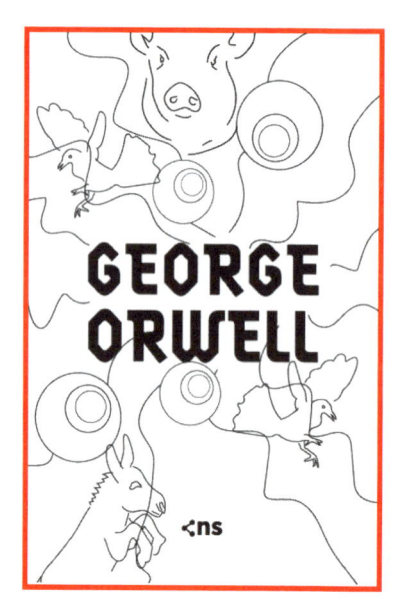

Para as capas, optei por usar estilos de traço um pouco diferentes entre si, já que *1984* tem um tom de ficção científica, mais moderno, enquanto *A Revolução dos Bichos* é mais uma fábula adulta. Para criar unidade entre eles, temos as cores e a escolha tipográfica do projeto aplicadas nas capas de forma semelhante. Usei linhas para criar texturas e separar planos, mesclando formas com e sem traçado e mesclando cores vivas ao preto.

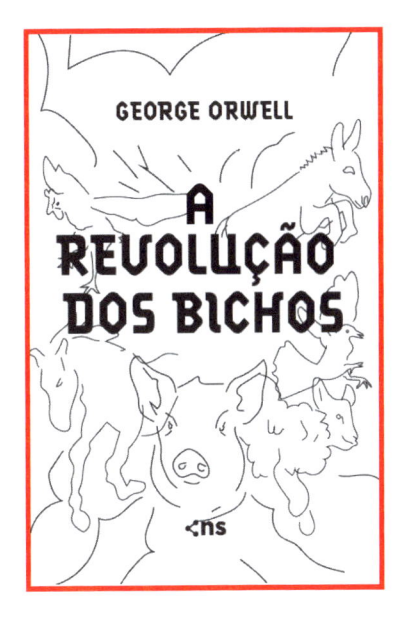

Em *A Revolução dos Bichos*, procurei selecionar alguns animais marcantes da trama: porco, cavalo, galinha, ovelha, burro e corvo. Ao fundo, chamas e nuvens, fazendo referência à tempestade e à fogueira. Embora os animais deem o tom de fábula, a composição, os elementos e o estilo reforçam o caráter adulto da obra.

Em *1984*, uma mão imponente segura um olho, e dentro da íris vemos uma figura de perfil. Ao fundo, a silhueta de uma cidade grande. A ideia nesta ilustração é reforçar o caráter distópico e manipulador do governo, dando um tom moderno à obra, evidenciando que seu apelo continua muito atual.

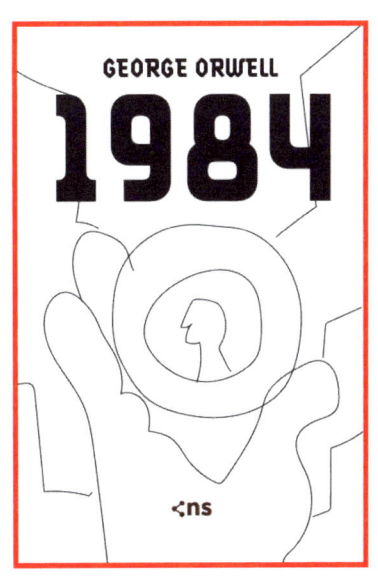

Futuros imper-feitos

Como a ficção elevou o debate político e social ao criar um amanhã distópico

ROBERTO SADOVSKI

Jornalista e crítico de cinema. Há mais de duas décadas investiga os meandros da cultura pop, seja no papel (comandou a revista *Set*), seja na internet (assina desde 2013 uma coluna de cinema e entretenimento no UOL, maior portal de internet da América Latina). Escrevendo e dirigindo ficção, Sadovski prepara-se para pular essa cerca... Mas estas são cenas dos próximos capítulos.

O mundo se recuperava do horror da Segunda Guerra Mundial quando o escritor George Orwell criou, no intervalo de quatro anos, suas obras máximas. *A Revolução dos Bichos* (1945) é uma alegoria sobre o fracasso da revolução proletária, em que o oprimido toma o lugar do opressor, mesmo que seus objetivos iniciais sejam nobres. Já o profético *1984* retrata um futuro distópico em que a sociedade é esmagada por um regime totalitarista, representado pela vigília onipresente do Grande Irmão.

A fantasia e a ficção científica são historicamente os gêneros mais abraçados para se observar a condição humana. Fora das amarras do realismo, qualquer metáfora, qualquer criação fantástica se torna um espelho para o mundo do lado de cá. Orwell foi tão arguto em seus textos que não tardou para que seu trabalho ganhasse capilaridade não só na cultura pop, como também no vocabulário político. Tornou-se, por fim, adjetivo: "orwelliano" descreve ambientes e práticas sociais totalitárias, brutais, avessas à liberdade e absolutamente opressoras.

O cinema não tardou a traduzir as ideias de Orwell. Ao longo de quase oito décadas, dezenas de filmes trouxeram os temas que ele havia popularizado em diferentes molduras para públicos distintos. Em comum, boa parte dessas obras compartilha uma visão pessimista do futuro e uma conclusão frequentemente trágica para a interação humana. Outras obras de romancistas consagrados, muitos igualmente inspirados por Orwell, ajudaram a tecer um panorama fascinante de um futuro que, muitas vezes, já chegou.

A *Revolução dos Bichos* e *1984* obviamente já foram reinterpretados para outras mídias. O primeiro teve duas adaptações diretas como longa-metragem que tomaram liberdades com o material original, geralmente para suavizar seu impacto. A primeira foi produzida em 1954, menos de uma década após o lançamento do livro, e teve uma origem curiosa.

O mundo vivia sob a sombra da Guerra Fria quando a dupla de produtores e diretores John Halas e Jay Batchelor assinaram o contrato para a adaptação três anos antes de seu lançamento. O que a equipe que trabalhou no filme não sabia era que o projeto inicialmente fora financiado pela CIA, a agência de inteligência norte-americana. O objetivo era produzir arte anticomunista, e o texto de Orwell, que teve como inspiração a Revolução Russa, terminou como base ideal para mostrar os "males" de um regime gerido pelo povo.

Já a segunda adaptação de *A Revolução dos Bichos* foi dirigida por John Stephenson para a televisão em 1999. É uma versão simplória e "fofinha", que suavizou radicalmente as ideias do livro, em especial com a inclusão de um absurdo final feliz. As crianças não entenderam nada das entrelinhas políticas e do tom sombrio, e os adultos fugiram do texto pouco sofisticado e das soluções narrativas carregadas de clichês. Uma nova versão com direção de Andy Serkis foi anunciada em 2012, mas desde então o projeto permanece dormente.

Pôsteres das adaptações de 1954 e 1999

1984, por sua vez, teve melhor sorte que a obra anterior de Orwell. Em 1954, a TV britânica exibiu a primeira adaptação do livro, um sucesso com Peter Cushing e Donald Pleasence. A demanda impulsionou a primeira versão para o cinema dois anos depois. Com direção de Michael Anderson, o filme era uma versão livre do texto de Orwell, que usou suas ideias e seu clima desolador.

Uma adaptação parruda de *1984* chegou aos cinemas pelas mãos de Michael Radford (que anos depois faria *O*

Carteiro e o Poeta) em... 1984! Aqui a obra tinha musculatura de superprodução, com um elenco estelar liderado por John Hurt e Suzanna Hamilton, além de ser o último papel do lendário Richard Burton. Nas mãos de Radford, a produção seguiu de perto o texto de George Orwell, contando a história de Winston Smith, que num futuro distópico vive sob jugo totalitário no superestado de Oceânia, em que até os pensamentos são monitorados. O amor é um delito e o casal passa por uma reabilitação intrusiva e traumática.

As cores dessaturadas e a atmosfera lúgubre traduziram à perfeição as palavras de Orwell. Existe um novo projeto para adaptar o livro, mas a pandemia do coronavírus e o governo de Donald Trump fizeram com que os produtores apertassem o pause para observar como as mudanças tão velozes quanto traumáticas experimentadas pelo mundo podem impactar sua narrativa.

O futuro sufocante sugerido em *1984* já fazia parte do *zeitgeist* desde o início do século 20. O mundo moderno trouxe embates desconhecidos para o homem, ao passo que o normal dos regimes monarquistas cedia espaço para democracias e outras aventuras políticas. Em 1927, o cineasta Fritz Lang capturou este espírito do tempo no clássico absoluto *Metrópolis*, que retratou uma sociedade futurista com castas bastante delineadas, que cede ante o ímpeto de uma revolução popular.

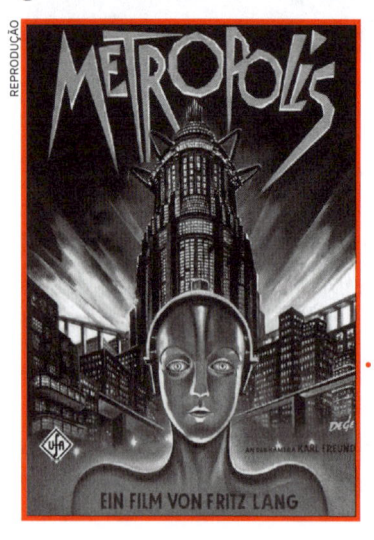

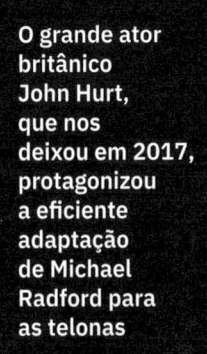

O grande ator britânico John Hurt, que nos deixou em 2017, protagonizou a eficiente adaptação de Michael Radford para as telonas

Com o fim da Segunda Guerra Mundial e a ascensão da Guerra Fria, as diferenças ideológicas no planeta tornaram-se ainda mais gritantes – e o texto de Orwell, mais urgente. Nos anos 1960, dois gênios do cinema francês arquitetaram futuros distópicos que habitavam a sombra de *1984*. *Alphaville* foi escrito e dirigido por Jean-Luc Goddard em 1965 e surgiu como uma ficção científica neonoir em plena revolução da Nouvelle Vague nas artes francesas.

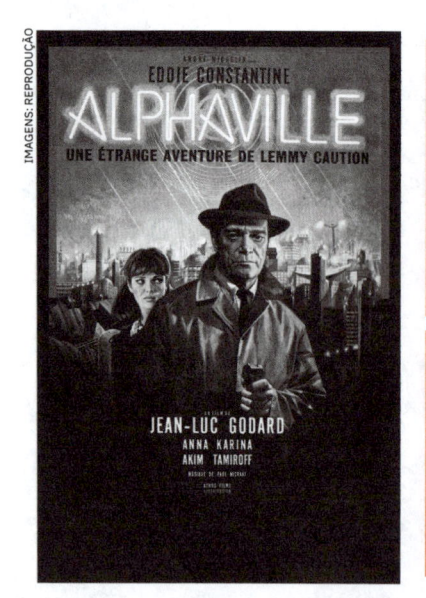

Pôster e cenas do filme *Alphaville* (1965)

A combinação de gêneros encontrou realismo inusitado com a decisão de Goddard em filmar não em cenários futuristas, mas em locações reais em Paris. *Alphaville* acompanha um agente secreto que viaja a uma cidade espacial longínqua para libertá-la da tirania de um déspota. Em comum com *1984*, o narrador em *Alphaville* assume o arquétipo do Grande Irmão, existe uma necessidade autoritária em silenciar o amor e as palavras são ressignificadas para obedecer às necessidade do sistema de controle opressor.

Já François Truffaut lançou em 1966 *Fahrenheit 451*, uma adaptação da obra lançada em 1953 por Ray Bradbury. A produção, primeiro filme europeu do estúdio Universal, foi rodada na Inglaterra com elenco majoritariamente europeu. O texto também retrata uma sociedade sem livre-arbítrio em um futuro opressor, em que bombeiros têm o trabalho de queimar livros para impedir pensamentos revolucionários. Curiosamente, *1984*, *Alphaville* e *Fahrenheit 451*, mesmo compartilhando ideias, são obras complementares, resultando em uma visão única de um futuro estilhaçado.

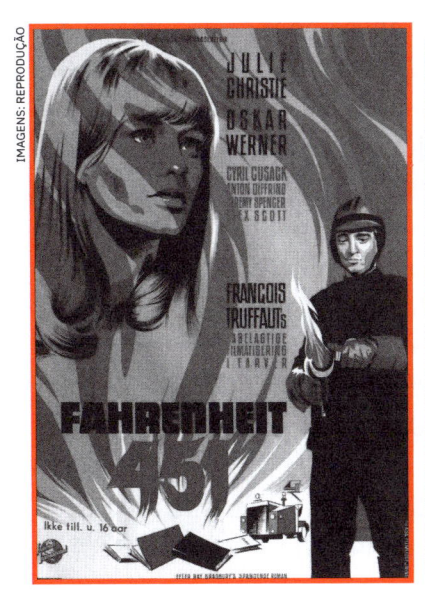

Pôster e cenas do filme *Fahrenheit 451* (1966)

Se até os anos 1960 as distopias ainda habitavam o universo dos filmes "de arte", a década seguinte experimentou uma explosão de ideias em volume e impacto distintos. Talvez um reflexo do conflito no Vietnã, que materializou a grande área cinzenta que resumia um mundo em busca de identidade, os filmes dessa época colocavam nos futuros desolados um espelho para a inquietude de uma geração inconformada com o presente e sem otimismo no amanhã.

Foi a década que trouxe a Londres ultraviolenta de *Laranja Mecânica* (1971), em que Stanley Kubrick adapta o livro de Anthony Burgess mostrando uma juventude apática, entregue ao imediatismo e à espontaneidade – traduzidos em atos de agressão e vandalismo. Ao governo só resta expurgar tais pensamentos com uma lavagem cerebral que resulta na morte do espírito do indivíduo. Um jovem George Lucas usou o cinema como canvas no mesmo ano em sua estreia, o sufocante *THX 1138*. É um futuro pós-apocalíptico em que a humanidade vive em cidades subterrâneas, sem direito ao livre-arbítrio, subjugada por um remédio que suprime emoções. A essa altura, o adjetivo "orwelliano" já era largamente empregado para definir o filme de Lucas, com seus personagens lutando pelo direito de acordar de seu torpor e se apaixonar. Um filmaço.

Um registro mais bombástico pode ser observado em um quarteto de filmes tão diferentes quanto fascinantes. O profético *No Mundo de 2020* (1973) lida com uma distopia assolada pela superpopulação, com o governo mantendo as massas sob controle ao distribuir o alimento industrializado Soylent Green – e cabe a Charlton Heston descobrir seu terrível segredo. A superpopulação na Terra também dá o tom a *Fuga do Século 23* (1976), de Michael Anderson. É 2274 e a solução para preservar os recursos cada vez mais

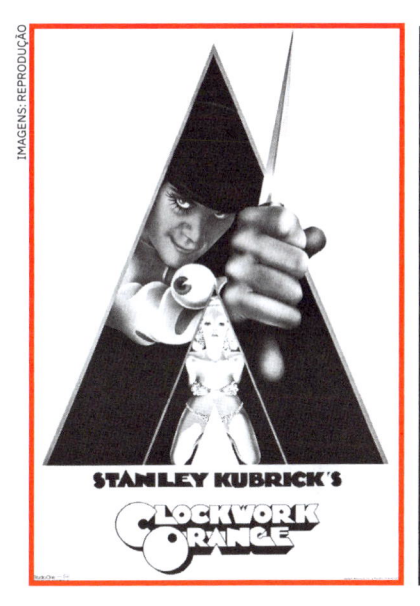

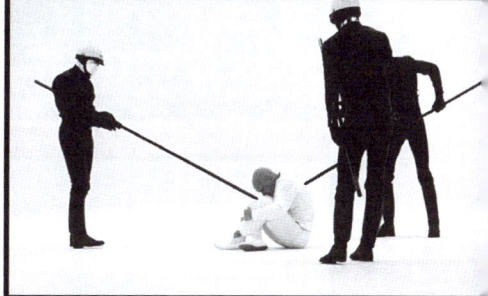

Acima, pôsteres originais dos filmes *Laranja Mecânica* (1971) e *THX 1138* (1971). Abaixo, uma emblemática cena de cada película

limitados é simples: matar cada pessoa no planeta que chegue aos 30 anos de idade. Marcado para o extermínio, Logan 5 (Michael York) foge do domo geodésico que abriga o que restou da humanidade para descobrir pela primeira vez o mundo da superfície.

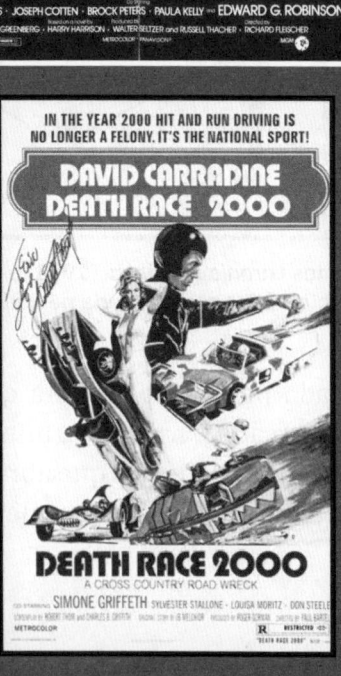

Algumas distopias bombásticas da década de 1970: *No Mundo de 2020* (1973), *Rollerball – Os Gladiadores do Futuro* (1975), *Corrida da Morte – Ano 2000* (1975) e *Fuga do Século 23* (1976)

Em outros dois filmes, ambos de 1975, a sorte da sociedade está lançada em soluções que misturam esporte e violência. Em *Rollerball – Os Gladiadores do Futuro*, Norman Jewison mostra um futuro gerido por corporações, em que a paz mundial reside em um esporte violentíssimo que demonstra a futilidade do individualismo: juntos, diz a mensagem, matamos os concorrentes com facilidade. Mas é um indivíduo, o atleta interpretado por James Caan, que luta por sua liberdade e ameaça o controle corporativo. Já *Corrida da Morte – Ano 2000* traz a assinatura do produtor Roger Corman. A sociedade esfacelada em uma distopia só encontra união para acompanhar uma corrida transcontinental, em que a morte espreita os menos habilidosos. David Carradine e Sylvester Stallone competem pelo pódio. Tanto *Rollerball* quanto *Corrida da Morte* ganharam remakes modernos, que podem ser devidamente ignorados.

Uma das distopias mais espetaculares que o cinema já criou também teve origem na literatura. O escritor francês Pierre Boulle lançou seu *O Planeta dos Macacos* em 1963. Cinco anos depois, o cinema tratou de transformar sua obra em fenômeno global. É uma distopia que representa o pior pesadelo da humanidade: perder seu lugar dominante na Terra. É o que descobre o astronauta George Taylor (Charlton Heston), que no século 20 (!) pousa em um planeta dominado por símios inteligentes, em que o homem é o animal irracional que serve como caça e força escrava.

O filme de Franklin J. Schaffner materializou à perfeição a desumanização de Taylor ao colocá-lo em contraponto com cientistas símios, os chimpanzés Zira e Cornelius – um trabalho de maquiagem magnífico que criou um símbolo indelével para o cinema. *O Planeta dos Macacos* termina com uma das maiores reviravoltas da história, quando Taylor, escapando para além da "zona proibida" e longe de seus algozes, encontra as ruínas da Estátua da Liberdade, descobrindo que nunca deixara a Terra, agora em ruínas num futuro distante.

O fascínio pelo mundo imaginado por Boulle e executado por Schaffner foi tamanho que *O Planeta dos Macacos* rapidamente tornou-se uma série que dominou os cinemas nos anos 1970. Foram mais quatro filmes lançados entre 1970 e 1973 – *De Volta ao Planeta dos Macacos*, *Fuga do Planeta dos Macacos*, *A Conquista do Planeta dos Macacos* e *A Batalha do Planeta dos Macacos*. O protagonismo da série passou Zira e Cornelius e envolveu viagem no tempo, o nascimento de seu filho, César, em um passado em que a humanidade ainda surgia intacta, até os eventos que cravaram o fim do mundo como conhecemos.

O Planeta dos Macacos estendeu seus tentáculos posteriormente em uma série para a TV, um desenho animado, livros e histórias em quadrinhos. A primeira tentativa de reativar a série no cinema só foi acontecer em 2001, quando Tim Burton comandou uma nova adaptação da obra de

O Planeta dos Macacos (1968) deu origem a uma das franquias de distopia mais bem-sucedidas da história do cinema

Boulle, agora também se pautando pelos eventos dos filmes originais. A produção, com Mark Wahlberg à frente, fracassou em reacender o interesse pela marca e terminou como uma obra incompleta, de final dúbio, em que o trabalho fantástico de maquiagem acabou sendo o ponto alto.

Foi com surpresa, portanto, que o estúdio responsável pela série tenha apostado em mais um reboot, desta vez em 2011. A aposta, porém, foi uma nova trama, acompanhando o cientista interpretado por James Franco quando ele desenvolve uma fórmula destinada a curar o Alzheimer, mas que termina despertando a inteligência em um chimpanzé, César. O filme *Planeta dos Macacos: A Origem*, teve direção de Rupert Wyatt e terminou como um ponto de partida intrigante, acompanhando a construção de uma distopia ao lado da queda da humanidade, vitimada por um vírus disseminado em sua última cena. O trabalho de captura de movimento, com atores "interpretando" os macacos que depois ganhariam um avatar digital, é impressionante.

Foi Andy Serkis, intérprete de César, quem tomou a frente da continuação *Planeta dos Macacos: O Confronto* (2014). Matt Reeves assumiu o leme da produção, mostrando o colapso da civilização humana uma década depois do vírus mortal. Com a sociedade em ruínas, os macacos se proliferam, todos compartilhando os traços genéticos de César e sua inteligência aprimorada. O bando chega a um impasse ao enfrentar um grupo de sobreviventes humanos, e o conflito parece inevitável. O ano de 2017 finalmente trouxe *Planeta dos Macacos: A Guerra*, com César tomando a frente para proteger sua espécie, mesmo que isso signifique eliminar de vez a presença humana na Terra.

A condição humana é tema de *Blade Runner – O Caçador de Androides*, que já em 1982 reproduz o visual opressor imaginado por Orwell em *1984* em um futuro dominado por corporações, em que humanos caçam Replicantes, androides que buscam entender o que é estar vivo. Ridley Scott adapta o livro de Philip K. Dick à perfeição, transformando questões existencialistas na ficção científica mais influente do cinema moderno. Sua continuação, *Blade Runner 2049*, dirigida por Denis Villeneuve em 2017, aprofunda seu aspecto distópico, com humanos e Replicantes aparentemente vivendo uma letargia alimentada por forças dominantes invisíveis.

Blade Runner – O Caçador de Androides (1982), considerada uma das melhores ficções científicas do cinema moderno, e sua continuação tardia, *Blade Runner 2049* (2017), sucesso de crítica e de público

O visual acachapante de *Blade Runner* parece ter informado a direção visual de *Akira*, animação japonesa em que Katsuhiro Otomo adaptou sua própria série de mangás. As ideias orwellianas surgem anabolizadas, com delinquência juvenil descontrolada, tentativa de controle de massa governamental e paranormais como o elemento novo, capaz de desestabilizar o já frágil equilíbrio desse amanhã torto. Outro mangá que flerta com um futuro distópico, agora com um tom cyberpunk, é *Alita: Anjo de Combate*, que chegou aos cinemas em 2019 pelas mãos de Robert Rodriguez e James Cameron.

A ficção científica do cinema contemporâneo, não importa seu subgênero, não se furta em usar a visão de George Orwell como inspiração, como fonte, como base. John Carpenter colocou um governo opressor em busca de controle na dobradinha *Fuga de Nova York* (1981) e *Fuga de Los Angeles* (1996), ambos com Kurt Russell no papel do anti-herói Snake Plissken, disposto a quebrar o sistema. É esse mesmo sistema que une o estado e as corporações privadas em *RoboCop – O Policial do Futuro*, de 1987, com o gênio Paul Verhoeven fazendo da Detroit do futuro um pesadelo dominado pela violência, debelada pela ação de um policial que perde sua humanidade ao ser transformado em androide.

Arnold Schwarzenegger visitou um futuro distópico em um punhado de filmes, da série *O Exterminador do Futuro* ao genial *O Vingador do Futuro*, passando por bobagens como *O 6º Dia*. Mas o Grande Irmão surgiu na forma da televisão, o

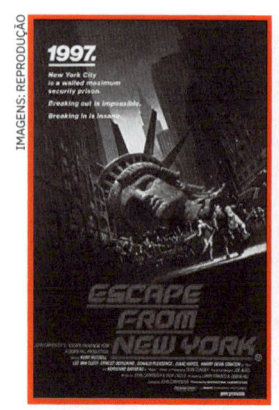

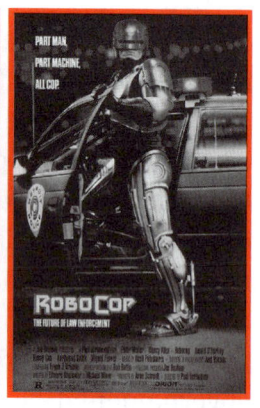

A ficção científica do cinema contemporâneo não se furta em usar a visão de Orwell como inspiração. Opressão e violência marcam os filmes *Fuga de Nova York* (1981) e sua sequência, *Fuga de Los Angeles* (1996), bem como o icônico *RoboCop – O Policial do Futuro* (1987)

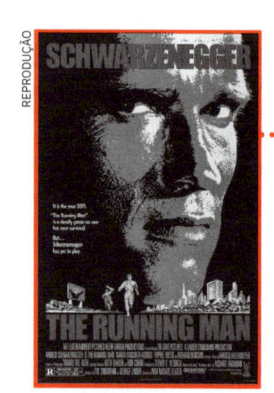

entretenimento do futuro usado como controle e manipulação de massa em *O Sobrevivente* (1987). Violência como programa para toda a família, uma mentira para criar a ilusão de paz. Um filme estranho que os anos tornaram cult, baseado no livro *O Concorrente*, escrito por ninguém menos que Stephen King sob o pseudônimo de Richard Bachman. Os anos também foram generosos com Sylvester Stallone, que visitou seu próprio futuro distópico em 1993 em *O Demolidor*. Como um policial congelado criogenicamente no fim do século 20, descongelado décadas depois para caçar um supercriminoso

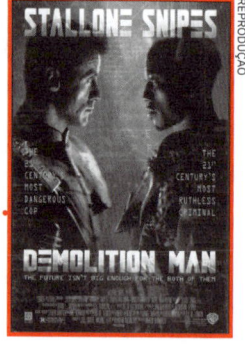

(Wesley Snipes), o astro trouxe um registro mais bem--humorado a um futuro dominado por uma sociedade que parece ter eliminado a própria alegria de viver.

Se houve um astro que gostou de sua estadia em uma distopia, seu nome é Kevin Costner. Primeiro foi em 1995, quando *Waterworld: O Segredo das Águas*, do amigo Kevin Reynolds, atravessou uma produção atribuladíssima para criar um futuro em que a Terra se encontra submersa com o derretimento das calotas polares. Costner é o mutante que ajuda um grupo de sobreviventes a fugir de vilões poluentes (liderados por Dennis Hopper) e encontrar o último vestígio de terra seca no planeta. Dois anos depois, o próprio Costner dirigiu uma distopia que basicamente ninguém conferiu. *O Mensageiro* traz uma sociedade que regrediu com o colapso da tecnologia, e os sobreviventes são aterrorizados por milícias. Quando um nômade veste as roupas de um carteiro que ele encontrou morto, sua presença acende a esperança de um governo restaurado. Uma bobagem, mas uma bobagem honesta.

As distopias apontadas por George Orwell informaram outros grandes filmes nos últimos anos. Como a ficção científica que mistura viagem no tempo e insanidade promovida por Terry Gillian em *Os 12 Macacos* (1995). Ou o futuro violento e vazio imaginado por Stanley Kubrick e materializado por Steven Spielberg em 2001 em seu *A.I. – Inteligência Artificial*. Ou ainda o retrato de uma humanidade sem futuro, quando as mulheres perdem o dom de engravidar, no espetacular *Filhos da Esperança*, que Alfonso Cuarón fez em 2006. Os ricos ainda mantêm a opressão aos mais pobres em filmes distintos como *Elysium*, de Neill Blomkamp, e *Expresso do Amanhã*, do recém-oscarizado Bong Joon-Ho – ambos de 2013, ambos uma releitura moderna do totalitarismo orwelliano.

Mais contrapontos? A literatura para jovens adultos rendeu três séries tematicamente idênticas. *Jogos Vorazes* (quatro filmes entre 2012 e 2015) é a mais bem-sucedida, além de transformar Jennifer Lawrence em estrela de primeira grandeza. Um degrau abaixo está *Divergente* (três filmes entre 2014 e 2016) e *Maze Runner* (também três filmes, entre 2014 e 2018). Personagens dos quadrinhos não deixaram de se inspirar nas palavras de Orwell. Talvez o mais notório seja *Batman*, que Tim Burton fez em 1989, com sua Gotham City sufocante, dominada pelo crime e pela desesperança. Futuros distópicos também são a matéria-prima de *Dredd* (2012) e *X-Men: Dias de um Futuro Esquecido* (2014).

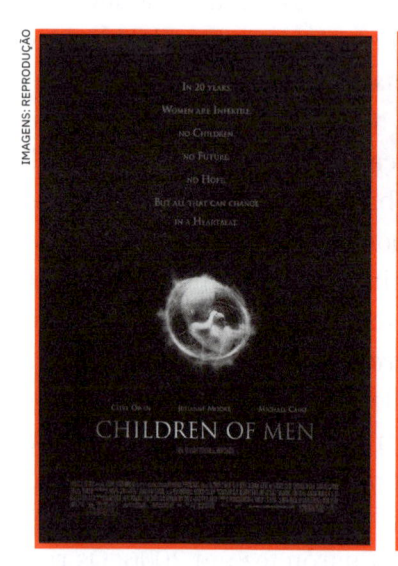

Muitas distopias cinematográficas bebem da literatura. Dois belos exemplos dos últimos quinze anos, ambos sob a batuta de diretores vencedores do Oscar, são o espetacular *Filhos da Esperança* (2006), baseado em livro de P.D. James, e o sombrio *Expresso do Amanhã*, baseado na graphic novel de Jacques Lob e Jean-Marc Rochette

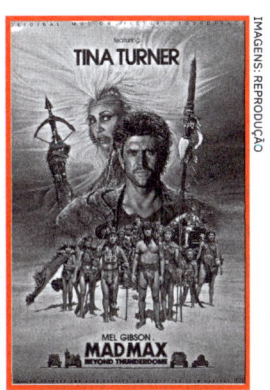

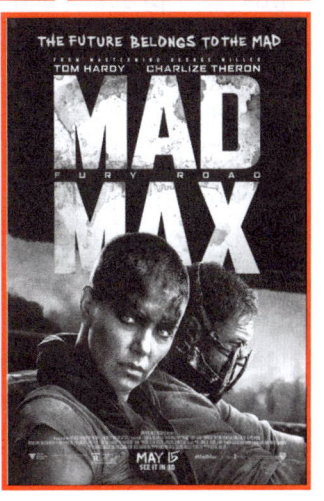

Na série de filmes *Mad Max*, todos escritos e dirigidos pelo cineasta australiano George Miller, observamos a mesma luta do indivíduo para sobrepujar um sistema que insiste em mantê-lo sob controle e obediência servil

Um dos retratos mais fascinantes desse futuro desesperançoso da humanidade veio da Austrália, cortesia de George Miller. Não temos aqui o totalitarismo e a liberdade eviscerada de *1984*. Mas observamos a mesma luta do indivíduo para sobrepujar um sistema que insiste em mantê-lo sob controle, amarrado, sem reação. Ele surgiu como Mel Gibson em *Mad Max*, ainda em 1979, ainda com uma sociedade funcional. As ruínas vieram dois anos depois com o sublime *Mad Max 2 – A Caçada Continua*, e teve um epílogo aparente em 1985 com *Mad Max 3 – Além da Cúpula do Trovão*.

A página estava supostamente virada quando Miller voltou com fúria já no novo século e um novo Max, com

Tom Hardy assumindo o personagem de Gibson. Mas nem nos sonhos mais selvagens era possível profetizar que *Mad Max – Estrada da Fúria* (2015), com Charlize Theron gritando sua frustração e desespero no deserto, fosse se tornar um dos filmes definitivos da segunda década do novo século. O tom opressor de Orwell foi substituído pelo deserto infinito e seus habitantes acelerados. Mas a mensagem do triunfo do indivíduo permanece a mesma.

Dúzias de filmes e diversas décadas ajudaram a entender e a processar o legado da obra de George Orwell para o cinema de fantasia e ficção científica mundial. Suas ideias de uma sociedade que reprime as emoções e a liberdade de pensamento abriram espaço para outros gênios, literários e cinematográficos, reinterpretarem um futuro mergulhado na desesperança. Mas que enxerga, na fagulha do espírito humano, um último alento de esperança. Sua existência depende do olhar de quem vê. Em três décadas distintas, três filmes traduziram à perfeição esse espírito, transcendendo seu momento para cravar seu lugar na história.

Em 1985, Terry Gillian talvez tenha construído a síntese mais perfeita de *1984* com sua obra-prima, *Brazil – O Filme*. Jonathan Pryce é um burocrata em uma sociedade distópica que se torna inimigo do estado ao partir em busca de seu amor verdadeiro. Gilliam materializou a ineficiência da burocracia em um mundo atolado em regras e procedimentos inúteis. Dar a seu protagonista o sonho de voar é a metáfora perfeita para a fuga da opressão terrena. Ataques terroristas apontam a oportunidade de livrar-se das amarras. Mas Gilliam é o perfeito esteta orwelliano, e encerra a jornada de seu herói com a reviravolta mais brutal, sádica e triste possível – e também a mais perfeita.

Na década seguinte, o sistema opressor tornou-se mais sofisticado e também mais invisível. É esse o mundo construído pelas irmãs Wachowski em *Matrix* (1999). Keanu Reeves é parte do sistema que faz da vida uma eterna repetição. Mas ele busca uma fuga vivendo uma vida dupla como um hacker, Neo. Sua busca por respostas para perguntas que ele sequer é capaz de formular o leva a uma revelação terrível em sua simplicidade: a humanidade é prisioneira em um mundo de sonhos gerado por computador. Enquanto vivemos o idílio digital, nossos corpos energizam as máquinas que agora dominam o planeta. Surge o movimento rebelde e também a pergunta: o que define, afinal, a realidade? Duas continuações de menor impacto não diminuem a revolução causada por *Matrix*.

Finalmente, a literatura serviu de fonte para o pesadelo orwelliano visualmente mais sintonizado com *1984*. Alan Moore escreveu *V de Vingança* na Inglaterra dos anos 1980, em que o medo da devastação atômica e o governo autoritário de Thatcher nublaram as liberdades individuais na ilha. Uma versão para cinema foi finalmente lançada em 2005, com roteiro e produção das Wachowski e direção de James McTeigue. São as mesmas cartas na mesa. Governo totalitário. Liberdade vigiada. Banimento de pensamento individual. Sociedade manipulada pela mídia. Um Grande Irmão vigiando essa nova ordem, imposta pelo braço armado do Estado. Até John Hurt, da versão para o cinema da obra de Orwell, surge em destaque!

A diferença aqui é a reação do oprimido, materializado primeiro em Evey (Natalie Portman), cidadã que torna-se acidentalmente alvo do sistema opressor, e aos poucos reclama sua individualidade e seu poder para reagir. Isso só é possível quando ela é salva e posteriormente orientada

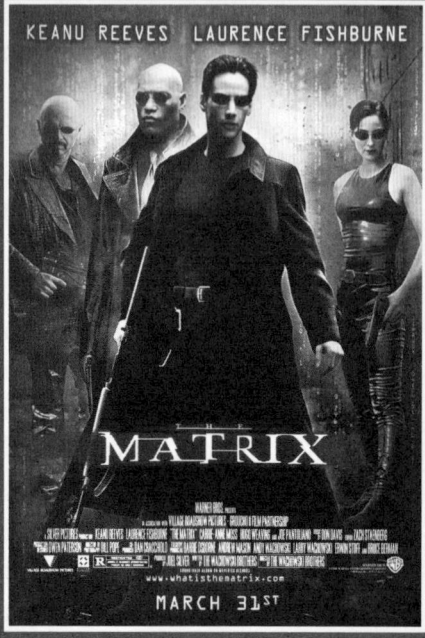

Num futuro despedaçado, um último alento de esperança na fagulha do espírito humano. Em três décadas distintas, três filmes traduziram à perfeição esse espírito, transcendendo seu momento para cravar seu lugar na história. São eles *Brazil – O Filme* (1985), *magnum opus* de Terry Gilliam; o revolucionário, em vários sentidos, *Matrix* (1999), das irmãs Wachowski; e o visceral *V de Vingança*, pesadelo orwelliano visualmente mais sintonizado com o universo de *1984*

por um justiceiro sem rosto, uma voz erguida contra o Estado que esconde suas feições e seu passado por trás de uma máscara de Guy Fawkes. Não é ao acaso, já que ele representa a figura histórica que, em 1605, esteve envolvida na tentativa de assassinato do Rei James da Inglaterra e em restaurar a monarquia católica ao trono.

Derrubar o sistema, pelo visto, é um trabalho nobre que atravessa séculos. E que George Orwell retratou como poucos – e antes de muitos – em obras que atravessam gerações e vivem para sempre.

2+2

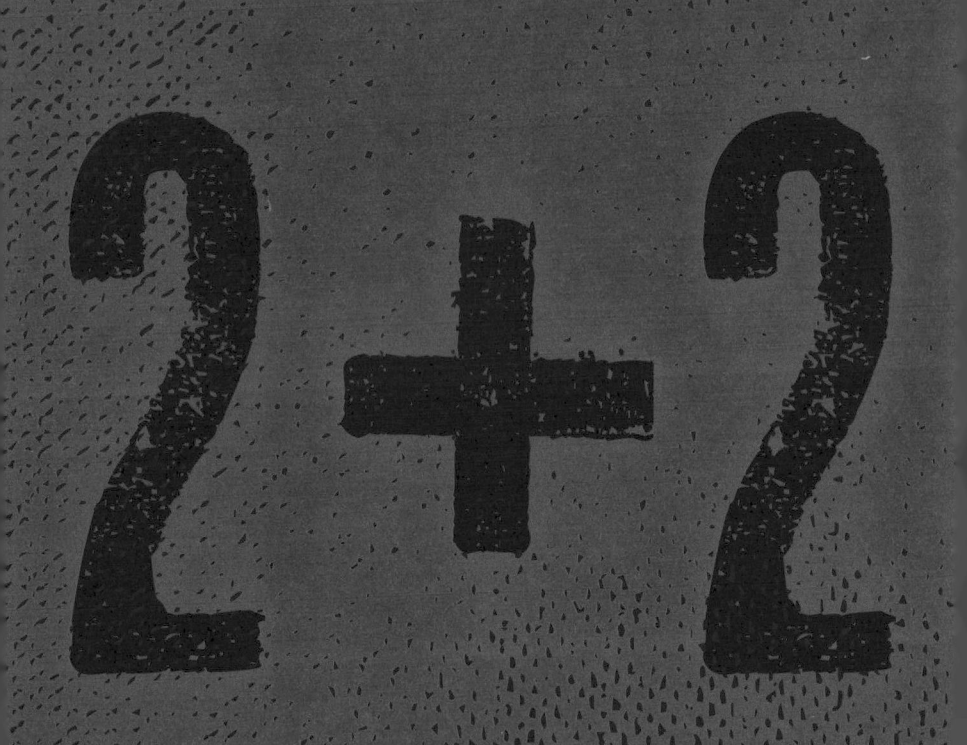

≠ 5

Coordenação editorial e edição de arte: João Paulo Putini
Revisão: Vitor Donofrio

grupo
novo
século

Compartilhando propósitos e conectando pessoas
Visite nosso site e fique por dentro dos nossos lançamentos:
www.novoseculo.com.br

<ns

(f) facebook/novoseculoeditora
(@) @novoseculoeditora
(y) @NovoSeculo
(▶) novo século editora

gruponovoseculo
.com.br

Fonte: IBM Plex

1984

George Orwell
1984

tradução
LUISA GEISLER

‹ns
São Paulo, 2021

1984
1984

Copyright © 2021 by Novo Século Editora Ltda.

EDITOR: Luiz Vasconcelos
COORDENAÇÃO EDITORIAL: João Paulo Putini
TRADUÇÃO: Luisa Geisler
PREPARAÇÃO: Marcia Men
REVISÃO: Equipe Novo Século
DIAGRAMAÇÃO: João Paulo Putini
CAPA: Paula Cruz

Texto de acordo com as normas do Novo Acordo Ortográfico da Língua Portuguesa (1990), em vigor desde 1º de janeiro de 2009.

Dados Internacionais de Catalogação na Publicação (CIP)

Orwell, George, 1903-1950
1984
George Orwell ; tradução de Luisa Geisler.
Barueri, SP: Novo Século Editora, 2021.

Título original: 1984

1. Ficção inglesa I. Título II. Geisler, Luisa

20-4334   CDD 823

Índice para catálogo sistemático:
1. Ficção inglesa 823

ns
Uma marca do Grupo Novo Século

Alameda Araguaia, 2190 – Bloco A – 11º andar – Conjunto 1111
CEP 06455-000 – Alphaville Industrial, Barueri – SP – Brasil
Tel.: (11) 3699-7107 | Fax: (11) 3699-7323
www.gruponovoseculo.com.br | atendimento@gruponovoseculo.com.br

PARTE I

CAPÍTULO 1

Era um brilhante dia fresco de abril, os relógios badalavam a uma da tarde. Winston Smith, o queixo socado no peito num esforço de escapar dos ventos cruéis, atravessou rápido as portas de vidro do edifício Mansões Victory, apesar de não rápido o suficiente para evitar que uma lufada de poeira arenosa entrasse numa espiral junto dele.

O corredor cheirava a repolho fervido e tapetes velhos de pano. No fim, um cartaz colorido, grande demais para ficar à mostra num ambiente fechado, preso à parede. Exibia apenas um rosto gigante, mais de um metro de extensão: o rosto de um homem de cerca de 45 anos de idade, com um pesado bigode negro e traços rusticamente belos. Winston foi para as escadas. Não adiantaria tentar o elevador. Até mesmo em tempos melhores, dificilmente funcionava, e no momento a corrente elétrica estava cortada durante o dia. Era parte do esforço econômico em preparo para a Semana do Ódio. O apartamento ficava no sétimo andar, e Winston, que tinha 39 anos e uma úlcera varicosa sobre o tornozelo direito, subiu devagar, descansando diversas vezes no caminho. Em cada andar, na frente do poço do elevador, o cartaz do rosto imenso mirava da parede. Era um desses retratos planejados de modo a que os olhos acompanhassem os seus movimentos. O GRANDE IRMÃO ESTÁ OBSERVANDO VOCÊ, a legenda abaixo da imagem descrevia.

Dentro do apartamento, uma voz delicada lia uma lista de números que tinha a ver com a produção de ferro-gusa. A voz vinha de uma placa oblonga de metal como um espelho opaco que formava parte da superfície da parede direita. Winston pressionou um interruptor e a voz afundou de leve, apesar das palavras ainda estarem distinguíveis. O instrumento (teletela, chamava-se) poderia ter o volume diminuído, mas não havia como desligá-lo por completo. Ele se moveu para a janela: uma figura frágil e diminuta, o descarnado de seu corpo apenas enfatizado pelo macacão azul que era o uniforme do Partido. O cabelo era bastante claro, o rosto naturalmente rubicundo, a pele tornada áspera por sabão areento e lâminas de barbear sem fio e o frio do inverno que terminara fazia pouco.

Do lado de fora, mesmo através do vidro fechado da janela, o mundo parecia frio. Pela rua, pequenos redemoinhos de vento giravam poeira e papel rasgado em espirais, e apesar de o sol brilhar e o céu estar azul forte, parecia não haver cor em nada, exceto pelos pôsteres grudados por toda parte. O rosto de bigode negro mirava para baixo de todos os cantos. Havia um na entrada de uma casa imediatamente à frente. O GRANDE IRMÃO ESTÁ OBSERVANDO VOCÊ, a legenda dizia, enquanto os olhos escuros perscrutavam os de Winston. Descendo a rua, outro pôster, rasgado em um canto, sacudia com as irregularidades do vento, alternando entre cobrir e descobrir a única palavra: SOCING. À distância, um helicóptero varria por entre os telhados, pairando por um instante, como uma mariposa, e disparando para longe em curva. Era a patrulha de polícia, espiando dentro das janelas. As patrulhas não importavam, no entanto. Apenas a Polícia do Pensar importava.

Às costas de Winston, uma voz da teletela seguia tagarelando sobre ferro-gusa e o superávit obtido pelo Nono Plano Trienal. A teletela recebia e transmitia simultaneamente. Qualquer som que Winston fizesse mais alto que um sussurro seria captado por ela, e mais: se ele permanecesse dentro do campo de visão dominado pela placa de metal, poderia ser visto além de ouvido. Não havia, é claro, uma forma de saber se alguém estava sendo assistido em qualquer dado momento. Com que frequência, ou com qual sistema, a Polícia do Pensar sintonizava em qualquer rede individual era apenas especulação. Era até mesmo concebível que assistissem a todo mundo o tempo inteiro. Mas, de qualquer forma, eles poderiam sintonizar na sua rede quando quisessem. A pessoa tinha que viver — de fato vivia, um hábito que se tornava instinto — com o pressuposto de que todos os sons que fazia eram entreouvidos e, exceto pela escuridão, todos os movimentos escrutinados.

Winston permaneceu de costas para a teletela. Era mais seguro; no entanto, como ele bem sabia, até costas podem revelar muito. A um quilômetro de distância, o Ministério da Verdade, seu local de trabalho, assomava em vastidão branca acima do horizonte encardido. Esta — ele pensou com uma espécie de desgosto vago —, esta era Londres, cidade principal da Pista de Pouso Um, ela própria a terceira província mais populosa da Oceânia. Ele tentou espremer alguma memória de infância que lhe diria se Londres sempre havia sido assim. Será que sempre houve estes panoramas de casas do século XIX apodrecendo, as laterais fortificadas com vigas de madeira, as janelas remendadas com papelão e os tetos de ferro corrugado, as insanas paredes de jardim caídas por todos os lados? E as áreas bombardeadas onde a poeira de gesso redemoinhava no ar e a salgueirinha se dispersava por cima de pilhas de detritos; e os locais onde as bombas haviam limpado uma zona maior e surgiram colônias sórdidas de casebres de madeira que mais pareciam galinheiros? Mas não adiantava de nada, ele não conseguia se lembrar: nada permanecia de sua infância exceto por uma série de quadros iluminados surgindo contra pano de fundo nenhum, e majoritariamente ininteligíveis.

O Ministério da Verdade — Miniver, em Novilíngua[*] — era surpreendentemente diferente de qualquer outra coisa visível. Era uma enorme estrutura piramidal de brilhante concreto branco, disparando para o alto, terraço depois de terraço, trezentos metros ar acima. De onde Winston estava, mal se conseguia ler, decifrado do frontispício branco em letra elegante, os três slogans do Partido:

GUERRA É PAZ
LIBERDADE É ESCRAVIDÃO
IGNORÂNCIA É FORÇA

O Ministério da Verdade continha, dizia-se, três mil recintos acima do nível do chão, e ramificações equivalentes abaixo do térreo. Espalhadas por Londres, havia apenas três outras construções de aparência e tamanho similares. Elas apequenavam a arquitetura ao redor de forma tão completa que, do teto do prédio Mansões Victory, era possível ver todas as quatro ao mesmo tempo. Eram os lares dos quatro ministérios, entre os quais o aparato inteiro do governo se dividia. O Ministério da Verdade, que se responsabilizava por notícias, entretenimento, educação e as

---

[*] A Novilíngua era o idioma oficial da Oceânia. Para uma análise de sua estrutura e etimologia, ver o Apêndice.

belas artes. O Ministério da Paz, que se responsabilizava pela guerra. O Ministério do Amor, que mantinha a lei e a ordem. E o Ministério da Abundância, que era responsável por questões econômicas. Seus nomes, em Novilíngua: Miniver, Minipax, Minimor e Minibun.

O Ministério do Amor era o realmente assustador. Não havia janelas de forma alguma. Winston nunca estivera dentro do Ministério do Amor, nem chegara a meio quilômetro de distância dele. Era um lugar impossível de entrar exceto para assuntos oficiais, e então apenas através de um labirinto de emaranhamentos de arame farpado, portas de aço e ninhos de metralhadoras escondidos. Até mesmo as ruas que levavam para as barreiras externas eram vigiadas por guardas com cara de gorila em uniformes negros, armados com cassetetes.

Winston se virou rápido. Ele havia programado sua expressão facial num otimismo silencioso, que era aconselhável usar ao encarar a teletela. Atravessou o recinto para a cozinha minúscula. Ao deixar o Ministério naquele horário, ele havia sacrificado o almoço na cantina e estava ciente de que não havia comida na cozinha exceto por um naco de pão escuro que tinha que ser economizado para o café da manhã do dia seguinte. Da estante, ele retirou uma garrafa de líquido sem cor com um rótulo branco simples escrito GIM VICTORY. Soltava um cheiro doentio, oleoso, como destilado chinês de arroz. Winston serviu quase uma xícara de chá inteira, preparou-se para um choque e virou a bebida de uma só vez como uma dose de remédio.

De imediato, seu rosto ficou escarlate e escorreram lágrimas dos olhos. Aquele negócio era como ácido nitroso e, mais do que isso, ao engolir, tinha-se a sensação de ser atingido na nuca com um porrete de borracha. No momento seguinte, no entanto, a queimação na barriga desapareceu, e o mundo começou a parecer mais animado. Ele sacou um cigarro de um pacote amassado com a marca CIGARROS VICTORY e, descuidado, ergueu-o na vertical, o que fez o tabaco do cigarro cair no chão. Ele teve mais sucesso no cigarro seguinte. Voltou à sala de estar e se sentou junto de uma mesinha menor à esquerda da teletela. Da gaveta da mesa, sacou uma caneta, um vidro de tinta e um livro grosso de formato in-quarto, em branco, com capa vermelha e marmorizada.

Por algum motivo a teletela na sala de estar estava em uma posição incomum. Em vez de estar posicionada, como era normal, na parede do fundo, onde poderia comandar o recinto inteiro, ela estava na parede mais longa, em frente à janela. Num dos lados dela havia uma alcova rasa superficial em que Winston estava sentado e que, quando os apartamentos foram construídos, provavelmente haviam sido feitas para estantes de livros. Sentando naquela alcova e posicionando-se bastante para trás, Winston conseguia ficar fora do alcance da teletela, ao menos em termos de visão. Ele poderia ser ouvido, é claro, mas desde que permanecesse naquela posição, não poderia ser visto. Em parte, foi a geografia incomum do recinto que lhe sugeriu a coisa que ele estava prestes a fazer.

Mas o livro que ele havia acabado de tirar da gaveta também sugeria isso. Era um livro de anotações particularmente bonito. O papel liso e cremoso, um pouco amarelado pelo tempo, era de um tipo que não era mais produzido há ao menos quarenta anos. Ele poderia adivinhar, no entanto, que o livro de anotações era muito mais antigo que aquilo. Ele o havia visto na vitrine de uma lojinha de cacarecos numa parte miserável da cidade (exatamente onde ele não se lembrava com exatidão) e fora atingido de imediato por um desejo sobrepujante de possui-lo. Membros do Partido não deviam entrar em lojas comuns ("praticar o mercado livre", chamava-se), mas a norma não era cumprida com muita rigidez, porque havia diversas coisas, como cadarços ou lâminas de barbear, que eram impossíveis de conseguir de qualquer outra forma. Ele deu uma rápida olhadela para os dois lados da rua, então escapuliu para dentro e comprou o livro para anotações por dois dólares e cinquenta. Naquela altura, ele não estava ciente de desejá-lo por nenhum motivo em particular. Ele o carregou com culpa para casa em sua pasta. Mesmo com nada escrito, era uma propriedade comprometedora.

O que ele estava prestes a fazer era criar um diário. Isso não era ilegal (nada era ilegal, já que não havia mais leis), mas, se detectado, era razoavelmente certo que seria punível por morte, ou ao menos 25 anos em um campo de trabalho forçado. Winston encaixou a pena na caneta e a chupou para limpar a graxa. A pena era um instrumento arcaico, raramente usada mesmo para assinaturas, e ele tinha obtido uma, de forma furtiva e com alguma dificuldade, apenas por um sentimento de que o lindo papel cremoso merecia que se escrevesse nele com uma pena de verdade em vez de ser rabiscado com um lápis-tinta. Na verdade, ele não tinha o costume de escrever à mão. Exceto por alguns bilhetes muito curtos, era normal falar tudo ao ditafone, o que era, é claro, impossível para o presente propósito. Ele mergulhou a pena na tinta e então hesitou por apenas um instante. Um tremor lhe atravessou as entranhas. Marcar o papel era o ato decisivo. Em pequenas letras desajeitadas, ele escreveu:

4 de abril, 1984.

Ele se recostou. Um senso de impotência completa desceu sobre ele. Para começar, ele não tinha certeza alguma de que era 1984. Deveria ser perto daquela data, já que ele tinha bastante certeza de que tinha 31 anos, e acreditava ter nascido em 1944 ou 1945; mas naquela época não era mais possível definir qualquer data com precisão de um ou dois anos.

Para quem, a dúvida lhe ocorreu de súbito, ele estava escrevendo este diário? Para o futuro, para aqueles que ainda não haviam nascido. Sua mente pairou por um momento ao redor da data duvidosa na página, e então deparou-se com um tranco com a palavra em Novilíngua DUPLIPENSAR. Pela primeira vez, a magnitude do que ele havia começado lhe sopesou. Como alguém poderia se comunicar com o futuro? Era, por sua própria natureza, impossível. Ou o futuro seria como o presente, em que ele não ouviria a Winston, ou seria diferente dele, e seu predicamento insignificante.

Por algum tempo, ele ficou sentado mirando o papel de forma estúpida. A teletela havia mudado para música militar estridente. Era curioso que ele parecia não apenas ter perdido o poder de se expressar, mas até mesmo esquecido o que é que originalmente queria dizer. Nas últimas semanas, ele estivera se preparando para esse momento, e nunca havia passado pela sua cabeça que qualquer coisa seria necessária além de coragem. A escrita em si seria fácil. Tudo o que tinha que fazer era transferir ao papel o interminável monólogo inquieto que corria em sua mente, fazia literalmente anos. Neste momento, no entanto, até mesmo o monólogo havia secado. Ademais, a úlcera varicosa havia começado a coçar de forma insuportável. Ele não ousou coçá-la, porque, se o fizesse, ela sempre inflamava. Os segundos tiquetaqueavam. Ele não estava ciente de nada além do vazio da página à sua frente, a coceira da pele acima do tornozelo, o estouro da música e uma leve ebriedade causada pelo gim.

De súbito, começou a escrever por puro pânico, mal ciente, de forma imprecisa, do que colocava no papel. A caligrafia pequena mas infantil se dispersava para cima e para baixo da página, abrindo mão inicialmente das letras maiúsculas e enfim até mesmo dos pontos finais.

4 de abril, 1984. Noite passada no cinema. Só filmes de guerra. Um muito bom de um navio cheio de refugiados sendo bombardeado em algum lugar no Mediterrâneo. Audiência muito entretida com tomadas de um grande homem gordo imenso tentando fugir nadando com um helicóptero atrás, primeiro você via o homem chafurdar pela água que nem um golfinho, então o via pela mira das armas nos helicópteros, então ele estava cheio de buracos e o oceano ao redor dele ficava cor-de-rosa, e ele afundava como se os buracos tivessem deixado a água entrar, a audiência gritando de rir quando ele afundou. então você via um bote salva-vidas cheio de crianças com um helicóptero voando acima delas. havia uma mulher de meia-idade que poderia ser judia sentada na proa com um garotinho de uns três anos em seus braços. ele aos berros com medo e escondendo a cabeça entre os seios dela como se tentasse se enfiar para dentro dela, e a mulher passando os braços ao redor dele e o confortando apesar de ela mesma estar azul de medo, o tempo todo cobrindo ele o máximo que podia, como se achasse que seus braços poderiam proteger ele das balas. Então o helicóptero lançou uma bomba de 20 kg entre eles e uma explosão maravilhosa e o bote virou pedaços de madeira. Então houve a linda cena do braço de uma criança subindo subindo subindo alto no ar um helicóptero com uma câmera no nariz deve ter seguido a subida e então houve muitos aplausos das poltronas do Partido, mas uma mulher na zona do proletariado de súbito começou a criar uma confusão e gritar que eles não deviam mostrar aquilo na frente de criança nenhuma não deviam não estava certo não na frente de crianças não foi até a polícia aparecer pegar ela eu não acho que tenha acontecido alguma coisa com ela ninguém se importa com o que os proletários falam típica reação de proletário eles nunca...

Winston parou de escrever, em parte porque tinha uma câimbra. Ele não sabia o que o havia feito transbordar aquela torrente de bobagem. Mas o engraçado foi que, enquanto ele fazia aquilo, uma memória totalmente diferente havia se esclarecido em sua mente, ao ponto em que ele quase sentia igual vontade de registrá-la. Era, ele então se dava conta, por causa deste outro incidente que ele havia decidido de súbito ir para casa e começar o diário naquele dia.

Havia acontecido naquela manhã no Ministério, se algo tão nebuloso poderia ser dito haver acontecido.

Eram quase onze da manhã, e no Departamento de Registros, onde Winston trabalhava, estavam arrastando e agrupando as cadeiras dos cubículos para o centro do salão na frente da grande teletela em preparação para os Dois Minutos de Ódio. Conforme Winston se sentava em uma das fileiras do meio, duas pessoas que ele conhecia de vista, mas com quem nunca falara, irromperam de forma inesperada. Uma delas era uma garota com quem ele frequentemente cruzava nos corredores. Ele não sabia seu nome, mas sabia que ela trabalhava no Departamento de Ficção. Era presumível — já que ele a havia visto às vezes com mãos sujas de óleo e carregando uma chave inglesa — que ela tivesse algum emprego mecânico em alguma das máquinas de escrever romances. Era uma garota com ares ousados, de cerca de 27 anos de idade, com cabelo grosso, um rosto com sardas e movimentos ágeis e atléticos. A estreita faixa escarlate, emblema da Liga Antissexo Júnior, estava envolta diversas vezes ao redor da cintura do macacão e era justa o suficiente para delinear o formato de seus quadris proporcionais. Winston não havia gostado dela desde o primeiro momento em que a viu. Ele sabia por quê. Era por causa da atmosfera de quadras de hóquei e banhos gelados e caminhadas em grupo e limpeza mental geral que ela conseguia trazer consigo. Ele antipatizava com quase todas as mulheres, e em especial as jovens e bonitas. Eram sempre as mulheres, e em especial as jovens, as integrantes mais fanáticas do Partido, as que engoliam as frases de impacto, as espiãs amadoras e farejadoras da heterodoxia. Mas esta garota em particular lhe dava a impressão de ser mais perigosa que a maioria. Uma vez, quando passaram pelo corredor, ela lançou um rápido olhar de esguelha que pareceu perfurá-lo diretamente e por um momento o preencheu com um terror negro. Até mesmo a possibilidade de ela ser uma agente da Polícia do Pensar havia cruzado sua mente. Isso, de fato, era muito improvável. Ainda assim, continuou sentindo um desconforto peculiar, que continha medo misturado com hostilidade, sempre que ela estava em qualquer lugar perto dele.

A outra pessoa se chamava O'Brien, um membro do Núcleo do Partido com um cargo tão importante e remoto que Winston tinha apenas uma vaga ideia de sua natureza. Um agito momentâneo passou pelo grupo de pessoas nas cadeiras quando viram o macacão negro de um membro do Núcleo do Partido se aproximar. O'Brien era um homem grandalhão e corpulento, com pescoço grosso e rosto áspero e comicamente brutal. Apesar da aparência portentosa, ele tinha uma espécie de charme em seus modos. Tinha um tique de rearranjar os óculos no nariz que era curiosamente desarmante — em alguma forma indefinível, curiosamente civilizado. Era um gesto que, se alguém ainda pensasse nesses termos, poderia lembrar um nobre do século XVIII oferecendo sua caixa de rapé. Winston havia visto O'Brien talvez uma dúzia de vezes em outros tantos anos. Ele se sentia profundamente atraído a ele, e não apenas porque se intrigava com o contraste entre os modos urbanos de O'Brien e seu físico de lutador premiado. Aquilo era muito mais por causa de uma crença secreta — ou talvez nem sequer uma crença, uma mera esperança — de que a ortodoxia política de O'Brien não era perfeita. Algo em seu rosto sugeria aquilo de forma irresistível. E de novo, talvez não fosse nem sequer a falta de ortodoxia que estava escrita em seu rosto, mas apenas a inteligência. Mas, de qualquer maneira, ele tinha a aparência de ser uma pessoa com quem se poderia falar, se a pessoa conseguisse de algum jeito trapacear a teletela e ficar a sós com ele. Winston nunca fizera o menor dos esforços para checar esse palpite: de fato, não havia como verificar. Naquele momento, O'Brien espiou o relógio de pulso, viu que eram quase onze da manhã, e evidentemente decidiu ficar no Departamento de Registros até o fim dos Dois Minutos de Ódio. Pegou uma cadeira na mesma fileira de Winston, a alguns assentos de distância. Uma mulher pequena com cabelo cor de areia que trabalhava no cubículo ao lado de Winston estava entre eles. A garota de cabelo escuro estava sentada imediatamente atrás.

No momento seguinte, um discurso triturante pavoroso, como uma máquina monstruosa funcionando sem óleo, irrompeu da grande teletela no fundo do recinto. Era um ruído que fazia apertar os dentes e arrepiava o cabelo na nuca. O Ódio havia começado.

Como de costume, o rosto de Emmanuel Goldstein, o Inimigo do Povo, havia surgido na tela. Houve vaias aqui e ali na audiência. A pequena mulher de cabelo cor de areia deu um guinchinho de medo e nojo misturados. Goldstein era o renegado e traidor que uma vez, muito tempo antes (quanto tempo antes ninguém lembrava exatamente), havia sido uma das figuras principais do Partido, quase no mesmo nível do próprio Grande Irmão, mas que tinha então se engajado em atividades contrarrevolucionárias, sido condenado à morte, escapado e desaparecido misteriosamente. A programação dos Dois Minutos de Ódio variava a cada dia, mas Goldstein sempre estava lá, nunca deixava de ser a figura principal. Era o traidor primordial, o primeiro profanador da pureza do Partido. Todos os crimes subsequentes contra o Partido, todas as deslealdades, atos de sabotagem, heresias, desvios, brotavam diretamente de seus ensinamentos. Ainda estava vivo e arquitetando suas conspirações nalgum canto ou outro: quiçá em algum lugar além-mar, sob a proteção de seus financiadores estrangeiros, talvez até mesmo — era o rumor ocasional — em algum esconderijo na própria Oceânia.

O diafragma de Winston estava apertado. Ele nunca poderia ver o rosto de Goldstein sem uma mistura dolorosa de emoções. Era um rosto judeu magro, com uma grande auréola fofa de cabelo branco e uma pequena barba de bode — um rosto inteligente, e de alguma forma inerentemente detestável, com um tipo de bobeira senil no longo nariz magro, em cuja ponta um par de óculos se acomodava. Lembrava o rosto de uma ovelha e a voz também tinha um quê ovino. Goldstein fazia seu costumeiro ataque venenoso às doutrinas do Partido — um ataque tão exagerado e perverso que uma criança conseguiria ver a natureza real dele, e, ao mesmo tempo, plausível apenas o suficiente para preencher a pessoa com uma sensação alarmada de que outras pessoas, menos estáveis mentalmente que ela mesma, poderiam ser arrebatadas por aquilo. Ele estava abusando do Grande Irmão, denunciando a ditadura do Partido, demandando conclusão imediata dos acordos de paz com a Eurásia, defendendo a liberdade de expressão, liberdade da imprensa, liberdade de associação, liberdade de pensamento, gritando com histeria que a revolução havia sido traída — e tudo isso numa fala polissilábica rápida que era uma espécie de paródia do estilo habitual dos oradores do Partido e até continha palavras da Novilíngua: mais palavras na Novilíngua, de fato, do que qualquer membro do Partido normalmente usaria na vida real. E durante todo esse tempo, para que ninguém tivesse qualquer dúvida sobre a realidade que a baboseira manipuladora de Goldstein encobria, atrás da cabeça dele, na teletela, havia colunas sem fim do exército da Eurásia marchando — fileira após fileira de homens com ares sólidos e com rostos asiáticos sem expressão, que chegavam à superfície da tela e desapareciam, para serem substituídos por outros idênticos. O abafado som rítmico das botas dos soldados formavam a trilha sonora da voz balida de Goldstein.

Antes do Ódio prosseguir por trinta segundos, exclamações incontroláveis de raiva explodiam de metade das pessoas no recinto. O rosto ovino e satisfeito consigo mesmo na tela e o poder aterrorizante do exército eurasiano por trás dele eram demais para suportar: além disso, a visão ou até a ideia de Goldstein produziam automaticamente medo e raiva. Ele era um objeto de ódio mais constante do que a Eurásia ou a Lestásia, já que quando a Oceânia estava em guerra contra uma dessas Potências, ela estava em geral em paz com a outra. Mas o que era estranho era que, apesar de Goldstein ser odiado e desprezado por todos, apesar de todos os dias e milhares de vezes por dia, em plataformas, na teletela, em jornais, em livros, suas teorias serem refutadas, estraçalhadas, ridicularizadas, expostas ao olhar geral como o lixo lamentável que eram — apesar de tudo isso, sua influência nunca parecia diminuir. Sempre havia novos trouxas esperando para serem seduzidos por ele. Todos os dias espiões e sabotadores agindo sob suas ordens eram desmascarados pela Polícia do Pensar, não havia dia sem essa notícia. Ele era o comandante de um vasto exército sombrio, uma rede subterrânea de conspiradores dedicados a derrubar o Estado. A Irmandade, aparentemente era o nome. Também havia histórias sussurradas de um livro terrível, um compêndio de todas as heresias que Goldstein escrevera, e que circulava de forma clandestina aqui e ali. Era um livro sem título. As pessoas se referiam a ele, quando se referiam, apenas como O LIVRO. Sabia-se dessas coisas apenas por rumores vagos. Nem a Irmandade nem O LIVRO eram assuntos que qualquer membro comum do Partido mencionaria se tivesse como evitar.

No seu segundo minuto, o Ódio subiu ao frenesi. As pessoas saltavam para cima e para baixo nos assentos e gritavam a plenos pulmões num esforço de cobrir a enlouquecedora voz de balidos vindo da tela. A pequena mulher de cabelo cor de areia ficara rosa brilhante e sua boca se abria e fechava como a de um peixe fora d'água. Até mesmo o rosto de O'Brien estava ruborizado. Ele estava sentado muito rígido na cadeira, o peito poderoso inchando e tremendo como se estivesse resistindo ao ataque de uma onda. A garota de cabelo escuro atrás de Winston havia começado a gritar: "Porco! Porco! Porco!", e de súbito pegou um pesado dicionário de Novilíngua e o lançou na teletela. Ele atingiu o nariz de Goldstein e quicou; a voz continuou inexoravelmente. Em um momento lúcido, Winston deu por si gritando com os outros e batendo o calcanhar com violência na trave da cadeira. O aspecto horrível dos Dois Minutos de Ódio não era a pessoa ser obrigada a fazer parte, mas o contrário: era impossível evitar se juntar. Dentro de trinta segundos, qualquer fingimento sempre se tornava desnecessário. Um êxtase pavoroso de medo e vingança, um desejo de matar, torturar, quebrar rostos com uma marreta, parecia fluir por todo o grupo como uma corrente elétrica, transformando as pessoas, mesmo contra a própria vontade, em lunáticas careteiras aos berros. E ainda assim, a raiva que se sentia era uma emoção abstrata, sem direção, que poderia ser dirigida de um objeto para outro como a chama de um maçarico. Assim, em dado momento, o ódio de Winston não estava voltado contra Goldstein de forma alguma; pelo contrário, voltava-se contra o Grande Irmão, o Partido e a Polícia do Pensar; e, em momentos assim, ele enviava sua simpatia ao solitário herege ridicularizado na tela, único guardião da verdade e da sanidade em um mundo de mentiras. E ainda assim, no instante seguinte, unido com as pessoas ao seu redor, tudo que era dito de Goldstein lhe parecia verdadeiro. Em momentos assim, seu ódio secreto do Grande Irmão se transformava em adoração, e o Grande Irmão parecia se avultar, um protetor invencível e destemido, em pé como uma rocha contra as hordas da Ásia, e Goldstein, apesar de seu isolamento, sua impotência, e da dúvida que pairava sobre sua própria existência, parecia ser algum feiticeiro mais sinistro, capaz de, com o mero poder de sua voz, arruinar a estrutura da civilização.

Era até mesmo possível, em momentos, mover o ódio de uma pessoa para lá ou para cá com um ato voluntário. De súbito, com o tipo de esforço violento com que alguém afasta a cabeça do travesseiro para fugir de um pesadelo, Winston conseguiu transferir o ódio do rosto na tela para a garota de cabelo escuro atrás dele. Lindas alucinações vívidas brilharam por sua mente. Ele a açoitaria até a morte com um cassetete de borracha. Ele a amarraria nua a uma estaca e a encheria de flechas como São Sebastião. Ele a arrebataria e cortaria sua garganta no momento do clímax. Melhor do que antes, no entanto, ele se deu conta de POR QUE a odiava. Ele a odiava porque ela era jovem e bela e sem sexo, porque ele queria ir para a cama com ela e nunca o faria, porque ao redor de sua doce cintura flexível, que parecia pedir que você a envolvesse com o braço, havia apenas a odiosa faixa escarlate vermelha, símbolo agressivo de castidade.

O Ódio chegou ao seu clímax. A voz de Goldstein havia se tornado de fato o balido de uma ovelha; por um instante, o rosto se transformou no de uma ovelha. Então a cara ovina se fundiu à figura de um soldado da Eurásia que parecia avançar, imenso e terrível, a metralhadora rugindo e parecendo saltar da superfície da tela, de forma que algumas pessoas na primeira fileira de fato se encolheram para trás. Mas, no mesmo momento, arrancando um imenso suspiro de alívio de todos, a figura hostil dissolveu-se no rosto do Grande Irmão, cabelos negros, bigode negro, cheio de poder e calma misteriosa, e tão vasto que quase lotava a tela. Ninguém ouvia o que o Grande Irmão dizia. Eram apenas umas poucas palavras de encorajamento, o tipo de palavra dita às margens da batalha, não distinguíveis individualmente, mas restauradoras de confiança pelo fato de serem ditas. Então o rosto do Grande Irmão se dissipou de novo, e em seu lugar os três lemas do Partido surgiram em letras maiúsculas em negrito:

GUERRA É PAZ
LIBERDADE É ESCRAVIDÃO
IGNORÂNCIA É FORÇA

Mas o rosto do Grande Irmão pareceu persistir por diversos segundos na tela, como se o impacto que causava nos globos oculares de todos fosse vívido demais para apagar de imediato. A pequena mulher com cabelo cor de areia havia se atirado adiante, apoiada no encosto da cadeira à sua frente. Com um murmúrio trêmulo que soava parecido com "Meu Salvador!", estendeu os braços para a tela. Então ela enterrou o rosto nas mãos. Era aparente que murmurava uma oração.

Naquele momento, o grupo inteiro de pessoas iniciou um profundo canto lento e rítmico de: "G-I...! G-I...!" — de novo e de novo, bem devagar, com uma pausa longa entre o "G" e o "I" —, um pesado uníssono em surdina, de algum modo curiosamente selvagem, e parecia possível ouvir no fundo algo que soava como o bater de pés nus e o pulsar de gongos. Talvez tenham mantido isso por cerca de trinta segundos. Era um refrão que com frequência se ouvia em momentos dominados pela emoção. Em parte, era um tipo de hino à sabedoria e à majestade do Grande Irmão, mas era ainda mais um ato de auto-hipnose, um afogar deliberado da consciência por meio de ruído ritmado. As entranhas de Winston pareceram esfriar. Ao longo dos Dois

Minutos de Ódio ele não conseguia deixar de compartilhar do delírio geral, mas o canto subumano de "G-I...! G-I!" sempre o preenchia de horror. É claro que ele clamava com o resto: era impossível fazer o contrário. Dissipar seus sentimentos, controlar o rosto, fazer o que todo mundo estava fazendo era uma reação instintiva. Mas havia um espaço de um par de segundos durante os quais a expressão nos seus olhos poderia ter concebivelmente o traído. E foi exatamente neste momento que a coisa significativa aconteceu — se de fato ela aconteceu.

Momentaneamente, ele pescou o olhar de O'Brien. O'Brien havia levantado. Ele havia sacado os óculos e estava no ato de reposicioná-los no nariz com gesto característico. Mas houve uma fração de segundo em que seus olhos se encontraram e por toda a duração daquela troca, Winston soube — sim, ele SABIA! — que O'Brien estava pensando o mesmo que ele. Uma mensagem inconfundível havia passado. Era como se suas duas mentes houvessem se aberto e os pensamentos fluíssem de uma para a outra pelos olhos. "Estou com você", O'Brien parecia estar dizendo. "Sei precisamente o que sente. Sei tudo a respeito de seu desdém, seu ódio, seu nojo. Mas não se preocupe, estou do seu lado!" E então, enfim, o vislumbre de inteligência partiu, e o rosto de O'Brien estava inescrutável como o de todos os outros.

Aquilo foi tudo, e ele já não tinha certeza de que havia acontecido. Incidentes assim nunca tinham qualquer sequência. Tudo o que faziam era manter viva nele a crença, ou esperança, de que outros além dele eram os inimigos do Partido. Talvez os rumores de vastas conspirações subterrâneas fossem verdadeiros, afinal de contas — talvez a Irmandade de fato existisse! Era impossível, apesar de prisões e confissões e execuções sem fim, ter certeza de que a Irmandade não era apenas um mito. Em alguns dias ele acreditava nela, em outros não. Não havia evidência, apenas vislumbres fugazes que poderiam significar qualquer coisa ou nada: punhados de conversas entreouvidas, rabiscos fracos em paredes de banheiro — uma vez, inclusive, quando dois estranhos se encontraram, um pequeno movimento das mãos que parecera ser um sinal de reconhecimento. Era tudo adivinhação: muito provavelmente ele havia imaginado tudo. Ele havia voltado para seu cubículo sem olhar para O'Brien de novo. A ideia de retomar seu contato momentâneo mal cruzava sua mente. Teria sido inconcebivelmente perigoso mesmo se ele soubesse como organizar aquilo. Por um segundo, dois segundos, eles haviam trocado um olhar ambíguo, e este era o fim da história. Mas mesmo aquilo era um momento memorável, na solidão trancada em que se tinha de viver.

Winston despertou, arrumou a postura na cadeira. Soltou um arroto. O gim subia do estômago.

Os olhos focaram de novo a página. Ele descobriu que, enquanto estava sentado em devaneios, também estivera escrevendo, como se numa ação automática. E não era mais a caligrafia amontoada e desajeitada de antes. A pena havia deslizado com voluptuosidade pelo papel suave, escrevendo em grandes letras maiúsculas ordenadas — ABAIXO O GRANDE IRMÃO ABAIXO O GRANDE IRMÃO ABAIXO O GRANDE IRMÃO ABAIXO O GRANDE IRMÃO ABAIXO O GRANDE IRMÃO — de novo e de novo, preenchendo meia página.

Ele não conseguiu conter uma pontada de pânico. Era absurdo, já que a escrita destas palavras em particular não era mais perigosa do que o ato inicial de começar o diário, mas por um momento ele se sentiu tentado a arrancar as páginas estragadas e abandonar a iniciativa inteira.

No entanto, não fez isso, porque sabia que era inútil. Quer ele escrevesse ABAIXO O GRANDE IRMÃO ou se abstivesse de escrever, não fazia diferença. Quer ele seguisse com o diário, quer não prosseguisse com ele, não fazia diferença. A Polícia do Pensar o capturaria do mesmo jeito. Cometera — ainda teria cometido, mesmo se não tivesse colocado a pena no papel — o crime essencial que continha todos os outros em si. Crimepensar, era como chamavam. Crimepensar não era uma coisa que se poderia esconder para sempre. O sujeito poderia escapulir com sucesso por um tempo, mesmo anos, mas mais cedo ou mais tarde estavam destinados a capturá-lo.

Era sempre à noite — as prisões invariavelmente aconteciam à noite. O puxão súbito para fora do sono, a mão brusca sacudindo seu ombro, as luzes fuzilando os olhos, o círculo de rostos brutos ao redor da cama. Na vasta maioria de casos não havia julgamento, nenhum relatório sobre a prisão. As pessoas apenas desapareciam, sempre à noite. O nome era removido de registros, cada registro de tudo que o sujeito já havia feito era apagado, sua antiga existência era negada e, então, esquecida. O sujeito era abolido, aniquilado: VAPORIZADO era a palavra mais usada.

Por um momento, ele foi tomado uma espécie de histeria. Começou a escrever em bagunçados rabiscos, às pressas:

vão atirar em mim eu não ligo vão atirar na minha nuca eu não ligo abaixo o grande irmão eles sempre atiram na nuca da pessoa eu não ligo abaixo o grande irmão...

Ele se recostou, com leve vergonha de si mesmo, e baixou a pena. No momento a seguir ele tomou um susto violento. Houve uma batida na porta.

Já? Ele ficou sentado imóvel como rato, na esperança fútil de quem quer que fosse pudesse ir embora depois de uma única tentativa. Mas não, as batidas se repetiram. O pior de tudo seria se demorar. Seu coração batucava como um tambor, mas o rosto, por força do hábito, provavelmente estava sem expressão. Ele se levantou e foi para a porta com movimentos pesados.

CAPÍTULO 2

Ao pôr a mão no trinco, Winston viu que havia deixado o diário aberto na mesa. ABAIXO O GRANDE IRMÃO estava escrito por ele todo, em letras quase grandes o suficiente para serem legíveis do outro lado do cômodo. Era uma coisa inconcebivelmente idiota de se fazer. Mas, ele se deu conta, mesmo em seu pânico, que não desejara borrar o papel macio fechando o livro com a tinta ainda molhada.

Ele inspirou e abriu a porta. De imediato uma onda de alívio percorreu suas veias. Uma mulher sem cor com ares despedaçados, cabelo fino e rosto enrugado estava parada do lado de fora.

— Ah, camarada — começou ela, em uma voz triste como um choramingo. — Pensei ter ouvido você chegar. Você acha que poderia dar um pulo em nosso apartamento e conferir nossa pia? Ela está entupida e...

Era a sra. Parsons, a esposa do vizinho do mesmo andar. ("Sra." era uma palavra levemente malvista pelo Partido — as pessoas deveriam chamar todos de "camarada" —, mas com algumas mulheres usava-se por instinto.) Ela era uma mulher de cerca de trinta anos, mas aparência muito mais velha. Tinha-se a impressão de que havia poeira nos vincos de seu rosto. Winston a seguiu pela passagem. Esses reparos amadores eram quase uma irritação diária. As unidades do Mansões Victory eram apartamentos antigos, construídos ao redor dos anos 1930, e estavam caindo aos pedaços. O gesso se soltava constantemente de tetos e paredes, os canos estouravam a cada frio maior, o teto vazava sempre que havia neve, o sistema de calefação geralmente estava a meia potência, quando não totalmente desligado por motivos de economia. Consertos, exceto os que cada um conseguia fazer por conta própria, tinham que ser sancionados por comitês remotos que poderiam atrasar o reparo de uma janela em até dois anos.

— É claro que é só porque Tom não está em casa — disse sra. Parsons com vagueza.

O apartamento dos Parsons era maior do que o de Winston, e esquálido de uma forma diferente. Tudo tinha um ar gasto, pisoteado, como se o lugar tivesse acabado de receber a visita de algum grande animal violento. Acessórios esportivos — tacos de hóquei, luvas de boxe, uma bola de futebol estourada, um par de bermudas suadas viradas do avesso — espalhados por todo o chão, e na mesa havia uma pilha de louças sujas e livros de exercícios com orelhas. Nas paredes havia pôsteres escarlates da Liga Juvenil e dos Espiões, e um cartaz em tamanho real do Grande Irmão. Havia o cheiro costumeiro de repolho fervido, comum ao edifício todo, mas cruzado com um fedor mais pungente de suor, que — dava para notar isso no primeiro farejar, apesar de ser difícil definir como — era o suor de alguém ausente naquele momento. Em outro recinto, alguém com um pente e um pedaço de papel higiênico tentava acompanhar o ritmo da música militar que ainda saía da teletela.

— São as crianças — disse sra. Parsons, lançando um olhar meio apreensivo à porta. — Elas não saíram hoje. E é claro que...

Ela tinha o hábito de quebrar suas frases no meio. A pia da cozinha estava quase transbordando de água esverdeada imunda que cheirava a repolho mais do que nunca.

Winston se ajoelhou e examinou o sifão. Ele odiava usar as mãos e odiava se abaixar, o que sempre podia lhe causar uma crise de tosse. Sra. Parsons espiava, impotente.

— É claro que se Tom estivesse em casa, ele ajeitaria tudo em um momento — ela disse. — Ele ama coisas assim. Ele é sempre tão bom com as mãos, o Tom.

Parsons era um colega de trabalho de Winston no Ministério da Verdade. Ele era um homem gorducho mas ativo, de idiotice paralisante, uma massa de entusiasmos imbecis — um desses burros de carga devotados e cegamente obedientes de quem dependia, mais até do que da Polícia do Pensar, a estabilidade do Partido. Aos 35 anos, ele havia sido expulso contra sua vontade da Liga da Juventude e, antes de entrar para a Liga da Juventude, ele havia conseguido ficar nos Espiões por um ano além da idade regulamentar. No Ministério, ele estava empregado em algum posto subordinado para o qual inteligência não era necessária; por outro lado, era uma figura de liderança no Comitê de Esportes e todos os outros comitês envolvidos em organizar caminhadas comunitárias, manifestações espontâneas, campanhas de economias e atividades voluntárias em geral. Ele informava, com um orgulho silencioso entre baforadas de seu cachimbo, que havia participado de atividades no Centro Comunitário todas as noites nos últimos quatro anos. Um cheiro opressor de suor, uma espécie de testemunho inconsciente de quão extenuante era sua vida, o seguia onde quer que fosse, e até mesmo permanecia para trás depois de ele partir.

— Tem uma chave inglesa? — disse Winston, mexendo com a rosca do sifão.

— Uma chave inglesa — disse sra. Parsons, de imediato invertebrada. — Não sei com certeza. Talvez as crianças...

Houve sons pesados de botas e outra clarinada do pente conforme as crianças se atropelaram para dentro da sala de estar. Sra. Parsons trouxe a chave inglesa. Winston deixou a água correr e, enojado, removeu o chumaço de cabelo humano que havia entupido o cano. Ele limpou os dedos o melhor que pôde na água fria da torneira e voltou para o outro aposento.

— Mãos ao alto! — gritou uma voz selvagem.

Um belo garoto de nove anos de idade com ar de durão havia surgido de trás da mesa e o ameaçava com uma pistola automática de brinquedo, enquanto a irmã, cerca de dois anos mais nova que ele, fazia o mesmo gesto com um pedaço de madeira. Ambos estavam vestidos com bermudas azuis, camisas cinzentas e lenços vermelhos, que eram os uniformes dos Espiões. Winston levantou as mãos acima da cabeça, mas com um sentimento inquieto, tão cruéis eram os modos do garoto que não era de todo uma brincadeira.

— Você é um traidor! — gritou o garoto. — Você é um criminoso do pensar! É um espião da Eurásia! Vou atirar em você, vaporizar você, mandar para as minas de sal!

De súbito, os dois começaram a pular ao redor dele, gritando "traidor" e "criminoso do pensar!", a garotinha imitando o irmão em todos os movimentos. Era de alguma forma levemente assustador, como os saltos de bebês tigres, que logo crescerão e se tornarão criaturas devoradoras de homens. Havia uma espécie de ferocidade calculista nos olhos do garoto, um desejo bastante evidente de bater ou chutar Winston e uma consciência de estar quase grande o suficiente para fazer isso. Era bom que ele não estava com uma arma real, Winston pensou.

Os olhos de sra. Parsons voavam com nervosismo de Winston para as crianças e de volta. Na luz melhor da sala de estar, ele notou com interesse que de fato havia poeira nos vincos de sua face.

— Eles ficam mesmo tão barulhentos — ela disse. — Estão frustrados porque não puderam ir ver o enforcamento, é isso que é. Estou ocupada demais para levar os dois, e Tom não voltará do trabalho a tempo.

— Por que não podemos ir ver o enforcamento? — rugiu o garoto em sua voz imensa.

— Quero ver o enforcamento! Quero ver o enforcamento! — cantou a garotinha, ainda saltitando ao redor.

Alguns prisioneiros da Eurásia, culpados de crime de guerra, seriam enforcados no parque ao final da tarde, Winston se lembrou. Isso acontecia cerca de uma vez por mês e era um espetáculo popular. Crianças sempre imploravam para serem levadas para ver. Ele pediu licença à sra. Parsons e foi para a porta. Mal havia dado seis passos pelo corredor quando algo atingiu-lhe a nuca em um golpe agonizantemente doloroso. Foi como se alguém o tivesse espetado com um arame flamejante. Ele se virou bem a tempo de ver a sra. Parsons arrastando o filho para dentro de casa enquanto o garoto guardava um estilingue no bolso.

— Goldstein! — gritou o garoto conforme a porta fechava atrás de si. Mas o que mais atingiu Winston foi o olhar de medo impotente no rosto acinzentado da mulher.

De volta ao apartamento, ele passou apressado pela teletela e se sentou à mesa de novo, ainda esfregando o pescoço. A música da teletela havia parado. Em vez dela, uma voz militar brusca lia, com uma espécie de prazer brutal, uma descrição dos armamentos da nova Fortaleza Flutuante que havia acabado de ancorar entre a Islândia e as Ilhas Faroe.

Com aquelas crianças, ele pensou, aquela pobre mulher deve levar uma vida de terror. Mais um ou dois anos e elas a vigiariam noite e dia em busca de sintomas de heterodoxia. Quase todas as crianças eram horríveis naqueles dias. O pior de tudo era que, por meio de organizações como os Espiões, elas eram sistematicamente transformadas em pequenos selvagens ingovernáveis, ainda que isso não produzisse nelas a menor tendência de se rebelar contra a disciplina do Partido. Pelo contrário, elas adoravam o Partido e tudo conectado a ele. As canções, os desfiles, os cartazes, as caminhadas, os treinos com rifles de brinquedo, as frases de ordem gritadas, a adoração ao Grande Irmão — era tudo uma espécie de jogo glorioso para elas. Toda a sua ferocidade se voltava para fora, contra os inimigos do Estado, estrangeiros, traidores, sabotadores, criminosos do pensar. Era quase normal que as pessoas acima de trinta anos temessem os próprios filhos. E com bons motivos, pois rara era a semana em que o *The Times* não trazia um parágrafo descrevendo como algum pequeno alcaguetezinho bisbilhoteiro — "herói infantil" era a expressão geralmente usada — havia entreouvido alguma observação comprometedora e denunciado os pais para a Polícia do Pensar.

A ardência da bala do estilingue havia passado. Ele ergueu a pena sem entusiasmo ou energia, em dúvida se conseguiria encontrar algo mais para escrever no diário. De súbito, começou a pensar em O'Brien de novo.

Anos antes — quanto tempo atrás? Sete anos, devia ser —, ele havia sonhado que caminhava por um aposento totalmente às escuras. E alguém sentado ao lado dele disse quando ele passou:

— Nós nos encontraremos no lugar sem escuridão.

Foi dito muito baixo, quase casualmente — uma declaração, não uma ordem. Ele seguiu caminhando sem parar. O que era curioso era que naquela altura, no sonho, as palavras não causaram muito efeito nele. Foi apenas mais tarde e paulatinamente que elas pareceram ganhar significado. Ele não conseguia se lembrar, naquele momento, se tinha sido antes ou depois do sonho que ele vira O'Brien pela primeira vez; muito menos conseguia se lembrar de quando se deu conta de que a voz era de O'Brien. Mas de qualquer forma, a identificação existia. O'Brien foi quem havia falado com ele na escuridão.

Winston nunca conseguira ter certeza — mesmo depois da troca de olhares naquela manhã, ainda era impossível ter certeza se O'Brien era amigo ou inimigo. Tampouco parecia importar muito. Havia uma conexão de entendimento entre os dois, mais importante que afeto ou partidarismo. "Nós nos encontraremos no lugar sem escuridão", ele dissera. Winston não sabia o que isso queria dizer, apenas que de alguma forma ou outra se realizaria.

A voz da teletela pausou. Um toque do clarim, claro e belo, flutuou pelo ar estagnado. A voz seguiu com aspereza:

— *Atenção! Sua atenção, por favor! Uma notícia chegou neste instante do front em Malabar. Nossas forças na Índia do Sul conquistaram uma vitória gloriosa. Estou autorizado a dizer que a ação que estamos relatando neste instante pode muito bem trazer o fim da guerra a uma proximidade mensurável. Eis aqui a notícia...*

Notícias ruins chegando, pensou Winston. E, de fato, após uma descrição gráfica e sangrenta da aniquilação de um exército da Eurásia, com números estupendos de mortos e prisioneiros, veio o anúncio de que, a partir da semana seguinte, a ração de chocolate seria reduzida de trinta gramas para vinte.

Winston arrotou de novo. O efeito do gim estava passando, deixando um sentimento murcho. A teletela — talvez para celebrar a vitória, talvez para afogar a memória do chocolate perdido — partiu num "Glória à Oceânia". As pessoas em casa deveriam ficar em postura de sentido. No entanto, em sua posição atual, ele estava invisível.

"Glória à Oceânia" abriu caminho para canções mais leves. Winston caminhou até a janela, de costas para a teletela. O dia ainda estava frio e claro. Em algum lugar na distância, uma bomba-foguete explodiu com um rugido surdo e reverberante. Cerca de vinte ou trinta delas caíam por semana em Londres naquela época.

Descendo a rua, o vento batia no pôster rasgado pra lá e pra cá, e a palavra SOCING aparecia e sumia intermitentemente. Socing. Os princípios sagrados de Socing. Novilíngua, duplipensar, a mutabilidade do passado. Ele sentia como se estivesse vagando nas florestas do fundo oceânico, perdido num mundo monstruoso onde ele próprio era o monstro. Ele estava sozinho. O passado estava morto, o futuro era inimaginável. Que certeza ele tinha de que uma única criatura humana vivente agora estava do seu lado? E como saber que o domínio do Partido não duraria PARA SEMPRE? Como uma resposta, as três frases no frontispício branco do Ministério da Verdade voltaram a ele:

GUERRA É PAZ
LIBERDADE É ESCRAVIDÃO
IGNORÂNCIA É FORÇA

Ele sacou uma moeda de 25 centavos do bolso. Lá, também, em pequenas letras claras, as mesmas frases estavam inscritas, e na outra face da moeda, a cabeça do Grande Irmão. Mesmo na moeda, aqueles olhos perseguiam. Em moedas, selos, nas capas de livros, faixas, pôsteres e na embalagem de um pacote de cigarros — em todos os cantos. Sempre os olhos observando a pessoa, e a voz a envolvendo. Dormindo ou acordado, trabalhando ou comendo, dentro ou fora de casa, na banheira ou na cama — sem escapatória. Nada era seu, exceto pelos poucos centímetros cúbicos dentro do seu crânio.

O sol havia mudado de posição, e a miríade de janelas do Ministério da Verdade, não mais brilhando com a luz, pareciam sombrias como as brechas de uma fortaleza. Seu coração vacilou perante a enorme forma piramidal. Era forte demais, não poderia ser invadida. Milhares de bombas não a derrubariam. Ele se perguntou de novo para quem ele escrevia o diário. Para o futuro, para o passado — para uma época que podia ser imaginária. E perante ele estava não a morte, mas a aniquilação. O diário seria reduzido a cinzas, e ele próprio, a vapor. Apenas a Polícia do Pensar leria o que ele havia escrito, antes de o apagarem da existência e da memória. Como alguém poderia apelar ao futuro quando nenhum traço dele, nem mesmo uma palavra anônima rabiscada em um pedaço de papel, sobreviveria fisicamente?

A teletela badalou duas da tarde. Ele devia partir em dez minutos. Tinha que estar de volta ao trabalho às duas e meia.

Curiosamente, o aviso do horário pareceu lhe renovar o espírito. Ele era um fantasma solitário murmurando uma verdade que ninguém jamais ouviria. Mas desde que ele a murmurasse, de alguma forma obscura, a continuidade não se quebraria. Não era se fazendo ouvir, mas mantendo a sanidade mental, que se daria continuidade à herança humana. Ele voltou à mesa, mergulhou a pena e escreveu:

Ao futuro ou ao passado, a um tempo em que o pensamento é livre, quando homens são diferentes uns dos outros e não vivem sozinhos — a um tempo em que a verdade existe, e o que está feito não pode ser desfeito: da era da uniformidade, da era da solidão, da era do Grande Irmão, da era do duplipensar — saudações!

Ele já estava morto, ele refletiu. Parecia-lhe que era apenas naquele momento, quando ele havia começado a conseguir formular seus pensamentos, que tomava o passo decisivo. As consequências de todos os atos estão incluídos no próprio ato. Ele escreveu:

O crimepensar não gera a morte: o crimepensar É a morte.

Agora que havia se reconhecido como um homem morto, tornava-se importante ficar vivo pelo máximo de tempo que conseguisse. Dois dedos da mão direita estavam manchados de tinta. Era exatamente o tipo de detalhe que poderia trair o sujeito. Alguma fanática intrometida no Ministério (uma mulher, provavelmente: alguém como a pequena mulher de cabelo cor de areia ou a garota de cabelo escuro do Departamento de Ficção) poderia começar a se perguntar por que ele estivera escrevendo durante o horário de almoço, por que havia usado uma pena antiquada, O QUE ele estava escrevendo — e então deixar uma denúncia apropriada no local certo. Foi ao banheiro e com cuidado esfregou até tirar a tinta com o seco sabão marrom escuro que raspava a pele como uma lixa e, portanto, estava bem apto ao seu propósito.

Guardou o diário na gaveta. Era bastante inútil pensar em escondê-lo, mas ele podia ao menos se certificar em perceber se alguém descobrisse o objeto. Um fio de cabelo nos cantos das páginas era óbvio demais. Com a ponta do dedo, ele coletou um grão reconhecível de poeira esbranquiçada e o depositou no canto da capa, de onde certamente cairia se o livro fosse movido.

CAPÍTULO 3

Winston estava sonhando com sua mãe.

Ele devia, imaginou, ter dez ou onze anos de idade quando sua mãe desapareceu. Era uma mulher alta, escultural, bastante silenciosa, com movimentos lentos e magnífico cabelo claro. Seu pai, ele lembrava mais vagamente, era escuro e magro, vestido sempre em roupas escuras apropriadas (Winston se lembrava em especial das solas muito finas dos sapatos do pai) e usando óculos. Os dois deviam, evidentemente, ter sido engolidos na primeiro grande expurgo dos anos 1950.

Naquele momento, sua mãe estava sentada em algum lugar nas profundezas, abaixo, com a irmã caçula dele nos braços. Ele não se lembrava de nada da irmã, exceto como um bebê pequeno e frágil, sempre em silêncio, com olhos enormes e atentos. Ambas olhavam para cima para vê-lo. As duas estavam em algum lugar subterrâneo — o fundo de um poço, por exemplo, ou tumba muito funda —, mas era um lugar que, já muito abaixo dele, estava em si mesmo se aprofundando e descendo. Eles estavam no salão de um navio afundando, olhando para ele através da água que escurecia. Ainda havia ar no salão, elas ainda conseguiam vê-lo, e ele a elas, mas o tempo todo elas estavam afundando, afundando nas profundezas das águas verdes que, um instante depois, as esconderiam eternamente da vista. Ele estava lá fora, com luz e ar, enquanto elas eram puxadas para a morte lá embaixo, e elas estavam lá no fundo porque ele estava ali em cima. Ele sabia disso, e elas sabiam disso, e ele conseguia ver esse conhecimento em seus rostos. Não havia reprimenda em nenhum dos rostos ou corações, apenas o conhecimento de que precisavam morrer para que ele pudesse permanecer vivo, e que isso era parte da ordem inevitável das coisas.

Ele não conseguia se lembrar do que havia acontecido, mas ele sabia neste sonho que, de alguma forma, a vida de sua mãe e a de sua irmã haviam sido sacrificadas pela dele. Era um daqueles sonhos que, embora mantenham o característico cenário de sonho, são uma continuação da vida intelectual da pessoa, e nos quais ela se dá conta de fatos e ideias que ainda parecem novos e valiosos depois de despertar. O que ocorria a Winston agora era que a morte de sua mãe, quase trinta anos atrás, havia sido trágica e dolorosa de uma forma que não era mais possível. A tragédia, ele percebia, pertencia aos tempos antigos, a um tempo em que ainda havia privacidade, amor e amizade, e quando os membros de uma família ficavam ao lado um do outro sem precisar saber o motivo. A memória de sua mãe rasgou seu peito, porque ela morrera ainda o amando, quando ele era jovem e egoísta demais para amá-la de volta, e porque de alguma forma, ele não se lembrava como, ela havia se sacrificado a um conceito de lealdade que era privado e inalterável. Coisas assim, ele via, não poderiam acontecer hoje. Hoje havia medo, ódio e dor, mas nenhuma dignidade de emoção, nenhum pesar profundo ou complexo. Tudo isso ele parecia ver nos olhos grandes de sua mãe e irmã, olhando para cima pela água verde, centenas de braçadas abaixo dele e ainda afundando.

De súbito, ele estava em pé em relva elástica e curta, em uma noite de verão, quando os raios inclinados do sol douravam o chão. A paisagem que ele estava olhando era tão recorrente em seus sonhos que ele nunca tinha certeza completa de já tê-la visto no mundo real. Em seus pensamentos despertos, ele a chamava de Terra Dourada. Era um pasto antigo, mordiscado por coelhos, atravessado por estradinhas de terra feitas a pé, e montes pequenos de terra aqui e ali. Na cerca viva destruída no lado oposto do campo, os galhos dos ulmeiros se moviam com muita leveza sob a brisa, as folhas se agitando em massas densas como cabelo de mulher. Em algum lugar próximo e iminente, mas fora do alcance da visão, havia um riacho claro e de movimento lento em que robalinhos nadavam nas áreas sob os salgueiros.

A garota com cabelo escuro estava vindo na direção dele, atravessando o campo. Com o que pareceu um movimento único, ela arrancou as próprias roupas e as lançou de lado com desdém. Seu corpo era branco e macio, mas não causou desejo algum nele; de fato, ele mal o olhou. O que tomou conta dele naquele instante foi admiração pelo gesto com o qual ela havia largado as roupas de lado. Com sua graça e descaso, ela pareceu aniquilar uma cultura inteira, todo um sistema de pensar, como se o Grande Irmão e o Partido e a Polícia do Pensar pudessem todos ser varridos para o nada com um único esplêndido movimento braçal. Aquilo também era um gesto que pertencia aos tempos antigos. Winston acordou com a palavra "Shakespeare" nos lábios.

A teletela estava emitindo um assobio de perfurar os tímpanos que continuou na mesma nota por trinta segundos. Era precisamente 7h15, hora de despertar para funcionários de escritório. Winston torceu o corpo para fora da cama — nu, pois um membro periférico do Partido recebia apenas três mil cupons de roupas por ano, e um conjunto de pijamas custava seiscentos — e pegou uma camiseta encardida e um par de bermudas atirados em uma cadeira. A Educação Física começaria em três minutos. No momento seguinte, ele se dobrou num acesso violento de tosse que quase sempre o atacava logo depois de acordar. Era algo que esvaziava os pulmões tão completamente que ele apenas conseguia respirar de novo se deitasse de costas e respirasse fundo diversas vezes. Suas veias haviam inchado com o esforço da tosse, e a úlcera varicosa começou a comichar.

— Grupo de 30 a 40! — berrou uma voz feminina penetrante. — Grupo de 30 a 40! Tomem seus lugares, por favor. 30 a 40!

Winston saltou em atenção diante da teletela, em que a imagem de uma mulher um pouco jovem, esquelética mas musculosa, vestida com uma túnica e tênis para exercício, já havia aparecido.

— Braços dobrando e alongando! — ela esganiçou. — Sigam o meu ritmo. UM, dois, três, quatro! UM, dois, três, quatro! Vamos lá, camaradas, botem um pouco de vida nisso! UM, dois, três, quatro! UM, dois, três, quatro...!

A impressão causada por seu sonho não havia sigo apagada por completo pela dor do acesso de tosse, e os movimentos rítmicos do exercício a restauraram um pouco. Conforme ele lançava os braços para frente e para trás de forma mecânica, mantendo no rosto a expressão de prazer cruel que era considerada adequada durante a Educação Física, lutava para conseguir voltar a pensar no período apagado do começo de sua infância. Era extraordinariamente difícil. Antes do fim dos anos 1950, tudo se desbotava. Quando não havia registros externos que se pudesse acessar, até o delinear de sua própria vida perdia a clareza.

O sujeito se lembrava de eventos imensos que, bastante provavelmente, não haviam acontecido; lembrava-se dos detalhes de incidentes sem conseguir recapturar a atmosfera deles, e havia longos períodos em branco aos quais não se conseguia determinar nada. Tudo era diferente naquela época. Até mesmo os nomes de países, e seus formatos nos mapas, haviam sido diferentes. Pista de Pouso Um, por exemplo, não se chamava assim na época: chamavam de Inglaterra ou Grã-Bretanha, mas Londres, ele tinha bastante certeza, sempre se chamara Londres.

Winston não conseguia se lembrar de forma definitiva de um momento em que seu país não estivera em guerra, mas era evidente que houvera um intervalo bastante longo de paz durante sua infância, porque uma das primeiras memórias era de um ataque aéreo que pareceu tomar todos de surpresa. Talvez fosse o momento em que a bomba atômica atingiu Colchester. Ele não se lembrava do ataque em si, mas se lembrava da mão de seu pai agarrando a sua conforme corriam para baixo, para baixo, para baixo em algum lugar nas profundezas da terra, descendo e descendo por uma escadaria em caracol que ecoava sob seus pés e que enfim cansou tanto suas pernas que ele começou a choramingar, e eles tiveram de parar para descansar. A mãe, com seu jeito lento e sonhador, os seguia muito atrás. Ela carregava a irmã caçula — talvez fosse apenas um amontoado de cobertores que ela estivesse carregando; ele não tinha certeza se sua irmã já era nascida naquela época. Enfim, emergiram em um lugar barulhento, lotado, que ele se deu conta ser uma estação de metrô.

Havia pessoas sentadas por todos os cantos no piso de pedra, e outras pessoas, aglomeradas juntas, estavam sentadas em beliches de metal, umas sobre as outras. Winston, a mãe e o pai arranjaram um lugar no chão, e, perto deles, um velho e uma velha estavam sentados lado a lado num beliche. O velho vestia um terno escuro decente e uma boina preta cobrindo cabelo muito branco; seu rosto estava rubro e os olhos eram azuis e cheios de lágrimas. Ele fedia a gim. Parecia sair da pele no lugar de suor, e dava para imaginar que as lágrimas explodindo dos olhos eram gim puro. Mas, apesar de levemente bêbado, ele também estava sofrendo algum tipo de pesar que era genuíno e insuportável. De seu jeito infantil, Winston entendeu que algo terrível, algo que estava além do perdão e nunca poderia ser remediado, havia acabado de acontecer. Também lhe pareceu que ele sabia o que era. Alguém que o velho amava — uma netinha, talvez — havia sido morto. A cada poucos minutos, o velho repetia:

— *A gente num devia ter confiado neles, eu falei, Mãezinha, num falei? É isso que dá confiar neles, eu avisei esse tempo todo. A gente num devia ter confiado naqueles desgraçado.*

Mas em quais "desgraçado" não deveriam ter confiado, Winston agora não lembrava.

A partir daquela época, mais ou menos, a guerra havia sido literalmente contínua, apesar de, em termos técnicos, não ser a mesma guerra. Por diversos meses durante sua infância, houve combates confusos de rua na própria Londres, alguns dos quais ele se lembrava com nitidez. Mas traçar a história do período inteiro, dizer quem estava combatendo quem em algum dado momento, teria sido totalmente impossível, já que não havia registro escrito, e nenhuma história oral sequer fazia menção a qualquer outro alinhamento que não o daquele momento. Neste momento, em 1984 (se estavam em 1984), a Oceânia estava em guerra com a Eurásia e em aliança com a Lestásia. Em nenhuma declaração pública ou privada era jamais admitido que os três poderes haviam algum dia se alinhado em posições diferentes. Na verdade, como Winston bem sabia, fazia apenas quatro anos que a Oceânia estivera em guerra com a Lestásia e aliada à Eurásia. Mas aquilo era apenas uma parte do conhecimento furtivo que ele tinha por acaso, porque sua memória não estava satisfatoriamente sob controle. No relato oficial, a mudança de aliança nunca havia acontecido. A Oceânia estava em guerra com a Eurásia: portanto, a Oceânia sempre estivera em guerra com a Eurásia. O inimigo no momento sempre representava o mal absoluto, e, portanto, qualquer concordância passada ou futura com ele era impossível.

O que era assustador, ele refletiu pela décima-milésima vez enquanto forçava os ombros para trás de forma dolorosa (com as mãos nos quadris, eles giravam os corpos na linha da cintura, um exercício que supostamente era bom para os músculos das costas) — o assustador era que tudo aquilo poderia ser verdade. Se o Partido conseguia enfiar a mão no passado e dizer ISTO NUNCA ACONTECEU sobre este ou aquele evento, aquilo certamente era mais assustador do que a mera tortura e morte?

O Partido dizia que a Oceânia nunca estivera aliada à Eurásia. Ele, Winston Smith, sabia que a Oceânia estivera em aliança com a Eurásia apenas quatro anos antes. Mas onde aquele conhecimento existia? Apenas em sua consciência, que de qualquer forma deveria ser aniquilada em breve. E se todos os outros aceitassem a mentira que o Partido impunha — se todos os registros contassem a mesma história —, então a mentira passava para a história e se transformava em verdade. "Aquele que controla o passado", dizia o lema do Partido, "controla o futuro; aquele que controla o presente controla o passado". E, ainda assim, o passado, apesar de sua natureza inalienável, nunca havia sido alterado. O que quer que fosse verdade agora, era verdade da eternidade à eternidade. Era bastante simples. Tudo que era necessário era uma série interminável de vitórias sobre sua própria memória. "Controle de realidade," eles chamavam; em Novilíngua: "duplipensar".

— Descansar! — latiu a instrutora, com um pouco mais de amabilidade.

Winston deixou os braços despencarem nas laterais do corpo e preencheu os pulmões de ar, devagar. Sua mente havia deslizado para o mundo labiríntico do duplipensar. Saber e não saber, estar consciente da verdade completa ao mesmo tempo que se conta mentiras construídas com cuidado, manter duas opiniões que se cancelavam uma à outra, sabendo que eram contraditórias e acreditando em ambas, usar a lógica contra a lógica, repudiar a moralidade enquanto a reivindica, acreditar que a democracia era impossível e que o Partido era o guardião da democracia, esquecer o que fosse necessário esquecer, então trazer de volta à memória no momento em que fosse necessário, e então esquecer de novo prontamente; e acima de tudo, aplicar o mesmo processo ao processo em si. Esta era a sutileza final: conscientemente induzir a inconsciência, e então, mais uma vez, tornar-se inconsciente do ato de hipnose que havia acabado de desempenhar. Até mesmo a compreensão da palavra "duplipensar" envolvia o uso de duplipensar.

A instrutora havia chamado a atenção deles de novo.

— E agora vamos ver quem consegue tocar os dedos dos pés! — ela disse com entusiasmo. — Bem dos quadris, por favor, camaradas. UM-dois! UM-dois...!

Winston detestava o exercício, que enviava dores lancinantes desde o calcanhar até o traseiro, e com frequência terminava trazendo outro acesso de tosse. A qualidade parcialmente agradável saía de suas meditações. O passado, ele refletiu, não havia apenas sido alterado, ele havia sido de fato destruído. Pois como a pessoa poderia estabelecer até mesmo o fato mais óbvio quando não existia nenhum registro fora de sua própria memória? Ele tentou se lembrar em que ano ouvira a primeira menção ao Grande Irmão. Achava que devia ter sido em algum momento dos anos 1960, mas era impossível ter certeza. Nas histórias do Partido, é claro, o Grande Irmão figurava como o líder e guardião da Revolução desde os primeiros dias. Suas conquistas haviam sido gradualmente empurradas para o passado, cada vez mais, até que já se estendessem ao mundo fabuloso dos anos 1930 e 1940, quando os capitalistas em seus estranhos chapéus cilíndricos ainda dirigiam pelas ruas de Londres em grandes automóveis brilhantes ou carruagens com laterais de vidro.

Não havia como saber o quanto desta lenda era verdade e quanto era invenção. Winston não conseguia sequer se lembrar em que data o próprio Partido começara a existir. Ele não acreditava ter ouvido a palavra Socing antes de 1960, mas era possível que sua forma na Velhíngua — isto é, "Socialismo Inglês" — fosse corrente mais cedo. Tudo se derretia numa neblina. Às vezes, de fato, era possível apontar uma mentira em definitivo. Não era verdade, por exemplo, como se afirmava nos livros de história do Partido, que o Partido havia inventado aviões. Ele se lembrava de aviões desde o começo de sua mais tenra infância. Mas ninguém podia provar nada. Não havia evidência alguma. Apenas uma vez em sua vida inteira ele havia colocado as mãos em inequívoca prova documental da falsificação de um fato histórico. E naquela ocasião...

— Smith! — gritou a voz resmungona da teletela. — 6079 Smith, W.! Sim, VOCÊ! Mais para baixo, por favor! Você consegue fazer mais que isso. Não está se esforçando. Mais baixo, por favor! ASSIM é melhor, camarada. Agora descansar, a companhia inteira, e me assistam.

Um suor quente súbito havia surgido em todo o corpo de Winston. O rosto permanecia completamente inescrutável. Nunca mostre desânimo! Nunca mostre ressentimento! Um único piscar de olhos poderia denunciar o sujeito. Ele ficou em pé observando enquanto a instrutora erguia os braços acima da cabeça e — não se poderia dizer que com graça, mas com notável esmero e eficiência — se abaixou e enfiou a primeira junta dos dedos sob os pés.

— ASSIM, camaradas! É ASSIM que eu quero ver vocês fazendo. Observem de novo. Tenho 39 anos de idade e tive quatro filhos. Agora olhem. — Ela se abaixou de novo. — Notem que MEUS joelhos não estão dobrados. Vocês todos conseguem fazer isso, é só querer — ela acrescentou enquanto se aprumava. — Qualquer um com menos de 45 anos é perfeitamente capaz de tocar os dedos dos pés. Nem todos nós temos o privilégio de lutar na linha de frente, mas ao menos podemos nos manter em forma. Lembrem-se de nossos garotos no front em Malabar! E os marinheiros nas Fortalezas Flutuantes! Pensem só no que ELES têm que aguentar. Agora vamos de novo. Assim está melhor, camarada, assim está MUITO melhor — ela acrescentou com encorajamento enquanto Winston, com uma inclinação violenta, conseguiu tocar os dedos dos pés com joelhos esticados pela primeira vez em diversos anos.

CAPÍTULO 4

Com o suspiro profundo e inconsciente que nem mesmo a proximidade da teletela conseguia impedi-lo de soltar quando o dia de trabalho começava, Winston puxou o ditafone para si, soprou a poeira do bocal e colocou os óculos. Então desenrolou e prendeu juntos quatro pequenos rolos de papel que o tubo pneumático à direita de sua escrivaninha já havia despejado.

Nas paredes do cubículo havia três orifícios. À direita do ditafone, um pequeno tubo pneumático para mensagens escritas; à esquerda, um maior para jornais; e na parede lateral, próximo do braço de Winston, uma fenda larga oblonga protegida por grades de arame. Esta última era para descarte de lixo de papel. Fendas semelhantes existiam aos milhares ou dezenas de milhares por todo o edifício, não apenas em cada recinto, mas em intervalos pequenos em cada corredor. Por algum motivo, elas foram apelidadas de buracos da memória. Quando um sujeito sabia que algum documento deveria ser destruído, ou quando via um pedaço de papel solto sem motivo, era uma ação automática levantar a tampa do buraco de memória mais próximo e largá-lo ali dentro, onde seria levado em turbilhão em uma corrente de ar quente às fornalhas enormes escondidas em algum lugar nos recessos do edifício.

Winston examinou os quatro pedaços de papel que havia aberto. Cada um continha uma mensagem de uma ou duas linhas, no jargão abreviado — não de fato Novilíngua, mas consistindo majoritariamente de palavras em Novilíngua — que era usado no Ministério para propósitos internos. Elas informavam:

> *times 17.3.84 discurso gi áfrica imprecisões retificar*
> *times 19.12.83 previsões 3 pt 4o trimestre 83 erros de impressão verificar edição hoje*
> *times 14.2.84 minibun citado incorreto chocolate retificar*
> *times 3.12.83 relatório gi ordemdia duplomaisnãobom ref a despessoas reescrever total mostrarsup préarquiv*

Com uma satisfação fraca, Winston deixou a quarta mensagem de lado. Era um trabalho intricado e de responsabilidade, e era melhor que fosse resolvido por último. Os outros três eram questões rotineiras, apesar de o segundo provavelmente significar um patinhar tedioso em meio a listas e gráficos. Winston digitou "edições antigas" na teletela e convocou as edições apropriadas do *The Times*, que saíram do tubo pneumático depois de uma demora de apenas poucos minutos. As mensagens que havia recebido se referiam a artigos ou notícias que, por um motivo ou outro, apresentavam necessidade de alteração, ou, como a frase oficial dizia, de retificação. Por exemplo, parecia que no *The Times* de 17 de março o Grande Irmão, em seu discurso do dia anterior, havia previsto que o front na Índia do Sul permaneceria tranquilo, mas que uma ofensiva da Eurásia seria lançada em breve na África do Norte. Acabou que o Alto Comando Eurasiano havia lançado a ofensiva na Índia do Sul e deixado a África do Norte em paz. Era, portanto, necessário que se reescrevesse o parágrafo do discurso do Grande Irmão, de forma que ele predissesse a coisa que aconteceu de fato. Ou, de novo, o

The Times de 19 de dezembro havia publicado as previsões oficiais de produção de diversas classes de bens de consumo no quarto trimestre de 1983, que era também o sexto trimestre do Nono Plano Trianual. A edição de hoje continha uma declaração da produção real, que fazia parecer que as previsões estavam grosseiramente erradas. O trabalho de Winston era retificar os dados originais para que concordassem com os mais recentes. Em relação à terceira mensagem, ela se referia a um erro simples que poderia ser corrigido em poucos minutos. Pouco tempo antes, em fevereiro, o Ministério da Abundância havia lançado uma promessa (um "juramento categórico" foram as palavras oficiais) de que não haveria diminuição do racionamento de chocolate durante 1984. Na verdade, Winston estava ciente, o racionamento de chocolate seria reduzido de 30 gramas para 20 no fim daquela semana. Tudo que era necessário era substituir a promessa original por um aviso de que provavelmente seria necessário reduzir o racionamento em algum momento de abril.

Assim que Winston lidou com cada uma das mensagens, ele prendeu suas correções impressas pelo ditafone com clipes de papel à cópia apropriada do *The Times* e as empurrou no tubo pneumático. Então, com um movimento que era o mais inconsciente possível, amassou a mensagem original e qualquer anotação que ele mesmo houvesse feito e as lançou no buraco da memória para serem devoradas pelas chamas.

O que acontecia no labirinto invisível a que levavam os tubos pneumáticos ele não sabia com detalhes, mas sabia de modo geral. Assim que todas as correções vistas como necessárias em qualquer edição particular do *The Times* fossem reunidas e coladas, aquela edição seria reimpressa, a cópia original destruída, e a cópia corrigida colocada nos arquivos no lugar. O processo de alteração contínua se aplicava não apenas a jornais, mas a livros, periódicos, panfletos, pôsteres, folhetos, filmes, trilhas sonoras, desenhos animados, fotos — qualquer tipo de literatura ou documento que poderia concebivelmente ter qualquer significado político ou ideológico. Dia após dia e quase minuto após minuto, o passado era atualizado. Dessa maneira, todas as previsões do Partido poderiam se revelar com evidência documental estarem corretas; tampouco era permitido o registro de qualquer item de notícia, ou expressão de opinião, que entrasse em conflito com as necessidades do momento. Toda a história era um palimpsesto, apagada e reinscrita exatamente com a frequência necessária. Em caso nenhum teria sido possível, uma vez que estivesse feito, provar que qualquer falsificação havia ocorrido. A maior seção do Departamento de Registros, muito maior do que a em que Winston trabalhava, consistia simplesmente de pessoas cujo dever era rastrear e coletar todas as cópias de livros, jornais e outros documentos que haviam ficado ultrapassados e deveriam ser destruídos. Uma edição do *The Times* que poderia, por causa de mudanças em alinhamento político ou profecias erradas ditas pelo Grande Irmão, ser reescrita uma dúzia de vezes ainda permanecia nos arquivos com a data original, e nenhuma outra cópia existia para a contradizer. Livros também eram recolhidos e reescritos, de novo e de novo, e invariavelmente relançados sem admissão alguma de que qualquer alteração ocorrera. Até mesmo as instruções escritas que Winston recebia, e das quais ele se livrava invariavelmente logo depois de resolver, nunca declaravam ou implicavam que um ato de falsificação estava para ser cometido: a referência era sempre a confusões, falhas, erros de impressão, citações equivocadas que precisavam ser corrigidas pelo interesse maior da precisão.

Na verdade, ele pensava enquanto ajustava os números do Ministério da Abundância, não era nem uma falsificação. Era apenas a substituição de um trecho de bobagem por outro. A maior parte do material com que se lidava não tinha conexão alguma com qualquer coisa no mundo real, nem mesmo o tipo de conexão que se vê em uma mentira direta. Estatísticas eram uma fantasia tão grande nas versões originais quanto na versão retificada. Boa parte do tempo, esperava-se que o sujeito inventasse no ato. Por exemplo, a previsão do Ministério da Abundância estimava que a produção de botas para o trimestre seria de 145 milhões de pares. A produção real foi de 62 milhões. Winston, no entanto, ao reescrever a previsão, marcou o valor para baixo, para 57 milhões, para que se permitisse a afirmação usual de que a meta havia sido superada. De qualquer forma, 62 milhões não estava mais perto da verdade do que 57 milhões, ou tampouco 145 milhões. Era muito provável que não houvesse se produzido bota alguma. Mais provável ainda: ninguém sabia quantas botas haviam sido produzidas, nem se importava com isso. Tudo que se sabia era que a cada trimestre, um número astronômico de botas eram produzidas no papel, enquanto talvez metade da população da Oceânia estava descalça. E era assim com toda classe de fato registrado, grande ou pequeno. Tudo desbotava em um mundo de sombras em que, enfim, até a data do ano havia se tornado incerta.

Winston espiou o outro lado do salão. No cubículo correspondente do outro lado, um homem pequeno, de ares precisos e cavanhaque escuro chamado Tillotson estava concentrado no trabalho, com um jornal dobrado no joelho e os lábios bastante próximos do bocal do ditafone. Ele tinha um ar de quem tentava manter o que dizia um segredo entre ele mesmo e a teletela. Ele ergueu os olhos e os óculos dispararam um reflexo hostil na direção de Winston.

Winston mal conhecia Tillotson e não fazia ideia de que função ele exercia. As pessoas no Departamento de Registros não falavam voluntariamente sobre suas funções. No longo saguão sem janelas, com suas fileiras duplas de cubículos e o infinito farfalhar de papéis e murmurar de vozes falando com os ditafones, havia uma dúzia de pessoas as quais Winston não conhecia de nome, apesar de vê-las se apressando diariamente, indo e voltando pelos corredores ou gesticulando durante os Dois Minutos de Ódio. Ele sabia que no cubículo ao lado do seu, a mulher pequena com cabelo cor de areia trabalhava todo dia sem cansar, apenas rastreando e excluindo da imprensa os nomes de pessoas que tinham sido vaporizadas e, portanto, eram consideradas como se nunca tivessem existido. Havia uma certa adequação nisso, já que seu próprio marido havia sido vaporizado um par de anos antes. E a uns poucos cubículos de distância, uma criatura amena, inefetiva e sonhadora chamada Ampleforth, com orelhas muito peludas e um talento surpreendente com rimas e métrica, envolvia-se em produzir versões truncadas — versões definitivas, chamavam-se — de poemas que haviam se tornado ideologicamente ofensivos, mas que por um motivo ou outro deveriam ser mantidos em antologias. E este saguão, com seus cerca de cinquenta funcionários, era apenas uma subseção, uma única célula, como se diria, da complexidade gigantesca do Departamento de Registros. Além, acima, abaixo, havia outros enxames de funcionários envolvidos em uma multidão inimaginável de trabalhos. Havia as imensas gráficas com seus subeditores, os especialistas em tipografia e os estúdios minuciosamente equipados para falsificar fotos. Havia a seção de teleprogramas com engenheiros, produtores e equipes de atores escolhidos especialmente pela habilidade em imitar vozes. Havia os exércitos de secretários de referências, cujo trabalho era apenas montar listas de livros e periódicos que deveriam ser recolhidos. Havia os vastos repositórios onde documentos corrigidos ficavam guardados e as fornalhas escondidas onde as edições originais eram destruídas. E em algum lugar, bem anônimos, havia os cérebros gerenciais que coordenavam todo esse esforço e estabeleciam as linhas políticas que tornavam necessário que esse fragmento do passado fosse preservado, aquele falsificado e aquele outro apagado da existência.

E o Departamento de Registros, no final das contas, era em si mesmo um único setor do Ministério da Verdade, cujo trabalho primário não era reconstruir o passado, mas fornecer jornais, filmes, livros didáticos, programas da teletela, peças, novelas literárias aos cidadãos de Oceânia — com todo tipo de informação, instrução ou entretenimento concebível, de uma estátua a um lema, de poema lírico a tratado biológico, do livro de alfabetização infantil a um dicionário de Novilíngua. E o Ministério não tinha apenas que satisfazer as necessidades diversas e variadas do Partido, mas também repetir a operação inteira em níveis inferiores para o bem do proletariado. Havia uma cadeia inteira de departamentos separados lidando com literatura proletária, música proletária, drama e entretenimento em geral. Ali se produziam tabloides com bobagens, que continham quase nada além de esportes, crimes e astrologia, noveletas sensacionais de cinco centavos, filmes destilando sexo e canções sentimentais compostas inteiramente por meios mecânicos em um tipo especial de caleidoscópio conhecido como versificador. Havia até mesmo uma subseção inteira — Pornodep, chamava-se em Novilíngua — envolvida em produzir o tipo mais baixo de pornografia, que era enviada em pacotes selados e que nenhum membro do Partido, exceto aqueles que trabalhavam naquilo, tinha permissão de ver.

Três mensagens saíram do tubo pneumático enquanto Winston trabalhava, mas eram questões simples, e ele havia se livrado delas antes que os Dois Minutos de Ódio o interrompessem. Quando o Ódio terminou, voltou ao cubículo, pegou o dicionário de Novilíngua da estante, empurrou o ditafone para o lado, limpou os óculos e se ajeitou para o trabalho principal da manhã.

O maior prazer na vida de Winston estava em seu trabalho. A maior parte era uma rotina tediosa, mas incluídos nela havia também trabalhos tão difíceis e intricados que era possível se perder neles como nas profundezas de um problema matemático — peças de falsificação delicadas em que não existia nada para guiar a mão do falsificador, exceto o conhecimento dos princípios de Socing e sua própria estimativa do que o Partido queria que você dissesse. Winston era bom nesse tipo de coisa. Ocasionalmente, haviam até mesmo lhe confiado a retificação dos artigos principais do *The Times*, que eram escritos totalmente em Novilíngua. Ele abriu a mensagem que deixara de lado antes. Dizia:

times 3.12.83 reportagem gi ordemdia duplomaisnãobom refs despessoas reescrever total mostrarsup préarquiv

Em Velhíngua (ou inglês padrão), isso poderia ser interpretado como:

A reportagem da Ordem do Dia do Grande Irmão no The Times *de 3 de dezembro de 1983 é extremamente insatisfatória e faz referência a pessoas que não existem. Reescrever por completo e enviar rascunho para autoridade superior antes de arquivar.*

Winston passou os olhos pelo artigo mencionado. A Ordem do Dia do Grande Irmão, parecia, havia focado principalmente em elogiar o trabalho de uma organização conhecida por FFCC, que fornecia cigarros e outros confortos aos marinheiros nas Fortalezas Flutuantes. Um certo Camarada Withers, um membro proeminente do Núcleo do Partido, havia sido destacado para uma menção especial e recebido uma condecoração, a Ordem de Mérito Conspícuo, Segunda Classe.

Três meses depois, a FFCC havia sido dissolvida de súbito sem motivo dado. Podia-se presumir que Withers e seus associados estavam agora em desgraça, mas não havia relato algum da questão na Imprensa ou na teletela. Isso era esperado, já que era incomum que criminosos políticos fossem colocados em julgamento ou até mesmo publicamente denunciados. Os grandes expurgos envolvendo milhares de pessoas, com julgamentos públicos de traidores e criminosos do pensar que faziam confissões abjetas de seus crimes e eram então executados, eram espetáculos especiais que não aconteciam mais do que uma vez a cada dois anos. Era mais comum que pessoas que tivessem caído em desgraça com o Partido apenas desaparecessem e que nunca mais se ouvisse falar delas. Nunca se tinha a menor ideia do que havia acontecido com elas. Em alguns casos, podiam nem estar mortas. Talvez trinta indivíduos que Winston conhecera pessoalmente, sem contar seus pais, haviam desaparecido em um momento ou outro.

Winston coçou o nariz gentilmente com um clipe de papel. No cubículo do outro lado, Camarada Tillotson ainda se encurvava cheio de segredos sobre seu ditafone. Levantou a cabeça por um instante: de novo, o hostil reflexo do óculos. Winston se perguntou se Camarada Tillotson estava envolvido no mesmo trabalho que ele. Era perfeitamente possível. Um trabalho tão complicado nunca seria confiado a uma pessoa só: por outro lado, entregá-lo a um comitê seria admitir de forma aberta que um ato de falsidade estava acontecendo. Era muito provável que cerca de doze pessoas estivessem agora trabalhando em versões rivais do que o Grande Irmão havia dito de fato. E muito em breve algum cérebro mestre no Núcleo do Partido selecionaria esta ou aquela versão, reeditaria e colocaria em movimento os processos complexos de cruzar referências que seriam necessários, e então a mentira escolhida passaria para o registro permanente e se tornaria a verdade.

Winston não sabia por que Withers havia caído em desgraça. Talvez fosse por corrupção ou incompetência. Talvez o Grande Irmão estivesse apenas se livrando de um subordinado popular demais. Talvez Withers ou alguém perto dele fosse suspeito de tendências hereges. Ou talvez — o que era o mais provável de tudo — a coisa havia acontecido apenas porque expurgos e vaporizações eram uma parte necessária da mecânica do governo. A única pista real estava nas palavras "refs despessoas", que indicavam que Withers já estava morto. Não se podia partir do pressuposto invariável de que este era o caso quando indivíduos eram presos. Às vezes as pessoas eram libertadas, autorizadas a permanecer em liberdade por até um ou dois anos antes de serem executadas. Muito ocasionalmente, algum sujeito que se acreditava estar morto há muito tempo fazia uma reaparição fantasmagórica em algum julgamento público no qual implicaria centenas de outros com seu testemunho antes de desaparecer, desta vez para sempre. Withers, no entanto, já era uma DESPESSOA. Ele não existia: ele nunca existira. Winston decidiu que não seria suficiente reverter a tendência do discurso do Grande Irmão. Era melhor fazer que lidasse com algo totalmente sem conexão com o assunto inicial.

Ele poderia transformar o discurso na denúncia usual de traidores e criminosos do pensar, mas aquilo era um pouco óbvio demais, enquanto inventar uma vitória no front, ou algum triunfo de superprodução no Nono Plano Trianual poderia complicar demais os registros. Uma peça de fantasia pura era necessária. De súbito veio à sua mente, como se já estivesse pronto, a imagem de um certo Camarada Ogilvy, que havia morrido em batalha fazia pouco, em circunstâncias heroicas. Havia ocasiões em que o Grande Irmão devotava sua Ordem do Dia a comemorar algum membro humilde do Partido, oficiais comuns cuja vida e morte ele exibia como um exemplo que merecia ser seguido. Hoje ele comemoraria o Camarada Ogilvy. Era verdade que não havia uma pessoa que se chamava Camarada Ogilvy, mas umas poucas linhas impressas e uma meia dúzia de fotos falsificadas logo o trariam à existência.

Winston pensou por um momento, então puxou o ditafone e começou a ditar no estilo familiar do Grande Irmão: um estilo ao mesmo tempo militar e pedante e, por causa de um truque de fazer perguntas e então respondê-las de imediato ("Que lições aprendemos deste fato, camaradas?

A lição — que também é um dos princípios fundamentais do Socing — de que..." etc. etc.), fácil de imitar.

Quando tinha três anos de idade, Camarada Ogilvy recusara todos os brinquedos exceto por um tambor, uma submetralhadora e uma miniatura de helicóptero. Aos seis anos — um ano antes, por um relaxamento especial das regras —, ele havia se juntado aos Espiões e aos nove foi líder de tropa. Aos onze, denunciou o tio à Polícia do Pensar depois de entreouvir uma conversa que lhe pareceu ter tendências criminosas. Aos dezessete, ele foi um organizador distrital da Liga Antissexo Júnior. Aos dezenove, criou um modelo de granada de mão que foi adotado pelo Ministério da Paz e que, em seu primeiro teste, matou 31 prisioneiros eurasianos em uma única explosão. Aos 23 anos, foi abatido em combate. Perseguido por jatos inimigos enquanto sobrevoava o Oceano Índico com remessas importantes, ele pesou seu corpo com a metralhadora e saltou do helicóptero para as profundezas do oceano, com remessas e tudo — um fim, disse o Grande Irmão, impossível de contemplar sem sentimentos de inveja. O Grande Irmão acrescentou algumas observações sobre a pureza e obstinação da vida de Camarada Ogilvy. Ele era um abstêmio total e não fumante, não tinha diversões exceto por uma hora diária no ginásio, e havia feito um voto de celibato, acreditando que o casamento e o cuidado da família eram incompatíveis com uma devoção ao dever 24 horas por dia. Ele não tinha assuntos para conversas exceto os princípios do Socing, e nenhum objetivo de vida exceto a derrota do inimigo eurasiano e a caça de espiões, sabotadores, criminosos do pensar e traidores em geral.

Winston debateu consigo mesmo se premiaria o Camarada Ogilvy com a Ordem do Mérito Conspícuo: no fim, decidiu não fazer isso por conta do cruzamento de informações desnecessário que geraria.

De novo, ele espiou seu rival no cubículo oposto. Algo nele parecia lhe dizer com certeza que Tillotson estava ocupado no mesmo trabalho que ele próprio. Não havia como saber de quem seria o trabalho enfim adotado, mas ele sentia uma convicção profunda de que seria o dele. O Camarada Ogilvy, inimaginável uma hora antes, agora era um fato. Parecia-lhe curioso que se pudesse criar homens mortos, mas não vivos. Camarada Ogilvy, que nunca existira no presente, agora existia no passado, e uma vez que o ato de falsificação fosse esquecido, ele existiria com a mesma autenticidade, e com as mesmas evidências, que Carlos Magno ou Júlio César.

CAPÍTULO 5

No refeitório de teto baixo, nas profundezas subterrâneas, a fila do almoço se movia devagar para a frente. O recinto já estava bastante cheio e barulhento de ensurdecer. Da chapa na bancada, a fumaça de ensopado avançava, um cheiro amargo e metálico que não chegava a superar os vapores de Gim Victory. Na parede mais distante do recinto havia um bar pequeno, uma portinha, onde gim podia ser comprado, dez centavos por um trago grande.

— Exatamente quem eu estava procurando — disse uma voz às costas de Winston.

Ele se virou. Era seu amigo, Syme, que trabalhava no Departamento de Pesquisa. Talvez "amigo" não fosse exatamente a palavra certa. Não se tinha amigos naqueles tempos, tinha-se camaradas: mas havia alguns camaradas cuja socialização era mais agradável do que a de outros. Syme era um filólogo, um especialista em Novilíngua. De fato, era do imenso time de especialistas agora envolvidos em compilar a Décima Primeira Edição do Dicionário de Novilíngua. Ele era uma criatura diminuta, menor que Winston, com cabelo escuro e olhos grandes e protuberantes, ao mesmo tempo tristes e zombeteiros, que pareciam perscrutar seu rosto com atenção enquanto falava com você.

— Queria perguntar se tem alguma lâmina de barbear — ele disse.

— Nem uma! — disse Winston com uma espécie de pressa culpada. — Tentei em todo lugar. Elas não existem mais.

Todo mundo ficava pedindo lâminas de barbear. Na verdade, ele tinha duas novas que estava guardando. Houve uma seca delas nos meses anteriores. Em qualquer momento havia algum artigo necessário que as lojas do Partido não conseguiam fornecer. Às vezes eram botões, às vezes era linha para coser, às vezes eram cadarços; no momento, eram lâminas de barbear. Você só as conseguia, quando conseguia, explorando o mercado "livre" de forma mais ou menos furtiva.

— Tenho usado a mesma lâmina há seis semanas — ele mentiu.

A fila deu outro salto para a frente. Quando pararam, ele se virou e encarou Syme de novo. Cada um deles pegou uma bandeja gordurenta de metal de uma pilha na beira da bancada.

— Você foi ver os prisioneiros enforcados ontem? — indagou Syme.

— Eu estava trabalhando — disse Winston com indiferença. — Vou ver nas gravações, imagino.

— Um substituto nada adequado — disse Syme. Os olhos zombeteiros pairaram sobre o rosto de Winston. "Eu conheço você", os olhos pareciam dizer. "Eu vejo através de você. Sei muito bem por que não foi ver os prisioneiros enforcados." No sentido intelectual, Syme era venenosamente ortodoxo. Ele falava com uma desagradável satisfação arrogante a respeito de ataques de helicóptero em vilarejos inimigos, julgamentos e confissões de criminosos do pensar, as execuções nos porões do Ministério do Amor. Falar com ele era, em grande parte, apenas uma questão de afastá-lo de tais assuntos e enroscá-lo, se possível, nas tecnicalidades da Novilíngua, em que ele era fundamentado e interessante. Winston virou a cabeça um pouco para o lado para evitar o escrutínio dos grandes olhos escuros.

— Foi um bom enforcamento — disse Syme, rememorando. — Acho que estraga muito quando amarram os pés deles. Gosto de ver os chutes. E acima de tudo, no final, a língua saindo para fora, e azul... um azul bem forte. Esse é o detalhe que me interessa.

— O próximo! — gritou a proletária de avental branco com a concha.

Winston e Syme empurraram a bandeja sob a chapa. Em cada uma, rapidamente foi largado o almoço regulamentado: uma tigela metálica de ensopado cinza-rosado, um pedaço de pão, um cubo de queijo, uma xícara de Café Victory sem leite e um tablete de sacarina.

— Tem uma mesa ali, debaixo daquela teletela — disse Syme. — Vamos pegar um gim no caminho.

O gim foi servido a eles em xícaras de porcelana sem cabo. Eles trilharam seu caminho pelo recinto abarrotado e colocaram as bandejas na mesa coberta de metal, que tinha no canto uma poça de ensopado, uma bagunça líquida imunda com aparência de vômito. Winston pegou a xícara de gim, pausou por um instante para se acalmar e mandou a coisa com gosto oleoso para dentro. Quando ele terminou de piscar os olhos lacrimejados, de súbito descobriu que tinha fome. Começou a engolir colheradas do ensopado, que no meio de sua bagunça tinha cubos de algo rosado e esponjoso que era provavelmente um preparado de carne. Nenhum deles falou de novo até terem esvaziado as tigelas. Na mesa à esquerda de Winston, um pouco atrás dele, alguém falava de forma rápida e contínua, um tagarelar áspero quase como um pato, que perfurava o rugido geral do recinto.

— Como está o Dicionário? — disse Winston, levantando a voz para se sobrepor ao ruído.

— Devagar — disse Syme. — Estou nos adjetivos. É fascinante.

Ele se acendeu de imediato à menção de Novilíngua. Empurrou a tigela para o lado, pegou o pedaço de pão com uma mão delicada e o queijo com a outra, e se inclinou sobre a mesa para poder falar sem gritar.

— A Décima Primeira Edição é a definitiva — ele disse. — Estamos fechando o idioma no formato final... O formato que vai ter quando as pessoas não falarem nenhum outro idioma. Quando terminarmos, pessoas como você terão que aprender tudo de novo. Você acha, eu ouso dizer, que nosso trabalho principal é inventar palavras novas. Mas nada disso! Nós estamos destruindo palavras... montes delas, centenas delas, todos os dias. Estamos trinchando o idioma para deixar só a estrutura óssea. A Décima Primeira Edição não vai conter nem uma única palavra que se tornará obsoleta antes do ano de 2050.

Ele mordeu o pão com fome e engoliu alguns bocados, então continuou a falar, com uma espécie de paixão pedante. O rosto magro e fino havia se animado, os olhos perderam a expressão zombeteira e ficaram quase sonhadores.

— É uma coisa linda, a destruição das palavras. É claro, a grande eliminação fica nos verbos e adjetivos, mas há centenas de substantivos de que também podemos nos livrar. Não são apenas os sinônimos; tem também os antônimos. Afinal de contas, que justificativa existe para uma palavra que é simplesmente o oposto de outra? Uma palavra contém seu oposto ali dentro. Tome "bom", por exemplo. Se você tem uma palavra como "bom", qual é a necessidade de uma palavra como "ruim"? "Nãobom" funciona do mesmo jeito... Melhor até, porque é um oposto exato, que o outro não é. Ou, de novo, se quiser uma versão mais forte de "bom", qual é a necessidade de ter uma pilha de palavras vagas e inúteis, como "excelente" e "esplêndido" e todo o resto? "Maisbom" cobre o sentido, ou "duplomaisbom", se você quiser algo ainda mais forte. É claro que já usamos essas formas, mas na versão final da Novilíngua não haverá nada mais. No fim, a noção inteira de bondade e maldade será abrangida com apenas seis palavras... Na realidade, apenas uma palavra. Você não vê a beleza nisso, Winston? É claro que originalmente foi uma ideia do G.I. — ele acrescentou como uma reflexão tardia.

Uma espécie de ansiedade insípida correu pelo rosto de Winston ante a menção do Grande Irmão. Ainda assim, Syme detectou de imediato uma certa falta de entusiasmo.

— Você não tem uma apreciação real da Novilíngua, Winston — ele disse, quase triste. — Mesmo quando você escreve, ainda pensa em Velhíngua. Eu li alguns desses artigos que você escreve no *The Times* às vezes. Eles são bons o suficiente, mas são traduções. Em seu coração, você preferiria se ater à Velhíngua, com toda a vagueza e as inúteis zonas cinzentas de significado. Você não entende a beleza da destruição de palavras. Sabia que Novilíngua é a única língua do mundo cujo vocabulário diminui a cada ano?

Winston de fato sabia disso, é claro. Ele sorriu com o que esperava ser simpatia, não confiando em si mesmo para falar. Syme mordeu outro fragmento do pão de cor escura, mastigando brevemente, e seguiu:

— Você não vê que todo o objetivo da Novilíngua é estreitar a variação do pensamento? No fim das contas, nós faremos com que o crimepensar seja literalmente impossível, porque não haverá palavras com que o expressar. Cada conceito que algum dia poderá ser necessário será expressado com uma palavra exata, com seu significado definido com rigidez e todos os significados subsidiários apagados e esquecidos. Não estamos longe deste ponto já na Décima Primeira Edição. Mas o processo ainda será continuado muito depois de eu e você morrermos. A cada ano, menos e menos palavras, e o alcance da consciência sempre um pouco menor. Até mesmo agora, é claro, não há motivo ou desculpa para cometer crimepensar. É apenas uma questão de autodisciplina, controle de realidade. Mas no fim das contas, não haverá necessidade nem disso. A Revolução será completada quando o idioma estiver perfeito. Novilíngua é Socing, e Socing é Novilíngua — ele acrescentou com uma espécie de satisfação mística. — Já lhe ocorreu, Winston, que no ano 2050, no máximo, não haverá nem um único ser humano vivo capaz de entender uma conversa como a que estamos tendo agora?

— Tirando... — começou Winston em dúvida, mas parou. Estava na ponta de sua língua dizer "Tirando os proletários", mas ele se conteve. Não tinha certeza total de que essa observação não era de alguma forma heterodoxa. Syme, no entanto, adivinhara o que ele estava prestes a dizer.

— Os proletários não são seres humanos — ele disse com descuido. — Em 2050, até antes, provavelmente... Todo o conhecimento real de Velhíngua terá desaparecido. Toda a literatura do passado terá sido destruída. Chaucer, Shakespeare, Milton, Byron... Vão existir apenas em versões em Novilíngua, não apenas transmutados em algo diferente, mas de fato em algo contraditório ao que eram. Até mesmo a literatura do Partido mudará. Até mesmo os lemas vão mudar. Como você pode ter um lema como "liberdade é escravidão" quando o conceito de liberdade for abolido? Todo o ambiente de pensamento será diferente. Na verdade, não haverá pensamento como nós entendemos agora. A ortodoxia significa não pensar... não precisar pensar. Ortodoxia é a inconsciência.

Um dia desses, Winston pensou com uma convicção profunda súbita, Syme será vaporizado. Ele é inteligente demais. Ele vê com clareza demais e fala com franqueza demais. O Partido não gosta de gente assim. Um dia ele vai desaparecer. Está escrito em seu rosto.

Winston havia terminado o pão e o queijo. Virou um pouco de lado na cadeira para beber a xícara de café. Na mesa à esquerda, o homem com a voz estridente ainda tagarelava sem remorso. Sentada de costas para Winston, uma moça que talvez fosse a secretária estava ouvindo o homem e parecia concordar ansiosamente com tudo que ele dizia. De tempos em tempos, Winston pescava alguma observação, como "Acho que você está tão certo, concordo tanto com você", dita em uma voz feminina jovem e bastante boba. Mas a outra voz nunca parava por nenhum instante, mesmo quando a garota falava. Winston conhecia o homem de vista, apesar de não saber muito mais sobre ele além do fato de que tinha um posto importante no Departamento de Ficção. Era um homem de cerca de 30 anos de idade, de pescoço musculoso e uma grande boca móvel. A cabeça estava um pouco jogada para trás, e por causa do ângulo em que ele estava sentado, os óculos capturavam a luz e apresentavam a Winston dois discos vazios ao invés de olhos. O levemente horrível era que no meio da torrente de som que saía de sua boca era quase impossível distinguir uma única palavra. Só uma vez Winston pescou uma frase: "eliminação completa e total do goldsteinismo", dita muito depressa e, como parecia, toda de uma vez só, como uma única palavra, tal qual um bloco de texto sólido, sem espaços. Pois o resto era só ruído, um quack-quack-quack contínuo. E ainda assim, apesar de não se conseguir exatamente ouvir o que ele dizia, não era possível ter qualquer dúvida sobre a natureza geral. Ele podia estar denunciando Goldstein e demandando medidas mais severas para criminosos do pensar e sabotadores, podia estar fulminando contra as atrocidades do exército da Eurásia, podia estar elogiando o Grande Irmão ou os heróis do front de Malabar — não fazia diferença. Fosse o que fosse, dava para ter certeza de que cada palavra dita era pura ortodoxia, puro Socing. Conforme ele assistia ao rosto sem olhos com a mandíbula se movendo rápido para cima e para baixo, Winston sentiu uma sensação curiosa de que aquele não era um ser humano real, mas algum tipo de boneco. Não era o cérebro do homem que estava falando, era sua laringe. Aquilo que saía dele consistia em palavras, mas não era fala num sentido verdadeiro: era um ruído dito em inconsciência, como o grasnido de um pato.

Syme havia ficado em silêncio por um momento, e com o cabo da colher tracejava desenhos na poça de ensopado. A voz da outra mesa seguiu grasnando rápido, audível com facilidade apesar dos ruídos ao redor.

— Tem uma palavra em Novilíngua — disse Syme. — Não sei se você conhece: PATOFALAR, grasnar como um pato. É uma dessas palavras interessantes que tem dois sentidos contraditórios. Aplicada a um oponente, ela é uma ofensa, aplicava a alguém que você concorda, é um elogio.

Sem dúvida, Syme será vaporizado, Winston pensou de novo. Pensou isso com uma espécie de tristeza, apesar de saber bem que Syme o desprezava e antipatizava levemente com ele, e era plenamente capaz de denunciá-lo como um criminoso do pensar se visse qualquer motivo. Havia algo sutilmente errado com Syme. Era algo que lhe faltava: discrição, indiferença, uma espécie de estupidez redentora. Não se podia dizer que ele era heterodoxo. Ele acreditava nos princípios de Socing, venerava o Grande Irmão, regozijava-se com as vitórias, odiava hereges, não apenas com sinceridade, mas com uma espécie de zelo inquieto, um nível de atualização de informação que o membro comum do Partido não alcançava. Ainda assim, um ar fraco de desonra sempre se grudava a ele. Ele dizia coisas que seria melhor não dizer, havia lido livros demais, frequentava o Café Castanheira, antro de pintores e músicos. Não havia lei, nem mesmo uma lei implícita, contra frequentar o Café Castanheira, mas o lugar tinha um tipo de mau agouro. Os antigos líderes desprestigiados do Partido costumavam se reunir ali antes de serem finalmente expurgados. O próprio Goldstein, dizia-se, havia sido visto ali algumas vezes, anos e décadas atrás. O destino de Syme não era difícil de prever. E, ainda assim, era fato que se Syme captasse, mesmo por três segundos, a natureza das opiniões secretas de Winston, ele o entregaria no ato para a Polícia do Pensar. Assim como qualquer outra pessoa, inclusive, mas Syme mais do que a maioria. Zelo não era suficiente. A ortodoxia era inconsciência.

Syme ergueu os olhos:

— Lá vem Parsons — ele disse.

Algo em seu tom de voz pareceu acrescentar: "aquele tolo maldito". Parsons, colega inquilino de Winston no Mansões Victory, de fato atravessava o recinto — um homem gorducho de tamanho médio com cabelo claro e cara de sapo. Aos 35 anos, já estava acumulando rolos de gordura no pescoço e cintura, mas seus movimentos eram enérgicos e pueris. Toda sua aparência era a de um garotinho que cresceu demais, tanto que apesar de estar usando os macacões regulamentares, era quase impossível não pensar nele como alguém vestido com a bermuda azul, a camisa cinza e o lenço vermelho dos Espiões. Ao visualizá-lo, a pessoa sempre via uma imagem de joelhos gordinhos e mangas enroladas sobre antebraços rechonchudos. Parsons, de fato, invariavelmente colocava bermudas quando uma caminhada em grupo ou qualquer outra atividade física lhe dava uma desculpa. Ele os cumprimentou com um animado "Olá, olá!" e se sentou na mesa, soltando um cheiro intenso de suor. Gotas de umidade se destacavam por todo o rosto rosado. Seus poderes de suor eram extraordinários. No Centro Comunitário, sempre dava para saber quando ele estivera jogando pingue-pongue pela umidade no cabo da raquete. Syme havia produzido uma tira de papel em que havia uma longa coluna de palavras e a estudava com um lápis-tinta entre os dedos.

— Olha só ele, trabalhando no horário do almoço — disse Parsons, dando uma cotovelada em Winston. — Quanta vontade, hein? O que tem aí, meu velho? Algo inteligente demais para mim, eu espero. Smith, meu velho, vou dizer por que estou perseguindo você. É aquela contri que você esqueceu de me dar.

— Qual contri é essa? — disse Winston, tateando à procura de dinheiro de forma automática. Cerca de um quarto do salário de cada um tinha que ser reservado para contribuições voluntárias, tão numerosas que era difícil controlar todas.

— Para a Semana do Ódio. Sabe... o fundo de casa-por-casa. Eu sou tesoureiro em nosso bloco. Estamos fazendo um esforço em todos os lados... Vamos montar uma apresentação e tanto. Estou dizendo a você, não vai ser culpa minha se o velho Mansões Victory não tiver a maior mostra de bandeiras na rua inteira. Você me prometeu dois dólares.

Winston encontrou e passou duas notas amassadas e imundas, que Parsons enfiou em um caderno pequeno, com a bela caligrafia dos semianalfabetos.

— Falando nisso, meu velho — ele disse. — Ouvi que aquele meu pequeno miserável acertou você com o estilingue ontem. Dei uma boa bronca nele. Na verdade, falei para ele que vou tirar o estilingue se ele fizer de novo.

— Acho que ele estava um pouco chateado de não ir à execução — disse Winston.

— Ah, bem... o que quero dizer é que mostra o espírito certo, não é? São uns fedelhos travessos, os dois, mas fale de motivação! Tudo em que pensam é nos Espiões, e na guerra, é claro. Sabe o que aquela garotinha minha fez sábado passado, quando a tropa estava caminhando numa montanha por Berkhamsted? Ela convenceu duas outras garotas a ir com ela, escapuliram do passeio e passaram a tarde toda seguindo um homem estranho. Elas ficaram na trilha dele por duas horas, atravessaram a floresta, e então, quando chegaram a Amersham, elas o entregaram à patrulha.

— Por que fizeram isso? — disse Winston, um pouco tomado de surpresa.

Parsons seguiu, triunfante:

— Minha garota se certificou de que ele era algum tipo de agente inimigo... Pode ter sido largado de paraquedas, por exemplo. Mas aí é que está a questão, meu rapaz. O que você acha que colocou a menina na cola dele? Ela viu que ele estava usando um tipo engraçado de sapatos... Disse que nunca tinha visto alguém usando sapatos daquele tipo antes. Então era possível que fosse estrangeiro. Bastante esperta para uma pequeninha de sete anos, hein?

— O que houve com o homem? — Winston perguntou.

— Ah, isso eu não saberia dizer, é claro. Mas eu não me surpreenderia nada se... — Parsons fez o gesto de mira de rifle e clicou a língua num som de explosão.

— Bom — disse Syme distraidamente, sem levantar a cabeça da tira de papel.

— É claro que não podemos nos arriscar — concordou Winston com diligência.

— O que quero dizer é que tem uma guerra acontecendo — disse Parsons.

Como se confirmando isso, um toque de clarim saiu da teletela justo acima de suas cabeças. No entanto, não era a proclamação de uma vitória militar naquela altura, mas apenas um anúncio do Ministério da Abundância.

— Camaradas! — gritou uma ansiosa voz jovial. — Atenção, camaradas! Temos notícias gloriosas para vocês. Nós vencemos a batalha pela produção! Os resultados agora completos da produção de todas as classes de bens de consumo revelam que o padrão de vida aumentou nada menos que 20% no último ano. Por toda a Oceânia na manhã de hoje, houve manifestações irrefreáveis e espontâneas quando trabalhadores marcharam para fora de fábricas e escritórios e desfilaram pelas ruas com faixas, afirmando sua gratidão ao Grande Irmão pela nova vida feliz que sua liderança sábia nos concedeu. Aqui estão alguns dos números. Gêneros alimentícios...

A expressão "nossa nova vida feliz" ressurgiu diversas vezes. Era uma queridinha recente do Ministério da Abundância. Parsons, a atenção chamada pelo toque do clarim, ficou sentado ouvindo com uma espécie de solenidade boquiaberta, uma forma de tédio edificada. Não conseguia acompanhar os valores, mas estava ciente de que eram de algum jeito um motivo para satisfação. Ele havia sacado um imenso cachimbo imundo que já estava meio cheio de tabaco chamuscado. Com os racionamentos de tabaco a 100 gamas por semana, era raro conseguir encher um cachimbo até o final. Winston fumava um Cigarro Victory que segurava cuidadosamente na horizontal. A nova porção só começaria no dia seguinte e ele tinha apenas quatro cigarros restantes. Até o momento ele havia fechado as orelhas para sons mais remotos e escutava aquilo que jorrava da teletela. Parecia que houve manifestações para agradecer ao Grande Irmão pelo aumento nas rações de chocolate para 20 gramas por semana. E apenas ontem, ele refletiu, foi anunciado que o racionamento havia sido REDUZIDO para 20 gramas por semana. Será que era possível que eles conseguissem engolir isso, depois de somente 24 horas? Sim, eles engoliram. Parsons engoliu com facilidade, com a idiotice de um animal. A criatura sem olhos na outra mesa engolia com fanatismo, paixão, um desejo furioso de rastrear, denunciar e vaporizar qualquer um que sugerisse que semana passada a ração fora de 30 gramas. Syme também — de alguma forma mais complexa, envolvendo duplipensar, Syme engolia. Estaria ele, então, SOZINHO, na posse de uma memória?

As estatísticas fabulosas continuaram a jorrar da teletela. Comparando com o ano anterior, havia mais comida, mais roupas, mais casas, mais mobília, mais panelas, mais combustível, mais navios, mais helicópteros, mais livros, mais bebês — mais de tudo exceto doenças, crime e loucura. Ano a ano e minuto a minuto, tudo e todos zumbiam rápido para cima. Como Syme fizera antes, Winston pegou sua colher e estava remexendo no molho de cor pálida que respingou pela mesa, fazendo uma longa linha e criando um padrão. Ele meditou com ressentimento sobre a textura física da vida. Será que sempre havia sido assim? Será que comida sempre tivera este sabor? Ele passou os olhos pelo refeitório. Um recinto lotado de teto baixo, as paredes encardidas pelo contato de corpos inumeráveis; mesas e cadeiras surradas de metal, colocadas tão apertadas que as pessoas ficavam cotovelo com cotovelo; colheres tortas, bandejas marcadas, xícaras brancas ásperas; todas as superfícies engorduradas, imundície em cada canto; e um cheiro composto amargo de gim ruim e café ruim e ensopado metálico e roupas sujas. Sempre na sua barriga e na sua pele havia uma espécie de protesto, uma sensação de que haviam lhe roubado algo a que se tinha direito. Era verdade que ele não tinha memórias de algo muito diferente. Em qualquer época de que conseguia se lembrar com precisão, nunca houve o suficiente para comer, nunca se tinha meias ou roupas íntimas que não estivessem cheias de furos, mobília sempre fora gasta e bamba e frágil, quartos sem aquecimento, metrôs lotados, casas caindo aos pedaços, pão de cor escura, chá uma raridade, café com sabor imundo, cigarros insuficientes — nada era barato e abundante, exceto o gim sintético. E apesar de que, é claro, ficava pior conforme o corpo envelhecia; será que não era um sinal de que esta NÃO era a ordem natural das coisas, se o coração de alguém adoecia ante desconforto e sujeira e escassez, os invernos intermináveis, a textura grudenta das próprias meias, os elevadores que nunca funcionavam, a água fria, o sabão áspero, os cigarros despedaçando, a comida com seus estranhos e desprezíveis sabores? Por que alguém sentiria que isso era intolerável, a menos que tivesse alguma memória ancestral de que as coisas já haviam sido diferentes em algum momento?

Ele varreu o refeitório com os olhos outra vez. Quase todas as pessoas eram feias e ainda seriam se estivessem vestidas de outra forma que não os macacões azuis do uniforme. No lado oposto do recinto, sentado a sós em uma mesa, um pequeno homem curiosamente parecido com um besouro bebia uma xícara de café, os olhinhos disparando miradas cheias de suspeita de um lado para o outro. Que fácil era, Winston pensou, se você não olhasse ao seu redor, acreditar que o tipo físico propagandeado pelo Partido como o ideal — jovens altos e musculosos e donzelas de seios fartos, cabelos loiros, vitais, bronzeados, despreocupados — existia e até mesmo predominava. Na verdade, até onde ele conseguia avaliar, a maioria das pessoas em Pista de Pouso Um era pequena, escura e desajeitada. Era curioso como aquele tipo parecido com besouro proliferava nos Ministérios: pequenos homens achaparrados, que ficavam atarracados muito cedo na vida, com pernas curtas, movimentos ágeis como se escapulissem, e rostos gordos inescrutáveis com olhos muito miúdos. Era o tipo que parecia melhor florescer sob domínio do Partido.

O anúncio do Ministério da Abundância acabou com outro toque de clarim e abriu espaço para música metálica. Parsons, animado a um entusiasmo vago pelo bombardeio de números, tirou o cachimbo da boca.

— O Ministério da Abundância com certeza fez um bom trabalho este ano — ele disse com um balançar intencional de cabeça. — Aliás, Smith, meu velho, imagino que você não tenha uma lâmina que possa me dar?

— Nem uma — disse Winston. — Eu mesmo tenho usado a mesma lâmina faz seis semanas.

— Ah, bem... Só quis perguntar, meu rapaz.
— Desculpe — disse Winston.

A voz grasnada da mesa ao lado, silenciada temporariamente durante o anúncio do Ministério, havia retomado, tão alta quanto antes. Por algum motivo, Winston de súbito deu por si pensando na sra. Parsons, com seu cabelo ralo e a poeira nos vincos de seu rosto. Em dois anos, aquelas crianças a estariam denunciando à Polícia do Pensar. A sra. Parsons seria vaporizada. Syme seria vaporizado. Winston seria vaporizado. O'Brien seria vaporizado. Parsons, por outro lado, nunca seria vaporizado. A criatura sem olhos com a voz grasnida nunca seria vaporizada. Os pequenos homens-besouro que se moviam com tanta habilidade pelos corredores labirínticos dos Ministérios tampouco seriam vaporizados. E a garota com o cabelo escuro, a garota do Departamento de Ficção — ela também jamais seria vaporizada. Pareceu-lhe que ele instintivamente sabia quem sobreviveria e quem pereceria: ainda que *o que* exatamente fosse necessário para a sobrevivência não fosse fácil de dizer.

Neste momento, ele foi arrastado para fora de seu sonho com um puxão violento. A garota na mesa ao lado havia se virado em parte e olhava para ele. Era a garota com cabelo escuro. Ela estava olhando para ele de esguelha, mas com intensidade curiosa. No instante em que ela vislumbrou que ele a olhava, afastou os olhos de novo.

Winston começou a suar na coluna. Uma pontada horrível de terror o atravessou. Ela sumiu quase de imediato, mas deixou uma inquietude um pouco irritante. Por que ela o estava observando? Por que ela o seguia? Infelizmente ele não conseguia se lembrar se ela já estava na mesa quando ele chegou ou se havia se sentado depois. Mas ontem, de qualquer forma, durante os Dois Minutos de Ódio, ela havia sentado bem atrás dele quando não havia nenhuma necessidade aparente de fazer isso. Muito provavelmente, seu objetivo real havia sido escutá-lo e se certificar de que ele estava gritando alto o suficiente.

Seu pensamento anterior voltou a ele: era provável que não fosse de fato uma integrante da Polícia do Pensar; por outro lado, o espião amador era precisamente o mais perigoso de todos. Ele não sabia quanto tempo fazia que ela o observava, mas talvez fossem até cinco minutos, e era possível que seus traços não houvessem estado perfeitamente sob controle. Era terrivelmente perigoso alguém deixar suas ideias vagarem quando se estava em algum lugar público ou no raio de visão de uma teletela. A menor coisa poderia lhe denunciar. Um tique nervoso, um ar distraído de ansiedade, um hábito de resmungar para si mesmo — qualquer coisa que levasse consigo a sugestão de anormalidade, de ter algo a esconder. De qualquer modo, ter uma expressão imprópria no rosto (parecer incrédulo quando se anunciava uma vitória, por exemplo) era por si só uma ofensa passível de punição. Havia até mesmo uma palavra para isso em Novilíngua: ROSTOCRIME, chamava-se.

A garota havia dado as costas para ele de novo. Talvez, no fim das contas, ela não estivesse de fato o seguindo, talvez fosse uma coincidência que ela tivesse sentado tão perto dele por dois dias seguidos. O cigarro havia apagado, e ele o pousou com cuidado na beira da mesa. Terminaria de fumar depois do trabalho, se conseguisse manter o tabaco dentro dele. Bastante provável que a pessoa na mesa ao lado fosse um espião da Polícia do Pensar, e bastante provável que ele estivesse nos porões do Ministério do Amor dali a três dias, mas uma bituca não deveria ser desperdiçada.

Syme dobrou sua tira de papel e a guardou no bolso. Parsons recomeçou a falar.

— Eu já te contei, meu velho — ele disse, dando uma risadinha enquanto mordia o tubo do cachimbo —, da vez que aqueles dois fedelhos meus colocaram fogo na saia da velha da feira porque viram a mulher embrulhar linguiças num cartaz do G.I.? Foram escondidos atrás dela e colocaram fogo com uma caixa de fósforos. Ela se queimou bastante, acredito. Desgraçadinhos, hein? Mas astutos como raposas! É um treino de primeira que dão a eles nos Espiões agora... Melhor do que no meu tempo, até. O que você acha que é a última que deram para eles? Cornetas acústicas para ouvir pelas fechaduras! Minha garotinha trouxe uma para casa esses tempos... Testou na porta da sala de estar e reconheceu que conseguia ouvir duas vezes mais do que conseguia normalmente, com a orelha no buraco. É claro, é só um brinquedinho. Mas ainda assim transmite a ideia certa, hein?

Neste momento a teletela soltou um assobio perfurante. Era o sinal para voltarem ao trabalho. Todos os três levantaram-se de um salto para se juntar à batalha pelos elevadores, e o tabaco restante caiu do cigarro de Winston.

CAPÍTULO 6

Winston escrevia em seu diário:

Foi três anos atrás. Foi numa noite escura, em uma rua lateral estreita perto de uma das grandes estações de trem. Ela estava em pé perto de uma passagem na parede, sob um poste que mal iluminava. Ela tinha um rosto jovem, com maquiagem muito pesada. Foi realmente a pintura que me interessou, a brancura dela, como uma máscara, e os lábios vermelhos brilhantes. As mulheres do Partido nunca pintavam o rosto. Não havia ninguém mais na rua, e nenhuma teletela. Ela disse dois dólares. Eu...

Então ficou difícil demais de continuar. Ele fechou os olhos e pressionou os dedos nas pálpebras, tentando espremer a visão recorrente para fora. Sentia uma tentação quase esmagadora de gritar uma fieira de palavras sujas a plenos pulmões. Ou bater a cabeça na parede, chutar a mesa e defenestrar o vidro de tinta — fazer qualquer coisa violenta ou barulhenta ou dolorosa que pudesse apagar a memória que o atormentava.

Seu pior inimigo, ele refletiu, era seu próprio sistema nervoso. A qualquer momento, a tensão dentro de você estava passível de se traduzir em algum sintoma visível. Ele pensou em um homem que havia passado na rua algumas semanas antes; um homem de aparência bastante normal, um membro do Partido, entre 35 e 40 anos, um pouco alto e magro, carregando uma pasta. Estavam a alguns metros de distância um do outro quando o lado esquerdo do rosto do homem de súbito se contorceu numa espécie de espasmo. Aconteceu de novo bem quando um passou pelo outro: foi só uma contração, um estremecer, rápido como o obturador de uma câmera, mas obviamente habitual. Ele se lembrou de pensar na época: esse pobre diabo está acabado. E o assustador era que a ação era, muito possivelmente, inconsciente. O perigo mais fatal era falar enquanto dormia. Não havia como se proteger disso, até onde ele conseguia ver.

Ele respirou fundo e seguiu escrevendo:

Entrei pela passagem com ela e cruzei um pátio até uma cozinha num porão. Havia uma cama contra a parede e uma lamparina na mesa de cabeceira, com a chama bastante fraca. Ela...

Ele estava nervosíssimo. Gostaria de cuspir. Ao mesmo tempo que pensava na mulher na cozinha do porão, pensava em Katharine, sua esposa. Winston era casado — havia sido casado, pelo menos; provavelmente ainda era casado, até onde sabia, sua esposa não estava morta. Ele pareceu respirar de novo o odor pesado da cozinha do porão, um odor composto de insetos e roupas sujas e um perfume cruel de tão barato, mas ainda assim atraente, porque nenhuma mulher no Partido usava perfume, ou poderia ser imaginada fazendo isso. Apenas proletários usavam perfume. Na sua mente, o cheiro dele era inextricavelmente ligado à fornicação.

Quando ele acompanhou aquela mulher, havia sido o seu primeiro lapso em dois anos, ou cerca disso. Socializar com prostitutas era proibido, é claro, mas era uma daquelas regras que você se convencia a quebrar de vez em quando. Era perigoso, mas não era uma questão de vida ou morte.

Ser pego com uma prostituta poderia significar cinco anos em um campo de trabalho forçado: nada mais, se você não houvesse cometido nenhum outro crime. E era fácil o suficiente, se conseguisse evitar ser pego no ato. As regiões mais pobres transbordavam de mulheres prontas para se vender. Algumas podiam ser compradas por uma garrafa de gim, que os proletários não deveriam beber. Tacitamente o Partido até mesmo se inclinava a encorajar a prostituição, como uma forma de vazão para instintos que não poderiam ser suprimidos de todo. A mera libertinagem não importava muito, desde que fosse furtiva e sem alegria, envolvendo apenas mulheres de uma classe submersa e desprezada. O crime imperdoável era a promiscuidade entre membros do Partido. Mas — apesar de ser um dos crimes que os acusados nos grandes expurgos invariavelmente confessavam — era difícil imaginar uma coisa assim de fato acontecendo.

O objetivo do Partido não era apenas impedir homens e mulheres de formarem lealdades que o Partido talvez não conseguisse controlar. Seu propósito real e não declarado era remover todo o prazer do ato sexual. Não era tanto o amor, mas sim o erotismo que era o inimigo, tanto dentro quanto fora do casamento. Todos os casamentos entre membros do Partido tinham que ser aprovados por um comitê determinado para esse propósito, e — apesar de esse princípio nunca ter sido declarado com clareza — a permissão sempre era recusada se o casal desse a impressão de estar fisicamente atraído um pelo outro. O único propósito reconhecido do casamento era gerar crianças a serviço do Partido. A relação sexual deveria ser olhada como uma operação menor, levemente nojenta, como fazer um enema. Isso, outra vez, nunca tinha sido colocado em palavras claras, mas de uma forma indireta era fixado em cada membro do Partido desde a infância. Havia inclusive organizações como a Liga Antissexo Júnior, que defendia celibato completo para ambos os sexos. Todas as crianças seriam geradas por inseminação artificial (INSEMART, chamavam na Novilíngua) e criadas em instituições públicas. Isso, Winston sabia, não era levado totalmente a sério, mas de alguma forma combinava com a ideologia geral do Partido. O Partido estava tentando matar o instinto sexual, ou, se não pudesse ser morto, então distorcê-lo e sujá-lo. Ele não sabia o porquê, mas parecia natural que fosse assim. E no que se tratava de mulheres, os esforços do Partido eram bastante bem-sucedidos.

Ele pensou de novo em Katharine. Devia fazer nove, dez — quase onze anos desde que se separaram. Era curioso quão raramente ele pensava nela. Por dias seguidos, ele conseguia esquecer que já havia sido casado. Eles haviam estado juntos por apenas cerca de quinze meses. O Partido não permitia divórcios, mas encorajava separações em casos em que não houvesse filhos.

Katharine era uma garota alta de cabelo claro, muito ereta, com movimentos esplêndidos. Ela tinha um rosto ousado e aquilino, um rosto que alguém poderia chamar de nobre até descobrir que não havia praticamente nada por trás dele. Muito cedo na vida de casados ele havia decidido — talvez por conhecê-la com mais intimidade do que conhecia a maioria das pessoas — que ela tinha, sem dúvida, a mente mais estúpida, vulgar e vazia que ele já havia encontrado. Ela não tinha um pensamento na cabeça que não fosse uma frase de efeito, um slogan, e não havia absolutamente nenhuma imbecilidade que ela não fosse capaz de engolir se o Partido lhe desse. "A trilha sonora humana", ele a havia apelidado em sua mente. Ainda assim, poderia ter aguentado viver com ela se não fosse só uma coisa — o sexo.

No instante em que ele a tocava, ela parecia estremecer e endurecer. Abraçá-la era como abraçar um boneco articulado de madeira. E o estranho era que até mesmo quando ela o apertava contra o próprio corpo, a sensação era de que ela estava simultaneamente empurrando-o para longe com toda a sua força. A rigidez de seus músculos conseguia transmitir essa impressão. Ela ficava deitada ali com olhos fechados, sem resistir nem cooperar, mas se SUBMETENDO. Era extraordinariamente vergonhoso e, depois de um tempo, horrível. Mesmo então, ele conseguiria suportar morar com ela se eles tivessem um acordo de que deveriam permanecer celibatários. Mas, curiosamente, foi Katharine quem recusou isso. Eles deveriam, ela disse, produzir uma criança se pudessem. Então a performance continuou a acontecer, uma vez por semana com bastante regularidade, sempre que não fosse impossível. Ela até mesmo o lembrava pela manhã, como algo que deveria ser feito naquela noite e que não poderia ser esquecido. Ela tinha dois nomes para aquilo. Um era "fazer um bebê", e o outro era "nosso dever para com o Partido" (sim, ela havia de fato usado essa expressão). Logo ele começou a desenvolver um sentimento de pavor definitivo quando o dia designado se aproximava. Por sorte, nenhuma criança aparecia e, no final das contas, ela concordou em abrir mão de tentar, e logo em seguida eles se separaram.

Winston suspirou de forma inaudível. Ele pegou a caneta de novo e escreveu:

Ela se lançou na cama e, de imediato, sem nenhum tipo de preliminar, da forma mais tosca e horrível que se possa imaginar, puxou a saia para cima. Eu...

Ele se viu parado ali sob a luz fraca da lamparina, com o cheiro de insetos e perfume barato nas narinas, e em seu coração uma sensação de derrota e ressentimento que mesmo naquele momento se misturava com a ideia do corpo branco de Katharine, congelado para sempre pelo poder hipnótico do Partido. Por que sempre tinha que ser daquele jeito? Por que ele não poderia ter uma mulher sua ao invés daqueles engalfinhamentos pavorosos, intervalados ao longo dos anos? Mas um caso de amor real era um evento quase impensável. As mulheres do Partido eram todas iguais. A castidade estava tão profundamente arraigada nelas como a lealdade ao Partido. Com um condicionamento precoce cuidadoso, usando jogos e água fria, o lixo que lhes era forçado goela abaixo na escola e nos Espiões e na Liga da Juventude, em palestras, desfiles, canções, slogans e música marcial, o sentimento natural havia sido tirado delas. Seu lado racional lhe dizia que devia haver exceções, mas o coração não acreditava. Elas eram todas inexpugnáveis, como o Partido pretendia que fossem. E o que ele queria, mais até do que ser amado, era derrubar aquela muralha de virtude, nem que fosse apenas uma vez em sua vida inteira. O ato sexual, se desempenhado com sucesso, era rebelião. Desejo era crimepensar. Até mesmo ter despertado Katharine, se ele tivesse sucesso, teria sido como uma sedução, apenas de ela ser sua esposa.

Mas o resto da história tinha que ser escrito. Ele seguiu:

Aumentei a luz da lamparina. Quando eu a vi sob a luz—

Depois da escuridão, a luz débil da lamparina de parafina parecera brilhante demais. Pela primeira vez ele pôde ver a mulher direito. Ele havia dado um passo na direção dela e então parado, cheio de luxúria e terror. Ele estava dolorosamente consciente do risco que havia assumido indo até ali. Era perfeitamente possível que as patrulhas o pegassem na saída: aliás, eles poderiam estar à espera ao lado da porta naquele exato momento. Se ele fosse embora sem sequer fazer o que viera fazer...!

Tinha de ser escrito, tinha que ser confessado. O que ele viu de súbito sob a luz era que a mulher era VELHA. A camada de pintura era tão grossa no rosto que parecia estar prestes a rachar como uma máscara de papelão. Havia mechas brancas no seu cabelo; mas o detalhe verdadeiramente pavoroso era que sua boca havia se abrido um pouco, revelando nada além de uma escuridão cavernosa. Ela não tinha nenhum dente.

Ele escreveu às pressas, em caligrafia rabiscada:

Quando eu a vi sob a luz, ela era uma mulher bastante idosa, ao menos cinquenta anos de idade. Mas eu segui em frente e fiz o que tinha ido fazer.

Ele pressionou os dedos nas pálpebras de novo. Ele havia posto no papel, enfim, mas não fazia diferença. A terapia não havia funcionado. O desejo de gritar palavras imundas com toda a força era mais intenso que nunca.

CAPÍTULO 7

Se *há esperança*, escreveu Winston, *ela está nos proletários.*

Se havia esperança, ela DEVIA estar nos proletários, porque apenas naqueles enxames de multidões esquecidas, 85% da população da Oceânia, poderia ser gerada a força para destruir o Partido. O Partido não poderia ser destruído por dentro. Seus inimigos, se é que tinha inimigos, não tinham como se reunir ou até mesmo se identificarem uns aos outros. Mesmo que a lendária Irmandade existisse, e era possível que existisse, era inconcebível que seus membros pudessem se reunir em números maiores do que dois ou três. A rebelião significava certo olhar, uma inflexão da voz, no máximo uma ocasional palavra aos sussurros. Mas os proletários, se eles pudessem de alguma forma se tornar conscientes de sua própria força, não precisariam conspirar. Eles só precisavam se erguer e chacoalhar, como um cavalo espantando moscas para longe. Se decidissem, poderiam explodir o Partido em migalhas amanhã de manhã. Com certeza, mais cedo ou mais tarde deveria ocorrer a eles fazer isso. Ainda assim...!

Ele lembrou como uma vez ele caminhava por uma rua lotada quando um tremendo grito de centenas de vozes femininas surgiu de uma rua lateral um pouco à frente. Era um grande grito formidável de raiva e desespero, um profundo, alto "Oh-o-o-o-oh!" cantarolado como a reverberação de um sino. O coração saltara. Está começando!, ele pensou. Uma rebelião! Os proletários estão se libertando, enfim! Quando chegou ao lugar, foi para ver uma multidão de duzentas ou trezentas mulheres se amontoando pelas bancas de um mercado de rua, com rostos trágicos como os de passageiras condenadas em um navio afundando. Mas neste momento o desespero geral se quebrou em uma multidão de disputas individuais. Parecia que uma das bancas estava vendendo caçarolas de lata. Eram umas coisas miseráveis e frágeis, mas panelas de qualquer tipo eram sempre difíceis de conseguir. O suprimento havia acabado inesperadamente. As mulheres que conseguiam, sofrendo trombadas e empurrões das outras, tentavam fugir com suas panelas, enquanto dúzias mais clamavam ao redor da banca, acusando o vendedor de favoritismo e de ter mais panelas em algum outro lugar, reservadas. Houve uma nova eclosão de gritos. Duas mulheres inchadas, uma das quais com o cabelo despencando, haviam pegado a mesma panela e tentavam arrancá-la uma das mãos da outra. Por um momento, as duas puxaram, então o cabo soltou. Winston as observou com repugnância. E ainda assim, só por um instante, que poder quase assustador havia soado naquele grito de apenas uma centena de gargantas! Por que é que elas nunca conseguiam gritar assim sobre qualquer coisa que importasse?

Ele escreveu:

Até se tornarem conscientes, nunca se rebelarão, e até se rebelarem, nunca se tornarão conscientes.

Aquilo, ele refletiu, quase poderia ser uma transcrição de um dos livros didáticos do Partido. O Partido afirmava, é claro, ter liberado os proletários das amarras. Antes da Revolução, eles eram pavorosamente oprimidos pelos capitalistas, eram açoitados, passavam fome, mulheres eram forçadas a trabalhar nas minas de carvão (mulheres ainda trabalhavam nas minas de carvão, na verdade), as crianças eram vendidas para as fábricas aos seis anos de idade. Mas, ao mesmo tempo, fiel aos princípios do duplipensar, o Partido ensinava que os proletários eram naturalmente inferiores e deveriam permanecer num estado de sujeição, como animais, com a aplicação de umas poucas regras simples. Na verdade, sabia-se muito pouco sobre os proletários. Não era necessário saber muito. Desde que continuassem a trabalhar e se reproduzir, suas outras atividades não detinham importância alguma. Deixados por conta, como gado livre pelos pampas da Argentina, eles haviam retornado a um estilo de vida que parecia ser natural a eles, uma espécie de padrão ancestral. Eles nasciam, cresciam nas sarjetas, começavam a trabalhar aos doze anos de idade, passavam por um breve período de desabrochar de beleza e desejo sexual, casavam aos vinte, chegavam à meia-idade aos trinta, morriam, a maior parte, aos sessenta. Trabalho físico pesado, cuidado de casa e filhos, discussões mesquinhas com vizinhos, filmes, futebol, cerveja e, acima de tudo, apostas, preenchiam o horizonte de suas mentes. Mantê-los sob controle não era difícil. Uns poucos agentes da Polícia do Pensar sempre se moviam entre eles, espalhando rumores falsos e marcando e eliminando os poucos indivíduos que eram julgados capazes de oferecer perigo; mas não era feita nenhuma tentativa de doutriná-los com a ideologia do Partido. Não era desejável que os proletários tivessem fortes sentimentos políticos. Tudo que se requeria deles era um patriotismo primitivo ao qual se podia apelar sempre que fosse necessário fazer com que aceitassem mais horas de trabalho ou rações menores. E mesmo quando ficavam descontentes, como às vezes acontecia, o descontentamento não levava a lugar nenhum, porque sem ideias gerais eles conseguiam se concentrar apenas em queixas pequenas e específicas. Os males maiores invariavelmente escapuliam para além do campo de visão deles. A maioria dos proletários nem sequer tinha teletelas em casa. Até mesmo a polícia civil interferia muito pouco com eles. Havia uma vasta quantidade de criminalidade em Londres, todo um mundo-dentro-de-um-mundo com ladrões, bandidos, prostitutas, traficantes de drogas e escroques de todo o calibre; mas como tudo acontecia entre os próprios proletários, não era de importância. Em todas as questões morais, eles podiam seguir seu próprio código ancestral. O puritanismo sexual do Partido não era imposto a eles. A promiscuidade passava sem punição, o divórcio era permitido. Inclusive, até a adoração religiosa teria sido permitida se os proletários tivessem mostrado qualquer sinal de precisar dela ou querê-la. Eles estavam abaixo de qualquer suspeita. Como o lema do Partido determinava: "Proletários e animais são livres".

Winston alcançou e com cuidado coçou a úlcera varicosa. Ela havia começado a comichar de novo. O tema a que sempre acabava voltando era a impossibilidade de saber como realmente havia sido a vida antes da Revolução. Ele sacou da gaveta uma cópia de um livro didático infantil de história que ele havia pegado emprestado de sra. Parsons e começou a copiar um trecho no diário.

Nos dias antigos (dizia), antes da Revolução gloriosa, Londres não era a linda cidade que conhecemos hoje. Era um lugar escuro, sujo, miserável, onde quase ninguém tinha o suficiente para comer e centenas de milhares de pessoas pobres não tinham botas nos pés e nem mesmo um teto sob o qual dormir. Crianças da sua idade tinham que trabalhar doze horas por dia para mestres cruéis que as açoitavam com chicotes se trabalhassem devagar demais e não lhes davam nada de comer além de casca de pão velho e água. Mas em meio a toda essa pobreza terrível havia só umas poucas casas grandes e bonitas que eram habitadas por homens ricos que tinham até trinta servos para cuidar deles. Esses homens ricos se chamavam capitalistas. Eles eram homens gordos e feios com rostos malvados, como o que está na outra página. Você pode ver que ele está vestido em um longo casaco negro que se chamava redingote e um estranho chapéu brilhante em forma de tubo de chaminé, que se chamava de cartola. Esse era o uniforme dos capitalistas, e ninguém mais era autorizado a se vestir assim. Os capitalistas eram donos de tudo no mundo e todas as outras pessoas eram escravas deles. Eles eram donos de toda a terra, todas as casas, todas as fábricas e todo o dinheiro. Se alguém lhes desobedecesse, eles poderiam lançar a pessoa na prisão ou poderiam deixá-la sem emprego e matá-la de fome. Quando uma pessoa comum falava com um capitalista, ela tinha que se abaixar e fazer mesuras a ele, e tirar seu chapéu e se dirigir a ele como "Senhor". O líder de todos os capitalistas era chamado de Rei e...

Mas ele conhecia o resto do catálogo de propaganda. Haveria menção dos bispos nas camisas de cambraia com mangas imensas, os juízes nos mantos de arminho, o pelourinho, o tronco, a roda, o chicote, o Banquete do Senhor Prefeito de Londres e a prática de beijar o dedão do pé do Papa. Também havia algo chamado de JUS PRIMAE NOCTIS, que provavelmente não seria mencionado em um livro didático para crianças. Era uma lei que determinava que todos os capitalistas tinham o direito de dormir com qualquer mulher trabalhando em suas fábricas.

Como se poderia determinar o quanto disso era mentira? PODIA ser verdade que o ser humano médio estava melhor agora do que havia estado antes da Revolução. A única evidência do contrário era o protesto mudo em seus próprios ossos, o sentimento instintivo de que as condições em que se vivia eram intoleráveis e que em algum momento elas deveriam ter sido diferentes. Ele se deu conta de que a coisa mais caracteristicamente verdadeira da vida moderna não era sua crueldade e insegurança, mas simplesmente sua nudez, sua esqualidez, sua apatia. A vida, se você olhasse ao redor, não tinha nenhuma semelhança não apenas com as mentiras que jorravam das teletelas, mas até mesmo com os ideais que o Partido tentava alcançar. Grandes áreas dela, mesmo para um membro do Partido, eram neutras e apolíticas, uma questão de se arrastar por empregos monótonos, lutar por um lugar no metrô, costurar uma meia gasta, esmolar por um tablete de sacarina, guardar uma bituca de cigarro. O ideal estabelecido pelo Partido era algo imenso, terrível e brilhante — um mundo de aço e concreto, de máquinas monstruosas e armas apavorantes —, uma nação de guerreiros e fanáticos, marchando adiante em perfeita união, todos pensando os mesmos pensamentos e gritando os mesmos refrãos, perpetuamente trabalhando, lutando, triunfando, perseguindo — trezentos milhões de pessoas, todas com o mesmo rosto. A realidade eram cidades sombrias e decadentes onde pessoas subnutridas se arrastavam de um canto para o outro em sapatos furados, em casas remendadas do século XIX que sempre cheiravam a repolho e banheiros quebrados. Ele parecia ter uma visão de Londres, vasta e desastrosa, a cidade de um milhão de latas de lixo, e misturada a ela vinha uma imagem da sra. Parsons, uma mulher com rosto enrugado e cabelo ralo, revirando, impotente, um cano entupido.

Ele se abaixou e coçou o tornozelo de novo. Noite e dia as teletelas feriam seus ouvidos com estatísticas provando que as pessoas hoje tinham mais comida, mais roupas, casas melhores, recreações melhores — que elas viviam mais, trabalhavam menos, eram maiores, mais saudáveis, mais fortes, mais felizes, mais inteligentes, com melhor educação do que as pessoas de cinquenta anos atrás. Nenhuma palavra ali poderia jamais ser provada ou refutada. O Partido afirmava, por exemplo, que, hoje, 40% dos proletários adultos eram alfabetizados; antes da Revolução, dizia-se que esse número era de apenas 15%. O Partido afirmava que a mortalidade infantil agora era de apenas 160 a cada mil, enquanto antes da Revolução era 300 — e assim por diante. Era como uma única equação com duas variáveis desconhecidas. Podia muito bem ser verdade que literalmente todas as palavras nos livros de história, até mesmo as coisas que as pessoas aceitariam sem questionar, eram fantasia pura. Até onde ele sabia, poderia nunca ter existido nada similar à lei de JUS PRIMAE NOCTIS, ou nenhuma criatura conhecida como capitalista, ou nenhum tipo de acessório chamado cartola.

Tudo se dissolvia em névoa. O passado era apagado, o apagamento era esquecido, a mentira se tornava verdade. Apenas uma vez em sua vida ele tivera — DEPOIS do evento, era o que contava — evidência concreta e inconfundível de um ato de falsificação. Seus dedos seguraram aquilo por um período longo como trinta segundos. Em 1973, devia ter sido — de qualquer forma, por volta da época em que ele e Katharine haviam se separado. Mas a data relevante mesmo era de sete ou oito anos antes.

A história de fato começava nos anos 1960, o período dos grandes expurgos em que os líderes originais da Revolução foram apagados de uma vez por todas. Até 1970, não restava nenhum deles, exceto o próprio Grande Irmão. Todo o resto, àquela altura, havia sido exposto como traidor e contrarrevolucionário. Goldstein havia fugido e estava escondido ninguém sabia onde, e, dos outros, uns poucos haviam simplesmente desaparecido, enquanto a maioria foi executada depois de espetaculares julgamentos públicos em que confessaram seus crimes. Entre os últimos sobreviventes havia três homens, chamados Jones, Aaronson e Rutherford. Foram presos em 1965 ou algo assim. Como acontecia com frequência, haviam desaparecido por um ano ou mais, de modo que ninguém sabia se estavam vivos ou mortos, e então foram subitamente trazidos a público para se incriminar da forma costumeira. Confessaram compartilhamento de informações com o inimigo (naquela data, também, o inimigo era a Eurásia), fraude de fundos públicos, o assassinato de diversos membros de confiança do Partido, intrigas contra a liderança do Grande Irmão que haviam começado muito antes de a Revolução acontecer, e atos de sabotagem causando a morte de centenas de milhares de pessoas. Depois de confessar essas coisas, eles haviam sido perdoados, reintegrados ao Partido e recebido postos que eram sinecuras de fato, mas que soavam importantes. Todos os três haviam escrito longos e abjetos artigos no *The Times*, analisando os motivos para sua defecção e prometendo se corrigir.

Algum tempo depois da liberação deles, Winston havia de fato visto os três no Café Castanheira. Ele se lembrou do tipo de fascinação apavorada com que ele os observou de canto de olho. Eram homens muito mais velhos que ele, relíquias de um mundo antigo, quase as últimas grandes figuras restantes dos dias heroicos do Partido. O glamour das lutas clandestinas e da guerra civil ainda estava vagamente ligado a eles. Apesar de já naquela época fatos e dados estivessem ficando borrados, ele tinha a sensação de que aprendera os nomes deles anos antes de aprender o do Grande Irmão. Mas também eram pessoas fora da lei, inimigos, intocáveis, fadados com certeza absoluta à extinção dentro de um ou dois anos. Eram defuntos esperando o reenvio ao túmulo.

Não havia ninguém nas mesas mais próximas deles. Não era sábio sequer ficar nas proximidades de gente assim. Estavam sentados em silêncio com copos do gim com infusão de cravos que era a especialidade do café. Dos três, foi a aparência de Rutherford que mais causou impressão em Winston. Rutherford já tinha sido um caricaturista famoso, cujas charges brutais ajudaram a inflamar a opinião popular antes e durante a Revolução. Até mesmo agora, com grandes intervalos entre si, suas charges e seus cartuns apareciam no *The Times*. Eles eram apenas uma imitação de seu estilo anterior, curiosamente sem vida e pouco convincentes. Sempre havia um reaproveitamento dos temas antigos: cortiços deploráveis, crianças famintas, combates de rua, capitalistas com cartolas — mesmo atrás de barricadas, os capitalistas ainda pareciam se agarrar às cartolas em um esforço impotente e infinito de voltar ao passado. Ele era um homem monstruoso, com uma juba de cabelo grisalho oleoso, o rosto lembrando um saco remendado, com grossos lábios negroides. Em alguma época ele devia ter sido imensamente forte; agora seu corpo imenso estava murchando, entortando, caindo para todas as direções.

Ele parecia estar se despedaçando bem à sua frente, como uma montanha desmoronando.

Era o horário solitário, o das quinze horas. Winston já não conseguia lembrar por que estava no café em um momento assim. O lugar estava quase vazio. Uma música metálica vazava das teletelas. Os três homens sentavam em seu canto quase imóveis, sem falar. Sem que se pedisse, o garçom trouxe copos novos de gim. Havia um tabuleiro de xadrez ao lado deles, com as peças montadas mas nenhum jogo iniciado. E, então, por talvez meio minuto, se muito, algo aconteceu com as teletelas. A melodia que saía delas mudou e o tom da música mudou também — mas era algo difícil de descrever. Era uma nota peculiar, rachada, zurrando, zombeteira: na sua mente, Winston a chamou de uma nota amarela. E então uma voz da teletela cantou:

> *Sob a castanheira, eu vi,*
> *Tu me vendeste, e eu te vendi:*
> *Lá estão eles, e nós estamos aqui*
> *Sob a sombra da castanheira a expandir.*

Os três homens nem se moveram. Mas, quando Winston espiou de novo o rosto arruinado de Rutherford, viu que seus olhos estavam cheios de lágrimas. E pela primeira vez ele notou, com uma espécie de tremor interno, e ainda assim sem saber POR QUE estremecia, que tanto Aaronson quanto Rutherford estavam com o nariz quebrado.

Pouco tempo depois, os três foram presos novamente. Parecia que haviam se envolvido em novas conspirações a partir do momento em que foram liberados. No segundo julgamento, confessaram todos os crimes antigos de novo, com uma lista de novos. Foram executados, e seu destino foi registrado nos anais do Partido, um alerta à posteridade. Cerca de cinco anos depois disso, em 1973, Winston estava desenrolando um punhado de documentos que haviam acabado de sair do tubo pneumático na sua escrivaninha quando deparou com um fragmento de papel que evidentemente havia escorregado entre os outros e então esquecido. Assim que o desenrolou, ele entendeu seu significado. Era uma meia página rasgada do *The Times* de cerca de dez anos antes — a metade superior da página, então isso incluía a data — e continha uma foto dos delegados em alguma função do Partido em Nova York. Proeminentes no meio do grupo estavam Jones, Aaronson e Rutherford. Não havia como confundi-los e, de qualquer modo, seus nomes estavam na legenda.

O problema era que, em todos os julgamentos, todos os três homens tinham confessado haver estado em território eurasiano naquela data. Haviam voado de um aeródromo secreto no Canadá para um encontro em algum lugar na Sibéria, e se encontrado com membros do Estado-Maior Eurasiano, a quem haviam entregado segredos militares importantes. A data havia ficado na memória de Winston porque, por casualidade, era o solstício de verão: mas a história toda deveria estar registrada em inúmeros outros lugares também. Havia apenas uma conclusão possível: as confissões eram mentiras.

É claro, isso não era uma descoberta por si só. Mesmo naquela época, Winston não acreditava que as pessoas eliminadas nos expurgos haviam de fato cometido os crimes de que eram acusadas. Mas isso era uma evidência concreta; era um fragmento de passado abolido, como um fóssil que aparece no estrato incorreto e destrói toda uma teoria geológica. Era suficiente para destruir o Partido em átimos, se de alguma forma pudesse ser publicado ao mundo e seu significado divulgado.

Ele havia voltado a trabalhar de imediato. Logo que viu o que era a foto, e o que ela significava, ele a cobriu com outra folha de papel. Por sorte, quando a desenrolou, ela estava de ponta-cabeça do ponto de vista da teletela.

Ele colocou seu bloquinho de anotações no joelho e empurrou a cadeira para trás para ficar o mais distante possível do campo de visão da teletela. Manter o rosto sem expressão não era difícil, e até mesmo sua respiração poderia ser controlada, com um esforço; mas não dava para controlar o bater do coração, e a teletela era delicada o suficiente para captar isso. Ele deixou o que julgou ser dez minutos passar, atormentado o tempo todo pelo medo de que algum acidente — uma brisa súbita passando por sua escrivaninha, por exemplo — o traísse. Então, sem revelá-la outra vez, ele passou a foto para o buraco de memória, junto com outros papéis usados. Dentro de um minuto, ela teria virado cinzas.

Aquilo foi dez... onze anos atrás. Hoje, era provável que ele tivesse guardado aquela foto. Era curioso que o fato de a haver segurado nos dedos parecia fazer diferença até mesmo naquele momento, quando a foto em si, assim como o evento que ela registrava, era apenas uma memória. Será que o controle do Partido sobre o passado era menor, ele se perguntou, pelo fato de uma evidência que já não existia mais HAVER existido?

Mas hoje, supondo que pudesse ser de alguma forma ressuscitada das cinzas, a foto talvez nem fosse uma evidência. Na época em que ele fez essa descoberta, a Oceânia já não estava mais em guerra com a Eurásia, e deveria ter sido a agentes da Lestásia que os três mortos haviam traído seu país. Desde então, houvera outras mudanças — duas, três, ele não conseguia se lembrar quantas. Era muito provável que as confissões tivessem sido reescritas e reescritas até os fatos e datas originais não terem o menor significado. O passado não apenas mudava, mas mudava de forma contínua. O que mais o afligia com o senso de pesadelo era que ele nunca entendera claramente por que a imensa fraude fora executada. As vantagens imediatas de falsificar o passado eram óbvias, mas o motivo final era misterioso. Ele pegou a caneta de novo e escreveu:

Eu entendo COMO: eu não entendo POR QUÊ.

Ele se perguntou, como havia se perguntado muitas vezes antes, se ele mesmo era um lunático. Talvez um lunático fosse apenas uma minoria composta de uma pessoa só. Em algum momento, tinha sido sinal de loucura acreditar que a terra girava ao redor do sol; hoje, era acreditar que o passado era inalterável. Ele poderia estar mantendo aquela crença SOZINHO; e se sozinho, então um lunático. Mas a ideia de ser um lunático não o incomodava terrivelmente: o horror era que ele poderia também estar errado.

Ele pegou o livro didático de história e olhou para o retrato do Grande Irmão que formava o frontispício. Os olhos hipnóticos olhavam de volta para os dele. Era como se alguma força imensa pressionasse você — algo que penetrava dentro do crânio, quase batendo contra o cérebro, empurrando-o para longe de suas crenças, persuadindo-o, quase, a negar as evidências de seus sentidos. No fim, o Partido anunciaria que dois mais dois dava cinco, e você teria de acreditar. Era inevitável que fizessem essa afirmação mais cedo ou mais tarde: a lógica da sua posição demandava isso. Não apenas a validação da experiência, mas a própria existência da realidade externa era tacitamente negada por sua filosofia. A heresia das heresias era o bom senso. E o que apavorava não era que eles matariam alguém por pensar diferente, mas que eles poderiam estar certos. Pois, afinal de contas, como nós sabemos que dois com dois é igual a quatro? Ou que a força da gravidade funciona de verdade? Ou que o passado é imutável? Se tanto o passado quanto o mundo externo existem apenas na mente, e se a própria mente é controlável, então o quê?

Mas não! Sua coragem pareceu endurecer de súbito por vontade própria. O rosto de O'Brien, que não havia sido trazido por nenhuma associação óbvia, flutuou para dentro de sua mente. Ele sabia, com mais certeza do que antes, que O'Brien estava do seu lado. Ele estava escrevendo o diário por O'Brien — *para* O'Brien: era como uma carta interminável que ninguém leria, jamais, mas que estava endereçada para uma pessoa em particular e reunia sua força desse fato.

O Partido dizia às pessoas para rejeitarem a evidência de seus olhos e ouvidos. Era seu comando final e mais essencial. Seu coração afundou quando pensou no poder enorme reunido contra ele, na facilidade com que qualquer intelectual do Partido o derrubaria em debate, os argumentos sutis que ele não conseguiria entender, muito menos responder. E ainda assim ele estava certo! Eles estavam errados, e ele estava certo. O óbvio, o tolo e o verdadeiro tinham que ser defendidos. Truísmos são verdade, apegue-se a isso! O mundo sólido existe, suas leis não mudam. Pedras são duras, água é molhada, objetos sem apoio caem rumo ao centro da Terra. Com a sensação de que estava falando com O'Brien e também que estava estabelecendo um axioma importante, ele escreveu:

Liberdade é a liberdade de dizer que dois mais dois dá quatro. Se isso é permitido, todo o resto vem em sequência.

CAPÍTULO 8

De algum lugar nas profundezas de uma passagem, o cheiro de café torrando — café real, não Café Victory — veio flutuando pela rua. Winston parou sem querer. Por talvez dois segundos ele estava no mundo semiesquecido de sua infância. Então uma porta bateu, parecendo cortar o cheiro de forma tão abrupta como se fosse um som.

Ele havia caminhado diversos quilômetros em calçadas, e sua úlcera varicosa latejava. Essa era a segunda vez em três semanas que ele havia faltado a uma noite no Centro Comunitário: um ato ousado, já que com certeza o número de suas presenças no Centro era conferido com cuidado. A princípio, um membro do Partido não tinha tempo livre e nunca ficava sozinho, exceto na cama. O pressuposto era que quando não estivesse trabalhando, comendo ou dormindo, ele estaria tomando parte em algum tipo de recreação comunal: fazer qualquer coisa que sugerisse um gosto pela solidão, até mesmo ir caminhar sozinho, era sempre um pouco perigoso. Havia uma palavra em Novilíngua: INDIVIDA, chamava-se, querendo dizer individualismo e excentricidade. Mas essa noite, quando saía do Ministério, a agradabilidade do ar de abril o tentou. O céu exibia um azul mais quente do que ele havia visto naquele ano todo, e de súbito a longa noite barulhenta no Centro, os jogos entediantes e exaustivos, as palestras, a camaradagem forçada azeitada com gim, tudo havia parecido intolerável. Num impulso, ele se afastou do ponto de ônibus e vagou no labirinto de Londres, primeiro rumo sul, depois para leste, depois norte de novo, perdendo-se entre ruas desconhecidas e mal se incomodando em que direção ia.

Se há esperança, ele escrevera em seu diário, *ela está nos proletários*. As palavras ficavam voltando, declaração de uma verdade mística e um absurdo palpável. Ele estava em algum lugar das zonas pobres e marrons a norte e leste do que um dia havia sido a estação de Saint Pancras. Caminhava numa rua de paralelepípedos margeada por sobradinhos com portões gastos que davam direto na calçada e que agora curiosamente sugeriam, de alguma forma, buracos de ratos. Havia poças de água imunda aqui e ali entre as pedras do calçamento. Entrando e saindo das portas escuras e por becos e ruelas estreitas que se abriam para cada lado, uma multidão de números surpreendentes — garotas em pleno desabrochar, com bocas cruamente pintadas com batom, e jovens que iam atrás das garotas e mulheres inchadas gingando que mostravam como as garotas ficariam dali a dez anos, e velhas criaturas corcundas se arrastando em pés virados para fora, e crianças esfarrapadas e descalças que brincavam nas poças e então se espalhavam com os gritos furiosos de suas mães. Talvez um quarto das janelas estivesse quebrado e fechado com tapumes. A maioria das pessoas não prestava atenção em Winston; alguns poucos o espiaram com uma espécie de curiosidade cautelosa. Duas mulheres monstruosas com antebraços vermelhos como tijolos cruzados sobre seus aventais estavam falando do lado de fora de uma casa. Winston pescou partes da conversa conforme se aproximava.

— Tá bom, eu diz pra ela, muito que bem, eu diz. Mas se cê tivesse cum a minha situação, cê tinha feito isso qui eu fiz. É facinho achar ruim, eu diz, mas cê num tem os mesmo problema que eu.

— Ah — disse a outra —, é bem isso daí. É bem mesmo isso daí a questão.

As vozes estridentes pararam de forma abrupta. As mulheres o estudaram em silêncio hostil enquanto ele passava. Mas não era hostilidade, exatamente; apenas um tipo de cautela, um endurecer momentâneo, como se um animal pouco familiar passasse. Os macacões azuis do Partido não deviam ser uma imagem comum em ruas assim. De fato, não era sábio ser visto em lugares assim, a não ser que você tivesse um assunto específico a tratar ali. As patrulhas poderiam lhe parar se deparassem com você. "Podemos ver seus documentos, camarada? O que está fazendo aqui? Que horas deixou o trabalho? Esta é sua rota para casa de costume?" — e assim por diante. Não que houvesse qualquer regra contra voltar para casa a pé por um caminho incomum; mas era o suficiente para atrair atenção se a Polícia do Pensar ouvisse a respeito.

De súbito, a rua inteira entrou em comoção. Houve gritos de alerta de todos os lados. As pessoas dispararam para as portas como coelhos. Uma moça saiu de uma porta um pouco à frente de Winston, pegou uma criancinha brincando em uma poça, passou o avental ao redor dela e saltou de volta, tudo em um único movimento. No mesmo instante, um homem em um casaco preto parecido com uma sanfona, que emergira de uma rua lateral, correu para Winston, apontando para o céu com empolgação.

— Maria-fumaça! — ele gritou. — Cuidado, doutor! Tá vindo! Deita rápido!

"Maria-fumaça" era o apelido que, por algum motivo, os proletários deram a mísseis. Winston se jogou de cara no chão de pronto. Os proletários estavam quase sempre certos quando davam um aviso desse tipo. Eles pareciam ter algum tipo de instinto que lhes dizia vários segundos antes quando um míssil estava a caminho, apesar de os mísseis supostamente viajarem mais rápido que o som. Winston cruzou os antebraços sobre a cabeça. Houve um rugido que pareceu fazer a calçada tremer; uma chuva de objetos leves atingiu suas costas. Quando ele se levantou, viu que estava coberto com fragmentos de vidro da janela mais próxima.

Ele seguiu andando. A bomba havia demolido um grupo de casas duzentos metros à frente. Uma pluma negra de fumaça pendia no céu, e abaixo dela, uma nuvem de poeira de gesso ao redor da qual uma multidão já se juntava para ver as ruínas. Havia um pequeno amontoado de reboco na calçada na frente dele, e no meio dela ele conseguia ver uma mancha vermelha brilhante. Quando chegou na pilha, viu que era uma mão humana arrancada na altura do punho. Além do cotoco sangrento no pulso, a mão estava tão completamente esbranquiçada que lembrava um molde de gesso.

Ele chutou o negócio para a sarjeta, e então, para evitar a multidão, desceu uma rua lateral à direita. Em três ou quatro minutos, estava fora da área que a bomba afetara, e a sórdida vida em enxame das ruas prosseguia como se nada houvesse acontecido. Eram quase vinte horas, e os estabelecimentos de venda de álcool que os proletários frequentavam ("pubs", eles chamavam) estavam lotados com clientes. De suas portas em vaivém encardidas, abrindo e fechando sem parar, vinha um cheiro forte de urina, serragem e cerveja amarga. Em um ângulo formado por uma entrada de casa projetando-se, três homens estavam em pé muito próximos, o do meio deles com um jornal dobrado, o qual os outros dois olhavam por cima de seu ombro. Mesmo antes de se aproximar o suficiente para definir as expressões em seus rostos, Winston conseguia ver absorção em cada linha nos corpos deles. Era alguma notícia bastante séria que eles liam, era óbvio. Ele estava a alguns passos de distância quando de súbito o grupo se separou, e dois dos homens entraram em uma discussão violenta. Por um momento, pareceram quase a ponto de trocar socos.

— Cê não tá ouvindo o que eu estou dizendo, maldição? Tô dizendo: num tem um número que acaba em sete que ganhou em catorze meses!

— Deu sim, deu sete sim!

— Uma fava! Lá em casa tenho todos ele anotado, mais de dois anos, num papel. Que nem reloginho. E tô falando pra você, nenhum número que termina com sete—

— Ora, um sete *JÁ* ganhou! Eu quase consigo dizer pra você a desgraça do número. Quatro zero sete, acabava assim. Foi em fevereiro... lá pela segunda semana de fevereiro.

— Fevereiro é sua avozinha! Tenho isso tudo, preto no branco. E tô falando, não tem número nenhum...

— Ah, calem a boca! — disse o terceiro homem.

Eles estavam falando da loteria. Winston olhou para trás depois de avançar trinta metros. Eles ainda discutiam, com rostos vívidos e passionais. A loteria, com pagamentos semanais de prêmios imensos, era o único evento público a que os proletários prestavam atenção real. Era provável que houvesse alguns milhões de proletários para quem a loteria era o principal, se não o único, motivo para permanecer vivo. Era o deleite deles, a loucura, o anódino, o estimulante intelectual. No que se tratava da loteria, até mesmo aqueles que mal conseguiam ler e escrever pareciam capazes de cálculos intricados e surpreendentes façanhas de memória. Havia uma tribo inteira de homens que ganhava a vida simplesmente vendendo sistemas, previsões e amuletos da sorte. Winston não tinha nada a ver com a coordenação da loteria, que era gerida pelo Ministério da Abundância, mas estava ciente (de fato, todos no Partido estavam cientes) de que os prêmios eram amplamente imaginários. Apenas pequenas somas de fato eram pagas; os ganhadores de prêmios grandes eram pessoas inexistentes. Na falta de qualquer intercomunicação real entre uma parte da Oceânia e outra, isso não era difícil de arranjar.

Mas se havia alguma esperança, ela estava nos proletários. Era preciso se agarrar a isso. Quando se colocava em palavras, parecia razoável: era quando se olhava para os seres humanos passando por você na calçada que aquilo se tornava um ato de fé. A ruela que ele havia pegado descia. Ele tinha uma sensação de que já estivera naquela região antes e que havia uma via principal não muito longe. De algum lugar à frente vinha o ruído de gritaria. A rua virava uma curva fechada e então acabava em uma escadaria que levava a um beco onde uns poucos feirantes vendiam vegetais com ares cansados. Naquele momento, Winston lembrou onde estava. O beco se abria numa rua principal, e na outra esquina, não mais que cinco minutos de distância, havia a loja de cacarecos em que ele havia comprado o livro de anotações que era agora seu diário. E em uma papelaria menor, não muito longe, ele havia comprado sua caneta e o tinteiro.

Ele parou por um momento no primeiro degrau. Do outro lado da ruela havia um pequeno pub sujo cujas janelas pareciam congeladas, mas que estavam apenas cobertas de sujeira. Um homem muito velho, encurvado mas ativo, com bigodes brancos que saltavam para a frente como os de um camarão, empurrou a porta de vaivém e entrou. Enquanto Winston olhava, ocorreu-lhe que o velho, que devia ter ao menos 80 anos, estava na meia-idade quando a Revolução aconteceu. Ele e alguns poucos como ele eram as últimas conexões existentes agora com o mundo desaparecido do capitalismo. No próprio Partido não havia muitas pessoas restantes cujas ideias tinham se formado antes da Revolução. A geração mais antiga havia majoritariamente sido apagada nos grandes expurgos dos anos 1950 e 60, e os poucos sobreviventes haviam sido apavorados a ponto da rendição intelectual completa muito tempo atrás. Se ainda havia alguém vivo que pudesse dar um relato verdadeiro das condições de vida na primeira metade do século, só podia ser um proletário. De súbito, o trecho do livro de história que copiara no diário veio à mente de Winston, e um impulso lunático tomou conta dele. Ele entraria no pub, faria um mínimo de amizade com o velho e o questionaria. Diria a ele: "Conte de sua vida quando era garoto. Como era naqueles tempos? As coisas eram melhores do que agora, ou eram piores?".

Às pressas, antes que pudesse ter tempo de ficar com medo, ele desceu os degraus e atravessou a rua estreita. Era loucura, é claro. Como de costume, não havia uma regra definida contra falar com proletários e frequentar seus bares, mas era uma ação incomum demais para passar desapercebida. Se as patrulhas aparecessem, ele poderia declarar um ataque de tontura, mas não era provável que fossem acreditar nele. Ele empurrou a porta para abrir, e um pavoroso cheiro avinagrado de cerveja azeda o atingiu na cara. Conforme ele entrou, o burburinho de vozes baixou para metade do volume original. Atrás de si, ele conseguia sentir todos encarando seu macacão azul. Um jogo de dardos que acontecia do outro lado do recinto congelou por vários segundos, quiçá até trinta. O velho que ele seguira estava parado no bar, em alguma discussão com o barman, um rapaz grande e atarracado com nariz de gancho com antebraços imensos. Um amontoado de outros, parados ao redor com copos nas mãos, observavam a cena.

— Eu pedi com educação, num foi? — disse o velho, projetando os ombros de forma brigona. — Cê tá falando que cês num tem um copo de *pint* nessa droga de boteco?

— E o que é que no fundo dos inferno é um *pint*? — disse o barman, inclinando-se para a frente com as pontas dos dedos no balcão.

— Mas era só o que faltava! Acha que é barman e num sabe que qui é um *pint*? Ora, um *pint* é o quartilho, aí cê bota cerveja no copo de *pint*! Depois aí tem oito quartilho num galão. Também vou ter que ensinar o bê-á-bá depois dessa?

— Nunca ouvi nada disso — disse o barman curtamente. — Tem litro e meio litro... É só o que tem. São os copos na estante ali.

— Eu quero um *pint* — persistiu o velho. — Cê podia me servir uma droga de *pint* facinho. Não tinha essa história de litro quando eu era rapaz.

— Quando cê era rapaz, todo mundo morava em árvore — disse o barman, com um olhar para os outros clientes.

Houve uma gritaria de risadas, e a inquietude causada pela entrada de Winston pareceu desaparecer. O rosto do velho com barba branca por fazer havia ruborizado em rosa. Ele deu as costas, resmungando para si mesmo, e esbarrou em Winston. Winston o segurou com gentileza pelo braço.

— Posso oferecer uma bebida? — ele disse.

— Cê é um cavalheiro — disse o outro, ajeitando os ombros de novo. Parecia não ter notado o macacão azul de

Winston. — *Pint*! — ele acrescentou com agressividade ao barman. — Um *pint* de chope.

O barman serviu dois meio litros de cerveja marrom escura em copos grossos que ele havia lavado num balde sob a bancada. A cerveja era a única bebida disponível em pubs proletários. Os proletários não podiam beber gim, apesar de, na prática, conseguirem botar as mãos na bebida com bastante facilidade. O jogo de dardos estava correndo a toda de novo, e o amontoado de homens no bar havia começado a falar dos bilhetes de loteria. A presença de Winston foi esquecida por um momento. Havia uma mesa de apostas sob a janela onde ele e o velho podiam falar sem medo de serem entreouvidos. Era horrivelmente perigoso, mas de qualquer forma não havia teletela no recinto, um detalhe de que ele havia se certificado assim que entrou.

— Ele podia ter servido um *pint* — resmungou o velho enquanto sentava atrás de um copo. — Um meio litro não é suficiente. Não satisfaz, sabe. E o litro todo é coisa demais. Minha bexiga começa a vazar. Isso sem falar no preço.

— Você deve ter visto muitas mudanças desde que era rapaz — disse Winston, hesitante. Os olhos pálidos do velho se moveram dos dardos para a bancada, e da bancada para a porta do banheiro masculino, como se esperasse que as mudanças tivessem acontecido no próprio salão do bar.

— A cerveja era melhor — ele disse enfim. — E mais barata! Quando eu era um garoto, essa cerveja aí... A gente chamava de chope... custava quatro pence o *pint*. Isso foi antes da guerra, claro.

— Qual guerra foi essa? — Winston disse.

— Tudo é guerra — disse o velho vagamente. Ele pegou os óculos e os ombros se ajeitaram de novo. — Aqui um brinde, pra você e o melhor da saúde!

Em sua garganta magra, o pomo de Adão pontudo fez um movimento surpreendentemente rápido para cima e para baixo, e a cerveja desapareceu. Winston foi ao bar e voltou com outros dois meio litros. O velho parecia ter se esquecido de suas reservas em beber um litro inteiro.

— Você é muito mais velho que eu — disse Winston. — Já devia ser um homem adulto antes mesmo de eu nascer. Consegue lembrar de como era nos velhos tempos, antes da Revolução. As pessoas da minha idade não sabem nada dessa época. Nós só podemos ler a respeito em livros, e o que está nos livros pode nem ser verdade. Eu gostaria da sua opinião sobre isso. Os livros de história dizem que a vida antes da Revolução era completamente diferente de agora. Havia uma opressão terrível, injustiça, pobreza pior do que qualquer coisa que possamos imaginar. Aqui em Londres, a maioria das pessoas nunca tinha o que comer do nascer ao morrer. Metade não tinha nem botas nos pés. Elas trabalhavam doze horas por dia, saíam da escola aos nove anos, dormiam em dez no mesmo quarto. E ao mesmo tempo havia umas poucas pessoas, apenas umas poucas milhares, os capitalistas, se chamavam, que eram ricos e poderosos. Eram donos de tudo que se podia ter. Moravam em imensas casas maravilhosas com trinta servos, passeavam por aí em automóveis e carruagens de quatro cavalos, bebiam champanhe, usavam cartolas...

O velho brilhou de súbito.

— Cartola! — ele disse. — Que engraçado cê falar delas. Isso mesmo veio na minha cabeça ontem mesmo, num sei da onde. Eu tava só pensando que nunca mais vi uma cartola. Faz anos isso. Deram fim nelas, muito que bem. Da última vez que usei uma foi no funeral da minha cunhada.

E isso faz... bem, eu num sei dizer quando, mas cinquenta anos pra mais. É claro que era só coisa da ocasião, entende?

— As cartolas não são tão importantes — disse Winston com paciência. — Meu negócio é que... esses capitalistas, eles e uns poucos advogados e padres e assim por diante que viviam deles, eram os senhores da terra. Tudo existia para o benefício deles. Vocês, as pessoas comuns, os trabalhadores, eram seus escravos. Eles podiam fazer o que quisessem com você. Podiam mandá-lo para o Canadá como gado. Podiam dormir com suas filhas se quisessem. Podiam mandar que você fosse açoitado com chicote, um chicote de nove pontas! Você tinha que tirar o chapéu quando passava por eles. Todos os capitalistas passeavam com um grupo de lacaios que...

O velho se iluminou de novo.

— Lacaios! — ele disse. — Olha aí uma palavra que num ouço tem tempo. Lacaio! Isso me leva pro passado, leva sim. Eu lembro, ah, um tempão atrás... Eu costumava ir no Hyde Park, numas tarde de domingo, pra ouvir o pessoal fazer uns discurso. Exército da Salvação, católicos romanos, judeus, indianos... tinha tudo que era tipo. E tinha um homem... Bem, eu num sei o nome, assim de cabeça, mas falava muito bem, falava sim. Falava o que queria! "Lacaios", ele falava. "Lacaios da burguesia! Bajuladores da classe dominante!" Parasitas... Sim, era outra palavra que ele usava. E "hienas"... é, chamava de hienas, sim. Claro que ele tava falando do Partido Trabalhista, cê entende.

Winston tinha a sensação de que cada um estava falando de um assunto diferente.

— O que eu realmente queria saber era isso — ele disse. — Você sente que tem mais liberdade agora do que naquela época? Você é mais tratado como um ser humano? Nos velhos tempos, os ricos, as pessoas lá no topo...

— Na Câmara dos Lordes— disse o velho, rememorando.

— Câmara dos Lordes, por exemplo. O que pergunto é: essas pessoas podiam tratar você como um inferior, apenas porque eram ricos e você era pobre? É um fato, por exemplo, que você tinha que chamá-los de "Senhor" e tirar o chapéu ao passar por eles?

O velho pareceu pensar profundamente. Ele bebeu cerca de um quarto de sua cerveja antes de responder.

— Sim — ele disse. — Eles gostavam que cê tocasse no chapéu pra eles. Mostrava respeito, tipo. Eu mesmo num gostava muito, mas fiz várias vezes. Precisei, como se diria.

— E era normal... Eu estou apenas citando o que li em livros de história... era normal que essas pessoas e seus servos empurrassem vocês da calçada para a sarjeta?

— Um deles me empurrou uma vez — disse o velho. — Lembro como se fosse ontem. Foi numa noite da corrida de barcos... Era muita gente, ficava uma bagunça nas noites de corrida... e eu esbarro num cara na avenida Shaftesbury. Um cavalheiro e tanto, era sim... camisa social, cartola, sobretudo preto. Ele tava meio que em ziguezague na calçada, e eu bati nele, tipo por acidente mesmo. Ele diz: "Por que cê num olha onde vai?", ele diz, sim. Eu diz: "Cê acha que é o dono da droga da calçada, agora?" Ele diz: "Vou arrancar a maldita da sua cabeça se ficar de frescura comigo". Eu diz: "Cê tá bebum. Vou te mostrar o que é bom daqui a pouco", eu diz bem assim. E se cê acredita em mim, ele mete a mão no meu peito e me empurra, quase que acabo debaixo dum ônibus. Bem, eu era novo naquela época, e ia fazer ele ver o que era bom, só que...

Uma noção de impotência tomou Winston. A memória do velho era nada além de uma pilha de lixo de detalhes. Seria possível interrogá-lo o dia inteiro sem chegar a qualquer informação real. As histórias do Partido poderiam ainda ser verdade, de certa forma: elas poderiam até mesmo ser totalmente verdade. Ele fez uma última tentativa.

— Talvez eu não tenha me expressado bem — ele disse. — O que estou tentando dizer é isso. Você está vivo tem muito tempo, viveu metade da sua vida antes da Revolução. Em 1925, por exemplo, você já era adulto. Segundo o que você se lembra, a vida em 1925 era melhor do que é agora? Ou pior? Se você pudesse escolher, preferiria viver naquela época ou agora?

O velho olhou meditativamente para o alvo de dardos. Ele terminou de beber a cerveja, mais devagar que antes. Quando ele falou, foi com um tolerante ar filosófico, como se a cerveja o tivesse amaciado.

— Eu sei que que cê quer que eu fale — ele disse. — Quer que eu fale que eu preferia ser novo de novo. A maioria das pessoa fala que preferia ser nova, se cê perguntar pra elas. Cê tem saúde e força quando é novo. Quando cê tem meu tempo de vida, nunca tá bem. Eu sofro muito dos pés, e minha bexiga é uma porcaria. Levanto seis ou sete vezes por noite. Por outro lado, tem muita vantagem em ser velho. Cê num tem as preocupações iguais de antes. Nenhum problema com mulher, e isso é ótimo. Num tenho uma mulher tem quase trinta anos, se cê acredita. Nem quis, além disso.

Winston apoiou as costas no parapeito. Não fazia sentido seguir. Ele estava prestes a comprar mais cerveja quando o velho se levantou do nada e se apressou rápido para o mictório no canto do recinto. O meio litro a mais já estava agindo nele. Winston ficou sentado por um minuto ou dois olhando para o copo vazio e mal notou quando seus pés o levaram de volta para a rua. Em no máximo vinte anos, ele refletiu, a pergunta imensa e simples, "A vida era melhor antes da Revolução do que é agora?", cessaria de ser possível de responder. Mas, na verdade, já era irrespondível mesmo agora, já que os poucos sobreviventes espalhados do mundo antigo eram incapazes de comparar uma época com a outra. Eles se lembravam de um milhão de coisas inúteis, uma briga com um colega de trabalho, uma caça por uma bomba para bicicleta perdida, a expressão no rosto de uma irmã morta há muito tempo, as espirais de poeira em uma manhã de vento de setenta anos atrás; todos os fatos relevantes, porém, estavam além do alcance de suas visões. Eles eram como a formiga, que pode ver pequenos objetos, mas não os grandes. E quando a memória fracassava e os registros escritos eram falsificados — quando isso acontecia, a afirmação do Partido de ter melhorado as condições de vida humana tinha de ser aceita, porque não existia, e nunca mais poderia existir, qualquer padrão contra o qual ele poderia ser testado.

Neste momento, seu fluxo de ideias parou abruptamente. Ele parou e ergueu os olhos. Ele estava em uma rua estreita, com algumas poucas lojinhas escuras alternadas entre prédios residenciais. De imediato sobre sua cabeça estavam penduradas três bolas descoloridas de metal que pareciam ter sido douradas um dia. Ele parecia reconhecer o lugar. É claro! Ele estava parado do lado de fora da loja de cacarecos onde havia comprado o diário.

Um aperto de medo o atravessou. Havia sido um ato suficientemente ousado comprar o livro no começo, e ele havia jurado nunca chegar perto do lugar de novo. E, ainda assim, no instante em que permitiu que seus pensamentos vagassem, os pés o trouxeram de volta ali por vontade própria. Era precisamente contra impulsos suicidas desse tipo que ele esperara se proteger ao abrir o diário. Ao mesmo tempo ele notou que, apesar de ser quase vinte e uma horas, a loja ainda estava aberta. Com a sensação de que seria menos conspícuo do lado de dentro do que parado na calçada, ele deu um passo pela porta. Se questionado, poderia plausivelmente dizer que estava tentando comprar lâminas de barbear.

O proprietário tinha acabado de acender uma lamparina a óleo que soltava um cheiro sujo, mas amistoso. Era um homem de cerca de sessenta anos, frágil e encurvado, com um longo nariz benevolente e olhos suaves distorcidos por óculos grossos. O cabelo estava quase branco, mas as sobrancelhas eram peludas e ainda negras. Seus óculos, os movimentos gentis e rebuscados e o fato de que usava um casaco velho de veludo negro lhe davam um ar vago de intelectualidade, como se houvesse sido algum tipo de literato, ou talvez um músico. A voz era suave, como se desbotada, e seu sotaque, menos marcado do que o da maioria dos proletários.

— Eu reconheci você na calçada — ele disse de imediato. — Você é o cavalheiro que comprou o pequeno livro de recordações da moça. Aquele era um lindo artefato de papel, era sim. Vergê creme, costumavam chamar. Não há papel como aquele há... oh, eu diria uns cinquenta anos. — Espiou Winston sobre a parte superior de seus óculos. — Tem algo em especial que eu possa fazer por você? Ou você só queria dar uma olhada?

— Eu estava passando — disse Winston com vaguidão. — Só entrei. Não quero nada em especial.

— Dá na mesma — disse o outro —, porque não imagino que eu poderia satisfazer suas necessidades. — Ele fez um gesto apologético com a delicada palma da mão. — Você vê como está; uma loja vazia, você poderia dizer. Cá entre nós, o mercado de antiguidades está praticamente acabado. Não tem mais demanda, muito menos estoque. Móveis, porcelana, vidro, tudo já quebrou em algum nível. E é claro, a maioria das coisas de metal foram derretidas. Eu não vejo um castiçal de latão tem anos.

O interior minúsculo da loja de fato estava desconfortavelmente cheio, mas não havia quase nada com algum valor. O espaço era restrito, porque por todas as paredes estavam empilhados inúmeros porta-retratos poeirentos. Na janela, havia bandejas com porcas e parafusos, cinzéis gastos, canivetes com lâminas quebradas, relógios manchados que nem sequer fingiam estar funcionando e outros lixos variados. Apenas em uma mesa pequena no canto havia um punhado de itens soltos — caixas de rapé envernizadas, broches de ágata e similares — que parecia ter algo de interesse. Conforme Winston se aproximou da mesa, seu olhar foi fisgado por uma coisa redonda e lisa que brilhava com suavidade sob a luz da lamparina, e ele a pegou.

Era um pedaço pesado de vidro, curvado em um lado, reto no outro, fazendo quase um hemisfério. Havia uma suavidade peculiar, como a de água da chuva, tanto na cor quanto na textura do vidro. No centro, aumentado pela superfície curvada, havia um estranho objeto intricado cor-de-rosa, que parecia ser uma rosa ou uma anêmona do mar.

— O que é isso? — disse Winston, fascinado.

— É coral isso daí — disse o velho. — Deve ter vindo do Oceano Índico. Costumavam meio que preservar em vidro. Isso foi feito há uns cem anos, sem dúvida. Mais até, pela aparência.

— É lindo — disse Winston.

— É lindo — disse o outro, com apreciação. — Mas não tem muitos que diriam isso hoje em dia. — Ele tossiu. — Agora, se você por acaso desejasse comprar, custaria quatro dólares. Consigo me lembrar de quando uma coisa dessas teria conseguido umas oito libras, e oito libras eram... bom, não sei fazer a conta, mas era muito dinheiro. Mas quem se importa com antiguidades genuínas hoje em dia, mesmo as poucas que restaram?

De imediato, Winston pagou os quatro dólares e enfiou o objeto cobiçado no bolso. O que o fascinava nele não era tanto a beleza, mas o ar que parecia ter, o de pertencer a uma época diferente da atual. O vidro suave, como água da chuva, não era como qualquer tipo de vidro que ele houvesse visto. O item era duplamente atraente por conta da inutilidade aparente, apesar de ele poder adivinhar que um dia devia ter tido a pretensão de ser um peso de papel. Era muito pesado no bolso, mas por sorte não criava um grande volume. Era uma coisa estranha, até mesmo comprometedora, para um membro do Partido ter em posse. Qualquer coisa antiga, e além disso qualquer coisa bonita, sempre era vagamente suspeita. O velho havia ficado notavelmente mais animado depois de receber os quatro dólares. Winston se deu conta de que ele teria aceitado três ou até mesmo dois.

— Tem outra sala no andar de cima que pode lhe interessar — ele disse. — Não tem muita coisa. Só algumas peças. Vamos precisar de uma luz se vamos subir.

Ele acendeu outra lamparina e, com as costas encurvadas, guiou-o pelas escadas íngremes e gastas e por uma passagem minúscula, para dentro de um recinto que não tinha vista para a rua, mas para um pátio com pedras e uma floresta de chaminés. Winston notou que a mobília ainda estava arrumada como se ainda houvesse alguém morando no recinto. Havia uma faixa de carpete no chão, uma pintura ou duas nas paredes e uma poltrona funda e maltratada perto da lareira. Um relógio antigo, cuja face marcava até as doze horas, seguia seu tique-taque sobre a lareira. Sob a janela, e ocupando quase um quarto do recinto, havia uma cama imensa que ainda tinha colchão.

— Moramos aqui até minha esposa falecer — disse o velho, se desculpando em parte. — Estou vendendo a mobília pouco a pouco. Agora, esta é uma linda cama de mogno, ou ao menos seria se você conseguisse tirar os insetos dela. Mas ouso dizer que seria um pouco pesada para você.

Ele estava segurando a lamparina no alto, para iluminar o recinto todo, e sob a fraca luz quente o lugar parecia curiosamente convidativo. Surgiu na mente de Winston o pensamento de que seria provavelmente fácil alugar o quarto por uns poucos dólares por semana, se ele ousasse aceitar o risco. Era uma ideia maluca, impossível, para ser abandonada assim que se pensasse; mas o quarto despertara nele uma espécie de nostalgia, algo como uma memória ancestral. Parecia que ele sabia com exatidão como era estar em um quarto como esse, numa poltrona ao lado do fogo, com os pés apoiados no guarda-fogo e uma chaleira fervendo; totalmente a sós, totalmente seguro, sem ninguém assistindo, nenhuma voz perseguindo, nenhum som exceto pelo chiar da chaleira e o tiquetaquear amistoso do relógio.

— Não tem uma teletela! — ele não conseguiu segurar o murmúrio.

— Ah — disse o velho —, nunca tive um troço desses. Caro demais. E nunca cheguei a sentir a necessidade de ter, de alguma forma. Agora, ali tem uma bela mesinha com abas laterais, de montar, no canto. Apesar de que, é claro, você precisa colocar dobradiças novas se quiser levantar essas partes.

Havia uma estante de livros pequena no outro canto, e Winston já havia gravitado na direção dela. Nada além de bobagens. A caçada e destruição de livros haviam sido feitas com o mesmo rigor nos bairros proletários como em qualquer outro lugar. Era quase impossível que existisse uma cópia de um livro impresso antes de 1960 em qualquer parte da Oceânia. O velho, ainda carregando a lamparina, estava parado na frente de uma gravura em uma moldura de jacarandá pendurada do outro lado da lareira, em frente à cama.

— Agora, se você tiver qualquer interesse em gravuras antigas... — ele começou com delicadeza.

Winston se aproximou para examinar. Era uma siderografia de um edifício oval com janelas retangulares e uma pequena torre na frente. Havia uma cerca ao redor do edifício, e, ao fundo, o que parecia ser uma estátua. Winston espiou a gravura por alguns momentos. Parecia um pouco familiar, apesar de ele não se lembrar da estátua.

— A moldura está presa na parede — disse o velho —, mas eu poderia desaparafusar para você, ouso dizer.

— Conheço esse edifício — disse Winston enfim. — Está em ruínas agora. Fica no meio da rua na frente do Palácio da Justiça.

— Isso mesmo. Logo depois do Fórum. Foi bombardeado em... ah, muitos anos atrás. Foi uma igreja em algum momento, a Saint Clement Danes, era o nome. — Ele sorriu em desculpas, como se ciente de dizer algo um pouco bobo, e acrescentou: — "*Laranjas e limões, tocam os sinos da St. Clement os bretões!*"*

---

* Adaptação da canção *Oranges and Lemons*, tradicional cantiga de roda inglesa. No original, o verso é o seguinte: "Oranges and lemons, say

— O que é isso? — disse Winston.

— Ah... *"Laranjas e limões, tocam os sinos da St. Clement os bretões"*. Era uma riminha que tínhamos quando eu era garoto. Uma quadrinha. O que vem depois eu não lembro, mas sei como terminava: *"Então vem lamparina apagar para você nanar. Então vem o ceifeiro e corta você inteiro"*.* Era uma espécie de dancinha que se fazia. As pessoas levantavam os braços para você passar por baixo, e quando chegavam na parte do ceifeiro cortar você inteiro, abaixavam os braços e pegavam você. Era só nome de igreja. Todas as igrejas de Londres estavam nessa música... As principais, ao menos.

Winston se perguntou vagamente a que século a igreja pertencia. Era sempre difícil determinar a idade de um edifício de Londres. Qualquer coisa grande e impressionante, se fosse razoavelmente nova de aparência, era, em automático, definida como construída pós-Revolução, enquanto qualquer coisa que fosse de uma data obviamente anterior era atribuída a um período obscuro chamado de Idade Média. Determinava-se que os séculos do capitalismo não haviam produzido nada de valor. Não se podia aprender a história pela arquitetura, mais do que se poderia aprendê-la pelos livros. Estátuas, inscrições, lápides, nomes de ruas — qualquer coisa que pudesse lançar luz sobre o passado havia sido sistematicamente alterada.

— Eu nunca soube que tinha sido uma igreja — ele disse.

— Restaram muitas delas, na verdade — disse o velho —, apesar de terem sido designadas para outras atividades. Agora, como é que era a rima? Ah! Já sei! *"Laranjas e limões, tocam os sinos da Saint Clement os bretões / Você me deve*

---

the bells of Saint Clement's".

* No original: "Here comes a candle to light you to bed, Here comes a chopper to chop off your head".

dinheiro, os sinos da Saint Martin abrem berreiro"*... Bem, só consigo chegar até aqui. O dinheiro nesse caso seria como um vintém, uma moedinha de cobre, parecia uma moeda de um centavo de dólar.

— Onde ficava a igreja de Saint Martin? — disse Winston.

— Saint Martin? Ainda está em pé. Fica na Praça Victory, perto da galeria de arte. Um edifício com uma espécie de frente triangular e pilares na frente, e uma escadaria grande.

Winston conhecia bem o lugar. Era um museu usado para mostras de propaganda de diversos tipos — modelos em escala de foguetes e Fortalezas Flutuantes, quadros vivos de cera ilustrando atrocidades inimigas e similares.

— *Saint Martin's-in-the-Fields*, costumavam chamar — suplementou o velho —, *São Martim dos Campos*... Mas eu não me lembro de campo nenhum naquelas partes.

Winston não comprou a gravura. Teria sido uma posse ainda mais incongruente do que o peso de papel de vidro, e impossível de levar para casa, a não ser que fosse removida da moldura. Mas ele permaneceu por alguns minutos mais, falando com o velho, cujo nome, ele descobriu, não era Weeks — como alguém poderia ter inferido pela inscrição na vitrine da loja —, mas Charrington. Sr. Charrington, parecia, era um viúvo de 63 anos de idade e morava na loja havia trinta anos. Ao longo daquele tempo, ele havia pretendido mudar o nome sobre a vitrine, mas nunca tirou o tempo para fazer isso. Durante todo o tempo em que conversaram, a rima semiesquecida ficou ecoando na mente de Winston. *"Laranjas e limões, tocam os sinos da Saint Clement os bretões! Você me deve dinheiro, os sinos da Saint Martin abrem berreiro!"* Era curioso, mas quando você recitava para si

---

* No original (segundo verso): "You owe me three farthings, say the bells of St Martin's".

mesmo, tinha a ilusão de realmente ouvir sinos, os sinos de uma Londres perdida que ainda existia em algum lugar ou outro, disfarçada e esquecida. De um campanário fantasmagórico para o outro, ele parecia ouvi-los badalando. Ainda assim, até onde ele conseguia se lembrar, nunca havia escutado sinos de igreja na vida real.

Ele se afastou do sr. Charrington e desceu as escadas sozinho, para não deixar o velho ver que ele faria um reconhecimento da rua antes de dar um passo para fora. Ele já tinha decidido que, depois de um intervalo adequado — um mês, por exemplo —, ele se arriscaria a visitar a loja outra vez. Quiçá fosse tão perigoso quanto cabular uma noite no Centro. O passo sério de loucura foi retornar ao lugar, para começo de conversa, depois de comprar o diário, e sem saber se o dono da loja era de confiança. No entanto...!

Sim, pensou de novo, ele voltaria. Compraria mais restos de lixo maravilhoso. Compraria a gravura da Saint Clement Danes, tiraria da moldura e a carregaria para casa escondida sob o casaco do macacão. Arrancaria o resto daquele poema da memória de sr. Charrington. Até mesmo o projeto lunático de alugar o quarto acima brilhou na sua mente por um instante de novo. Por talvez cinco segundos, a exultação o deixou descuidado, e ele saiu para a calçada sem sequer uma espiada preliminar pela janela. Ele havia inclusive começado a cantarolar uma melodia improvisada da música.

"Laranjas e limões, tocam os sinos da Saint Clement os bretões
Você me deve dinheiro, os sinos da..."

De súbito, seu coração pareceu virar gelo, e a bexiga, água. Uma figura em macacão azul vinha descendo a calçada, a menos de dez metros de distância. Era a garota do Departamento de Ficção, a garota do cabelo escuro. A luz estava fraca, mas não teve dificuldade em reconhecê-la. Ela o encarou, bem no rosto, então seguiu em frente rápido como se não o houvesse visto.

Por alguns segundos, Winston ficou paralisado demais para se mover. Então virou à direita e caminhou para longe com passos pesados, sem notar por um momento que seguia na direção errada. De qualquer forma, uma questão estava resolvida. Não havia dúvida de que a garota o espionava. Devia tê-lo seguido até ali, porque não era crível que ela tivesse calhado de caminhar na mesma noite por mero acaso, subindo a mesma ruela lateral, a quilômetros de distância de qualquer bairro onde membros do Partido viviam. Era uma coincidência grande demais. Se ela de fato era uma agente da Polícia do Pensar ou apenas uma espiã amadora ativada por intromissão, não importava. Ela estar espionando era suficiente. Era provável que também o houvesse visto entrar no pub.

Caminhar era um esforço. O pedaço de vidro em seu bolso batia contra sua coxa a cada passo, e metade de sua mente queria arrancar aquilo e jogar fora. O pior era a dor em sua barriga. Por alguns minutos, ele teve a sensação de que morreria se não chegasse a um banheiro logo. Mas não haveria banheiros públicos numa zona como aquela. Então o espasmo passou, deixando para trás uma dor baça.

A rua era um beco sem saída. Winston parou, ficou por diversos segundos se perguntando vagamente o que fazer, então se virou e começou a repetir seus passos. Quando se virou, ocorreu-lhe que a garota havia passado por ele apenas três minutos antes e que, se corresse, provavelmente a alcançaria. Ele poderia segui-la até estarem em uma zona tranquila, então quebrar seu crânio com uma pedra do calçamento. O pedaço de vidro no bolso seria pesado o suficiente para a tarefa. Mas ele abandonou a ideia de imediato, porque a conjectura de qualquer esforço físico era insuportável. Ele não conseguia correr, ele não conseguia dar um soco. Além disso, ela era jovem e robusta e se defenderia. Ele também pensou em se apressar para o Centro Comunitário e ficar ali até o lugar fechar, para estabelecer um álibi parcial para a noite. Mas também era impossível. Uma lassidão fatal havia tomado conta dele. Tudo o que ele queria era chegar em casa logo e então se sentar e se aquietar.

Ele chegou ao apartamento depois das vinte e duas horas. As luzes seriam desligadas na central às vinte e três e trinta. Foi à cozinha e engoliu quase uma xícara inteira de Gim Victory. Então foi para a mesa na alcova, sentou e sacou o diário da gaveta. Mas não o abriu de imediato. Da teletela uma voz feminina atrevida guinchava uma canção patriótica. Ele ficou parado encarando a capa marmorizada do livro, tentando sem sucesso calar a voz de sua consciência.

Eles vinham atrás de você à noite, sempre à noite. A coisa certa a fazer era se matar antes que eles te pegassem. Sem dúvida, algumas pessoas faziam isso. Muitos dos desaparecimentos na verdade eram suicídios. Mas custava uma coragem desesperada para se matar em um mundo no qual armas de fogo ou qualquer veneno rápido e certeiro eram impossíveis de se conseguir. Ele pensou com uma espécie de surpresa na inutilidade biológica da dor e do medo, a traição do corpo humano que sempre congela em inércia bem no momento em que um esforço especial era necessário. Ele poderia ter silenciado a garota de cabelo escuro se ao menos houvesse agido rápido o suficiente; mas precisamente por causa da extremidade de seu perigo, ele perdera todo seu poder de agir. Ocorreu-lhe que, em momentos de crise, a pessoa nunca está lutando contra um inimigo externo, mas sempre contra o próprio corpo. Até mesmo agora, apesar do gim, a dor baça em sua barriga impossibilitava o concatenar de ideias. E é o mesmo, ele percebeu, em todas as situações aparentemente heroicas ou trágicas. No campo de batalha, na câmara de tortura, em um navio afundando, os valores pelos quais se luta são sempre esquecidos, porque o corpo se intumesce até preencher o universo, e até mesmo quando não se está paralisado pelo medo ou gritando de dor, a vida é uma batalha constante de momento a momento contra fome ou frio ou insônia, contra um estômago ruim ou um dente doendo.

Ele abriu o diário. Era importante escrever algo. A mulher na teletela havia começado uma nova canção. A voz dela parecia perfurar o cérebro como cacos de vidro afiados. Tentou pensar em O'Brien, por quem, ou para quem, o diário era escrito, mas em vez disso começou a pensar nas coisas que aconteceriam com ele depois que a Polícia do Pensar o levasse. Não importava se matassem a pessoa no ato. Ser morto era o que se esperava. Mas antes da morte (ninguém falava de coisas como essa; ainda assim, todo mundo sabia), havia a rotina da confissão que precisava ser vivida: o rastejar no chão e os gritos por misericórdia, o estalo de ossos quebrados, os dentes esmigalhados, os chumaços sangrentos de cabelo.

Por que o sujeito tinha que aguentar isso, já que o final era sempre o mesmo? Por que não era possível tirar uns poucos dias ou semanas de sua vida? Ninguém nunca escapava da detecção, e ninguém deixava de confessar, nunca. Uma vez que o sujeito sucumbia ao crimepensar, era certo que em algum momento ele estaria morto. Por que então aquele horror, que não alterava nada, tinha que estar embutido no momento futuro?

Tentou com um pouco mais de sucesso que antes reunir a imagem de O'Brien. "Nós nos encontraremos no lugar sem escuridão", O'Brien lhe dissera. Ele sabia o que aquilo queria dizer, ou achava que sabia. O lugar sem escuridão era o futuro imaginado, que o sujeito nunca veria, mas que, por meio da presciência, poderia misticamente compartilhar. Mas, com a voz da teletela incomodando os ouvidos, ele não conseguia seguir mais a linha de raciocínio. Colocou um cigarro na boca. Metade do tabaco caiu na língua de imediato, uma poeira amarga que era difícil cuspir de volta. O rosto do Grande Irmão surgiu em sua mente, expulsando o de O'Brien. Assim como ele havia feito uns poucos dias antes, sacou uma moeda do bolso e olhou para ela. O rosto o olhou, pesado, calmo, protetor: mas que tipo de sorriso estava escondido sob o bigode escuro? Como uma badalada plúmbea, as palavras lhe retornaram:

GUERRA É PAZ
LIBERDADE É ESCRAVIDÃO
IGNORÂNCIA É FORÇA

PARTE II

CAPÍTULO 1

Era a metade da manhã e Winston havia saído do cubículo para ir ao banheiro.

Uma figura solitária vinha na direção dele da outra ponta do longo corredor bem iluminado. Era a garota de cabelo escuro. Quatro dias haviam se passado desde a noite em que ele a vira fora da loja de cacarecos. Conforme ela se aproximava, ele viu que seu braço direito estava em uma tipoia, pouco notável a distância porque era da mesma cor do macacão. Era provável que houvesse amassado a mão enquanto manobrava um dos grandes caleidoscópios em que enredos de livros eram "montados". Era um acidente comum no Departamento de Ficção.

Estavam talvez a quatro metros de distância quando a garota tropeçou e caiu praticamente de cara no chão. Um grito forte de dor saltou dela. Ela devia ter caído bem sobre o braço ferido. Winston parou no ato. A garota havia ficado de joelhos. Seu rosto estava de uma cor amarelada leitosa contra a qual a boca se destacava ainda mais vermelha que nunca. Os olhos dela se fixaram nos dele, com uma expressão de apelo que parecia ser mais medo do que dor.

Uma emoção curiosa se agitou no coração de Winston. Na frente dele havia uma inimiga que estava tentando matá-lo; na frente dele também havia uma criatura humana, com dor e talvez um osso quebrado. Ele já havia, por instinto, se aproximado para ajudar. No momento em que ele a viu cair sobre o braço enfaixado, foi como se sentisse dor no próprio corpo.

— Você se machucou? — ele disse.

— Não é nada. Só o braço. Vai ficar bem logo, logo. — Ela falava como se o coração estivesse disparado. Com certeza, ela havia ficado muito pálida.

— Você não quebrou nada?

— Não, estou bem. Doeu por um momento, só isso.

Ela estendeu a mão livre, e ele a ajudou a se levantar. Ela havia recuperado um pouco da cor no rosto e parecia muito melhor.

— Não é nada — ela repetiu curtamente. — Só dei uma batidinha no pulso. Obrigada, camarada!

E com isso ela seguiu andando na direção em que ia antes, com a mesma agilidade, como se de fato não houvesse sido nada. O incidente todo não havia durado mais do que meio minuto. Não deixar seus sentimentos transparecerem no rosto era um hábito que ganhara status de instinto, e, de qualquer forma, eles estavam bem na frente de uma teletela quando tudo aconteceu. No entanto, foi muito difícil não se trair com uma surpresa momentânea, pois nos dois ou três segundos em que ele a ajudou a se levantar, a garota havia deslizado algo em sua mão. Não havia dúvida de que tinha sido de propósito. Era algo pequeno e achatado. Ao passar pela porta do banheiro, ele o transferiu para o bolso e tateou com a ponta dos dedos. Era um pedaço de papel dobrado em quadrado.

Parado em pé no mictório, ele conseguiu, com um pouco mais de exercício dos dedos, desdobrar. Era óbvio que deveria ser algum tipo de mensagem escrita. Por um momento, ele se sentiu tentado a ir para um dos cubículos do banheiro e ler de imediato. Mas aquilo seria chocantemente insano, como ele bem sabia. Não havia lugar que mais se vigiava de forma contínua, com certeza.

Ele retornou para a área de trabalho, sentou, lançou o fragmento de papel distraidamente no meio dos outros papéis na escrivaninha, colocou os óculos e puxou o ditafone para si. *Cinco minutos,* ele disse para si mesmo, *cinco minutos no mínimo do mínimo!* Seu coração batia no peito com assustadora força. Por sorte, o trabalho em que estava envolvido era apenas rotineiro, a retificação de uma longa lista de dados, algo que não precisava de atenção precisa.

Fosse lá o que estivesse escrito no papel, deveria ter algum tipo de significado político. Até onde ele conseguia ver, havia duas possibilidades. A primeira, muito mais provável, era que a garota era uma agente da Polícia do Pensar, bem como ele temera. Ele não sabia por que a Polícia do Pensar escolheria entregar mensagens dessa forma, mas talvez tivessem seus motivos. Uma ameaça, uma convocação, uma ordem para cometer suicídio, uma armadilha de algum tipo. Mas havia outra possibilidade, ainda mais impensável, que seguia surgindo em sua cabeça, apesar de ele tentar suprimi-la em vão. Era que a mensagem não vinha da Polícia da Pensar, mas de algum tipo de organização clandestina. Quiçá a Irmandade existisse, afinal de contas! Talvez a garota fizesse parte! Sem dúvidas a ideia era absurda, mas saltara à sua mente no mesmo instante em que sentiu o pedaço de papel na mão. Demorou alguns minutos até a outra explicação, mais provável, lhe ocorrer. E até mesmo agora, apesar de seu intelecto lhe dizer que a mensagem provavelmente significava a morte — ainda assim, não era nisso que ele acreditava, e a esperança desproporcionada persistia, e seu coração batucava, e foi com dificuldade que ele evitou que a voz tremesse ao ditar seus números ao ditafone.

Ele enrolou os papéis do trabalho terminado e os enfiou no tubo pneumático. Oito minutos haviam se passado. Ele reajustou os óculos no nariz, suspirou e sacou o próximo lote de tarefas para si, com o pedaço de papel no topo. Ele abriu. Estava escrito, em grande caligrafia sem forma:

EU AMO VOCÊ.

Por diversos segundos, ele ficou atordoado demais até para lançar a coisa incriminadora no buraco da memória. Quando lançou, apesar de saber muito bem do perigo de mostrar interesse demais, não conseguiu resistir a reler, só para se certificar de que as palavras estavam realmente lá.

Pelo resto da manhã, trabalhar foi muito difícil. Pior do que ter que concentrar a mente numa série de trabalhos mesquinhos era a necessidade de esconder a agitação da teletela. Ele sentia como se um fogo queimasse na barriga. O almoço na cantina quente, lotada e barulhenta foi um tormento. Ele havia esperado ficar sozinho por um tempo durante a hora do almoço, mas teve o azar de o imbecil Parsons sentar-se ao seu lado, com peso e sem jeito algum, seu cheiro penetrante de suor quase derrotando o cheiro metálico do ensopado, e manter um fluxo de fala a respeito das preparações para a Semana do Ódio. Ele estava particularmente entusiasmado com um modelo de papel machê da cabeça do Grande Irmão, de dois metros de largura, que estava sendo feito para a ocasião pela tropa de Espiões de sua filha. O irritante era que, naquela bagunça de vozes, Winston mal conseguia ouvir o que Parsons dizia, e precisava pedir o tempo todo que alguma observação idiota fosse repetida. Só uma vez ele vislumbrou a garota em uma mesa com outras duas garotas no final do recinto. Ela pareceu não tê-lo visto, e ele não olhou naquela direção de novo.

A tarde foi mais suportável. De imediato depois do almoço, chegou um trabalho delicado e difícil que poderia tomar diversas horas e requeria deixar todo o resto de lado. Consistia em falsificar uma série de relatórios de produção de dois anos antes, de modo a descreditar um membro proeminente do Núcleo do Partido que agora estava sob suspeita. Esse era o tipo de coisa que Winston fazia bem, e por mais de duas horas ele conseguiu tirar a garota da mente por completo. Então a lembrança de seu rosto voltou, e com ela, um desejo atroz, intolerável, de ficar sozinho. Seria impossível pensar direito nisso até que pudesse estar sozinho. Aquela noite era uma das noites no Centro Comunitário. Ele engoliu outra refeição sem sabor na cantina, apressou-se para o Centro, participou da tolice solene de um "grupo de discussão", jogou duas partidas de pingue-pongue, engoliu diversos copos de gim e ficou sentado por meia hora durante uma palestra chamada "Socing em relação ao xadrez". Sua alma se retorcia em tédio, mas ao menos uma vez ele não teve o impulso de cabular a noite no Centro. Ao ver as palavras EU AMO VOCÊ, o desejo de ficar vivo inchara dentro dele, e tomar os menores riscos lhe pareceu de súbito idiota. Foi só às vinte e três horas, quando estava em casa e na cama — na escuridão, onde se estava seguro até mesmo da teletela, desde que ficasse em silêncio —, que ele conseguiu pensar de forma contínua.

Era um problema físico que tinha que ser resolvido: como entrar em contato com a garota e organizar um encontro. Ele não considerava mais a possibilidade de que ela poderia estar armando algum tipo de arapuca. Sabia que não era verdade, por causa da agitação inconfundível nela ao lhe entregar o bilhete. Era óbvio que ela estivera apavorada até não poder mais, com todo o motivo. Tampouco a ideia de recusar aqueles avanços sequer cruzou sua mente. Apenas cinco noites antes, ele contemplara amassar o crânio dela com uma pedra, mas aquilo não tinha importância. Ele pensou em seu corpo juvenil nu, como havia visto no sonho. Ele a havia imaginado como uma tola, como todo o resto deles, a cabeça lotada de mentiras e ódio, a barriga cheia de gelo. Uma espécie de febre tomou conta dele com a ideia de que poderia perdê-la, o corpo juvenil cor de creme poderia escorregar por entre seus dedos! O que ele temia mais do que tudo era que ela simplesmente mudasse de ideia se ele não entrasse em contato com ela logo. Mas a dificuldade física do encontro era enorme. Era como tentar mover uma peça no xadrez depois de ouvir o xeque-mate. Onde quer que se olhasse, a teletela encarava de volta. Na verdade, todas as formas possíveis de comunicação com ela haviam ocorrido a ele cinco minutos depois de ler o bilhete; mas agora, com tempo para pensar, ele as analisou uma por uma, como se espalhasse uma fileira de instrumentos na mesa.

 Era óbvio que o tipo de encontro que havia acontecido naquela manhã não poderia se repetir. Se ela trabalhasse do Departamento de Registros, poderia ser relativamente simples, mas ele tinha apenas uma vaga ideia da localização do edifício onde ficava o Departamento de Ficção, e não tinha pretexto para ir até lá. Se ele soubesse onde ela morava e a que horas saía do trabalho, poderia bolar um jeito de encontrá-la em algum lugar a caminho de casa; mas tentar segui-la para casa não era seguro, porque significaria ficar à toa na frente do Ministério, o que seria notado com certeza. Quanto a enviar uma carta pelos correios, estava fora de cogitação. Era tão rotineiro que nem era segredo: todas as cartas eram abertas no trânsito. Na verdade, poucas pessoas escreviam cartas. Para as mensagens que ocasionalmente era necessário enviar, imprimiam cartões-postais com longas listas de frases, riscando as que não se aplicavam. De qualquer maneira, ele não sabia o nome da garota, muito menos o endereço. Enfim, ele decidiu que o lugar mais seguro seria a cantina. Se conseguisse encontrá-la numa mesa sozinha, em algum lugar no meio do recinto, não perto demais das teletelas e com barulho suficiente de conversas por todos os lados — se essas condições durassem por, digamos, trinta segundos, talvez fosse possível trocar umas poucas palavras.

Ao longo da semana seguinte, a vida foi um sonho inquieto. No dia seguinte, ela só apareceu na cantina quando ele já estava saindo, depois do apito já ter soado. Era presumível que ela houvesse sido transferida para um turno mais tarde. Eles se passaram sem se olhar. No dia seguinte ela estava na cantina no horário de costume, mas com três outras garotas e diretamente sob uma teletela. Então, por três dias pavorosos, ela simplesmente não apareceu. Toda sua mente e seu corpo pareceram ser afligidos por uma sensibilidade insuportável, uma espécie de transparência, que tornava cada movimento, cada som, cada contato, cada palavra que ele tinha que dizer ou ouvir uma agonia. Mesmo durante o sono ele não conseguia fugir da imagem dela por completo. Não tocou o diário durante esses dias. Se havia algum alívio, era no trabalho, em que ele às vezes conseguia se esquecer de si mesmo em mergulhos profundos de até dez minutos. Ele não tinha a menor ideia do que havia acontecido a ela. Não havia pergunta que poderia fazer. Ela podia ter sido vaporizada, podia ter cometido suicídio, podia ter sido transferida para o outro lado da Oceânia; o pior e mais provável de tudo, ela podia apenas ter mudado de ideia e decidido evitá-lo.

No dia seguinte, ela reapareceu. O braço estava sem tipoia, e ela tinha uma faixa de gesso ao redor do pulso. O alívio de vê-la foi tão grande que ele não conseguiu resistir encará-la por diversos segundos. No dia que seguiu, ele quase conseguiu falar com ela. Quando ele entrou na cantina, ela estava sentada a uma mesa bem longe da parede e bastante sozinha. Era cedo e o lugar não estava muito cheio. A fila se moveu para a frente até Winston estar quase no balcão, então empacou por dois minutos porque alguém na frente estava reclamando que não havia recebido o tablete de sacarina. Mas a garota ainda estava sozinha quando Winston segurou sua bandeja e começou a seguir para a mesa. Ele caminhou casualmente rumo a ela, seus olhos buscando lugar em alguma mesa atrás dela. Ela estava talvez a três metros de distância. Só mais dois segundos bastariam. Então, uma voz atrás dele gritou: "Smith!". Ele fingiu não ouvir. "Smith!", repetiu a voz, mais alto. Não serviria de nada. Ele deu meia-volta. Um rapaz loiro de rosto bobo chamado Wilsher, que ele mal conhecia, o chamava com um sorriso para um assento vazio em sua mesa. Não era seguro recusar. Depois de ter sido reconhecido, ele não poderia ir sentar numa mesa com uma garota sozinha. Era evidente demais. Ele sentou com um sorriso amistoso. A cara loira boba sorriu para ele. Winston imaginou-se metendo uma picareta bem no meio daquela expressão. A mesa da garota lotou alguns minutos depois.

Mas ela devia tê-lo visto ir na direção dela, e talvez pegasse a pista. No dia seguinte, ele tomou o cuidado de chegar cedo. De fato, ela estava em uma mesa mais ou menos no mesmo lugar, e de novo sozinha. A pessoa imediatamente à frente dele na fila era um homem pequeno com ares de besouro e movimentos rápidos, com cara achatada e olhos miúdos e desconfiados. Quando Winston se afastou da bancada com a bandeja, viu que o homenzinho estava caminhando direto para a mesa da garota. Suas esperanças afundaram de novo. Havia um lugar vago em uma mesa mais longe, mas algo na aparência do homenzinho sugeria que ele prestaria atenção suficiente ao seu próprio conforto para escolher a mesa mais vazia. Com gelo no coração, Winston seguiu. Não servia de nada se não conseguisse a garota sozinha. Nesse momento, houve um estrondo tremendo. O homenzinho havia caído de quatro, a bandeja saiu voando, dois riachos de sopa e café corriam pelo chão. Ele começou a se levantar, com uma expressão maligna para Winston, evidentemente suspeitando que o tivesse feito tropeçar. Mas estava tudo bem. Cinco segundos depois, com o coração batendo forte, Winston estava sentado na mesa da garota.

Ele não olhou para ela. Abriu os itens de sua bandeja e começou a comer de imediato. Era da maior importância falar de imediato, antes que outra pessoa viesse, mas agora um medo terrível havia se apossado dele. Uma semana se passara desde que ela o abordou pela primeira vez. Ela teria mudado de ideia, ela devia ter mudado de ideia! Era impossível que esse caso terminasse de forma bem-sucedida; coisas assim não aconteciam na vida real. Ele poderia ter se recusado de todo a falar, se nesse momento não tivesse visto Ampleforth, o poeta de orelhas peludas, perambulando coxo pelo recinto com uma bandeja nas mãos, procurando um lugar para sentar. De seu jeito vago, Ampleforth era ligado a Winston e certamente sentaria à sua mesa se o visse. Havia talvez um minuto para agir. Tanto Winston quanto a garota seguiam comendo. O que eles comiam era ensopado ralo, na verdade uma sopa, de feijão-branco. Em um murmúrio baixo, Winston começou a falar. Nenhum deles ergueu os olhos; regularmente, levavam colheradas da coisa aguada à boca, e entre elas trocaram as poucas palavras necessárias em vozes baixas e inexpressivas.

— Que horas você sai?
— Dezoito e trinta.
— Onde podemos nos encontrar?
— Praça Victory, perto do monumento.
— Está cheio de teletelas.
— Não importa se tiver multidão.
— Algum sinal?
— Não. Não se aproxime até me ver entre um grupo grande de pessoas. E não olhe para mim. Só fique em algum lugar perto de mim.
— Que horas?
— Dezenove.
— Certo.

Ampleforth não viu Winston e sentou em outra mesa. Eles não falaram mais e, até onde era possível para duas pessoas sentadas em lados opostos da mesma mesa, não se olharam. A garota terminou o almoço rápido e partiu, enquanto Winston ficou para fumar um cigarro.

Winston estava na Praça Victory antes do horário combinado. Vagou pela base da enorme coluna canelada, no topo da qual a estátua do Grande Irmão olhava para o sul, rumo aos céus onde ele derrotara os aviões eurasianos (os aviões da Lestásia, havia sido, alguns anos atrás) na Batalha de Pista de Pouso Um. Na rua na frente dele, havia uma estátua de um homem a cavalo que deveria representar Oliver Cromwell. Cinco minutos depois do horário combinado, a garota ainda não havia aparecido. De novo, o medo terrível tomou conta de Winston. Ela não viria, ela tinha mudado de ideia! Ele caminhou devagar para o lado norte da praça e sentiu uma espécie de prazer pálido ao identificar a igreja de Saint Martin, cujos sinos, quando tivera sinos, badalaram. *Você me deve dinheiro*. Então ele viu a garota parada na base do monumento, lendo ou fingindo ler um pôster que subia em espiral pela coluna. Não era seguro se aproximar dela até que mais algumas pessoas se acumulassem. Havia teletelas por todo o frontão. Mas nesse momento houve um barulho de gritos e um zunido de carros pesados em algum lugar à esquerda. De súbito, todos pareciam estar correndo pela praça. A garota saltou contornando os leões na base do monumento e se juntou à correria. Winston seguiu. Conforme seguia, ele entendeu por algumas frases de ordem gritadas que um comboio de prisioneiros eurasianos estava passando.

Uma massa densa de pessoas já bloqueava o lado sul da praça. Winston, em momentos normais o tipo de pessoa que gravita para as bordas de qualquer tipo de aglomeração, empurrou, se meteu, foi se apertando, até chegar ao centro da multidão. Logo se encontrava a um braço de distância da garota, mas o caminho estava bloqueado por um proletário enorme e uma mulher quase igual em enormidade, presumivelmente sua esposa, que pareciam formar um muro impenetrável de carne. Winston se remexeu de lado, e com uma investida violenta conseguiu enfiar o ombro entre eles. Por um momento, pareceu que suas entranhas estavam sendo moídas entre os dois quadris musculosos, mas então havia atravessado, suando um pouco. Ele estava ao lado da garota. Estavam ombro a ombro, ambos encarando, fixos, à frente.

Uma longa fila de caminhões, com guardas com cara rígida armados com submetralhadoras em pé em cada canto, passava devagar pela rua. Nos caminhões, pequenos homens amarelos em uniformes esverdeados maltrapilhos se agachavam, apertados juntos. Os rostos tristes e mongóis espiavam pelas laterais dos caminhões sem curiosidade alguma. Às vezes, quando um caminhão sacudia, havia um retinir de metal: todos os prisioneiros estavam usando algemas de tornozelo. Caminhão após caminhão de rostos tristes passou. Winston sabia que estavam ali, mas os via apenas em intervalos. O ombro da garota e seu braço direito até o cotovelo estavam pressionados contra o dele. A bochecha dele estava quase perto o suficiente para sentir seu calor. Ela de imediato tomou controle da situação, assim como havia feito na cantina. Começou a falar da mesma forma inexpressiva de antes, com os lábios mal se movendo, um mero murmúrio facilmente afogado no burburinho de vozes e no rosnado de caminhões.

— Está ouvindo?
— Sim.
— Pode tirar a tarde de domingo de folga?
— Sim.
— Então ouça com cuidado. Vai ter que lembrar disso. Vá para a estação Paddington...

Com uma espécie de precisão militar que o surpreendeu, ela estabeleceu a rota que ele deveria seguir. Uma jornada de meia hora de trem; vire à esquerda ao sair da estação; dois quilômetros pela estrada; um portão com a viga superior faltando; uma rota por um campo; uma trilha com grama crescida; uma vereda entre moitas; uma árvore morta com musgo. Era como se ela tivesse um mapa dentro da cabeça.

— Consegue se lembrar de tudo isso? — ela murmurou.
— Sim.
— Você vira à esquerda, então direita, então esquerda de novo. E o portão não tem uma viga em cima.
— Sim. Que horas?
— Cerca de quinze. Talvez você precise esperar. Vou para lá por outro caminho. Tem certeza de que se lembra de tudo?
— Sim.
— Então se afaste de mim o mais rápido que conseguir.

Ela não precisava ter dito isso a ele. Mas, por ora, eles não podiam se desembaraçar da multidão. Os caminhões ainda passavam, as pessoas ainda boquiabertas, insaciáveis. No começo, houve algumas poucas vaias e sibilos, mas vinham apenas dos membros do Partido na multidão, e logo pararam. A emoção prevalecente era apenas curiosidade. Estrangeiros, fossem da Eurásia ou Lestásia, eram uma espécie estranha de animal. As pessoas literalmente nunca os viam, exceto com o pretexto de prisioneiros, e mesmo como prisioneiros, nunca se conseguia mais que um vislumbre momentâneo deles. Tampouco se sabia o que acontecia com eles, exceto pelos poucos que eram enforcados como criminosos de guerra; os outros apenas desapareciam, presumivelmente em campos de trabalho forçado. Os rostos mongóis redondos haviam sumido e virado rostos mais europeus, sujos, barbados e exaustos. Olhos sobre bochechas desleixadas encararam os de Winston, às vezes com estranha intensidade, e se afastaram de novo. O comboio estava chegando ao fim. No último caminhão, ele conseguiu ver um homem envelhecido, o rosto uma massa de cabelo grisalho, em pé com pulsos cruzados à sua frente, como se acostumado a tê-los amarrados juntos. Era quase o momento para Winston e a garota se afastarem. Mas no último instante, enquanto a multidão ainda os amarrava, a mão dela buscou a dele e a apertou rápido.

Não poderia ter durado mais que dez segundos, e ainda assim pareceu que as mãos deles estiveram em contato por muito tempo. Ele teve tempo de aprender cada detalhe de sua mão. Explorou os dedos longos, o formato das unhas, a palma da mão endurecida pelo trabalho com sua fileira de calos, a pele suave sob o pulso. Apenas pelo tato, ele conseguiria reconhecê-la se a visse. No mesmo instante, ocorreu-lhe que ele não sabia qual era a cor dos olhos da garota. Era provável que fossem castanhos, mas as pessoas com cabelo escuro às vezes tinham olhos azuis. Virar a cabeça e olhar para ela teria sido de uma loucura inconcebível. Com as mãos dadas, invisíveis entre a pressão dos corpos, olharam adiante, reto, e em vez dos olhos da garota, foram os olhos do prisioneiro idoso, atravessando ninhos de cabelo, que encararam pesarosamente os de Winston.

CAPÍTULO 2

Winston tomou a rota subindo a luz e sombra cortadas, pisando em poças douradas de luz sempre que ramos davam espaço. Sob as árvores à esquerda dele, o terreno estava brumoso com jacintos. O ar parecia beijar sua pele. Era 2 de maio. De algum lugar mais profundo que o centro da floresta, vinha o arrulho de torcazes.

Ele chegara um pouco cedo. Não houve dificuldades na jornada, e a garota tinha tanta evidente experiência que ele estava com menos medo do que teria normalmente. Era presumível que ele podia confiar nela para encontrar um local seguro. Em geral, não se podia partir do pressuposto de que o interior era mais seguro do que Londres. Não havia teletelas, é claro, mas sempre havia o perigo de microfones escondidos em que sua voz poderia ser pescada e reconhecida; além disso, não era fácil fazer uma jornada sozinho sem atrair atenção. Para distâncias de menos de cem quilômetros, não era necessário endossar o passaporte, mas às vezes havia patrulhas nas imediações das estações de trem, examinando os papéis de qualquer membro do Partido que encontrassem por ali e fazendo perguntas estranhas. No entanto, nenhuma patrulha apareceu, e, na caminhada desde a estação, ele havia se certificado com cuidadosos olhares para trás de que não estava sendo seguido. O trem estava cheio de proletários, em clima de férias por conta dos ares de verão. O vagão com assentos de madeira em que ele viajou estava cheio a ponto de superlotação com uma única família gigantesca que ia desde uma bisavó desdentada a um bebê de um mês, saindo para passar uma tarde com o "sogrão e a sogrona" no interior e, como explicaram com liberdade para Winston, conseguir um pouco de manteiga no mercado negro.

A vereda se alargou, e em um minuto ele chegou ao caminho que ela lhe havia dito, uma mera trilha para gado que afundava entre as moitas. Ele não tinha relógio, mas não podiam ser quinze horas ainda. Os jacintos estavam tão espessos aos seus pés que era impossível não tropeçar neles. Ele se ajoelhou e começou a apanhar alguns, em parte para passar o tempo, mas também com uma ideia vaga de que gostaria de ter um punhado de flores para oferecer à garota quando se encontrassem. Havia já reunido um número grande e estava cheirando o perfume fracamente enjoativo quando um som às suas costas o congelou, o estalo inconfundível de um pé num galho. Seguiu colhendo jacintos. Era o melhor a fazer. Podia ser a garota, ou ele podia ter sido seguido, afinal de contas. Olhar ao redor era demonstrar culpa. Ele pegou outro e mais um. Uma mão tocou seu ombro de leve.

Ele ergueu o rosto. Era a garota. Ela balançou a cabeça, evidentemente como um aviso para que ele ficasse em silêncio, então separou as moitas e rapidamente o guiou por um caminho estreito rumo à floresta. Era óbvio que ela já estivera ali antes, pois desviou das partes pantanosas como por hábito. Winston a seguiu, ainda agarrado ao maço de flores. Seu primeiro instinto foi de alívio, mas ao observar o forte corpo magro se mover na frente dele, com a faixa escarlate que era justa o suficiente para delinear a curva dos quadris, o senso da sua própria inferioridade pesou sobre ele. Mesmo agora, parecia bastante provável que quando ela se virasse e olhasse para ele, acabaria se afastando, afinal. A doçura do ar e o verde das folhas o amedrontavam. Já no caminho da estação, o sol de maio o fizera se sentir sujo e estiolado, uma criatura de ambientes fechados, com a poeira fuliginosa de Londres nos poros da pele. Ocorreu-lhe que até agora ela provavelmente nunca o havia visto sob a luz do sol ao ar livre. Eles chegaram à árvore caída que ela mencionara. A garota saltou por cima e forçou os arbustos para abrir num ponto que não parecia ter uma abertura. Quando Winston a seguiu, viu que estavam em uma clareira natural, um outeiro minúsculo cercado de mudas de árvores altas que a fechavam por completo. A garota parou e se virou.

— Aqui estamos — ela disse.

Ele a encarou numa distância de diversos passos. Ele ainda não ousava chegar mais perto.

— Eu não quis dizer nada no caminho — ela seguiu — caso houvesse algum grampo escondido por ali. Não imagino que haja, mas pode haver. Sempre existe a possibilidade de um desses porcos reconhecerem a sua voz. Estamos bem aqui.

Ele ainda não tinha coragem de se aproximar dela.

— Estamos bem aqui? — ele repetiu estupidamente.

— Sim. Olhe as árvores. — Eram freixos pequenos que em algum momento haviam sido cortados e crescido novamente em uma floresta de galhos, nenhum deles mais grosso do que o pulso de alguém. — Não tem nada grande o suficiente para esconder um grampo. Além disso, já estive aqui antes.

Estavam apenas jogando conversa fora. Ele havia conseguido se aproximar mais dela. Ela estava parada na frente dele muito reta, com um sorriso no rosto que parecia vagamente irônico, como se estivesse se perguntando por que ele era tão lento para agir. Os jacintos haviam cascateado para o chão. Pareciam haver caído por vontade própria. Ele pegou a mão dela.

— Você acreditaria — ele disse — que até esse momento eu não sabia qual era a cor de seus olhos? — Eles eram castanhos, ele notou, um tom bem claro de castanho, com cílios escuros. — Agora que olhou minha aparência com calma, você ainda aguenta olhar para mim?

— Sim, fácil.

— Eu tenho 39 anos de idade. Tenho uma esposa de que não consigo me livrar. Tenho veias varicosas. Tenho cinco dentes falsos.

— Não estou nem aí — disse a garota.

No momento a seguir, foi difícil dizer por ação de quem, ela estava em seus braços. No começo, ele não tinha outro sentimento além de pura incredulidade. O corpo juvenil estava retesado contra o dele, a massa de cabelo negro estava em seu rosto, e sim!, de fato, ela havia levantado o rosto e ele estava beijando a ampla boca vermelha. Ela havia passado os braços ao redor de seu pescoço, chamando-o de querido, precioso, amado. Ele a havia baixado para o chão, ela completamente sem resistência, ele poderia fazer o que quisesse com ela. Mas a verdade era que ele não tinha sensação física, exceto a do mero contato. Tudo o que sentia era incredulidade e orgulho. Estava contente que isso estava acontecendo, mas não sentia desejo físico. Era cedo demais, sua juventude e beleza o haviam assustado, ele estava acostumado demais a viver sem mulheres — não sabia o motivo. A garota se levantou e tirou um jacinto do cabelo. Sentou-se apoiada nele, passando o braço ao redor de sua cintura.

— Não importa, querido. Não temos pressa. Temos a tarde toda. Este lugar não é um esconderijo esplêndido? Eu descobri quando me perdi numa caminhada comunitária. Se qualquer um estivesse vindo, daria para ouvir a cem metros de distância.

— Qual seu nome? — disse Winston.

— Julia. Eu sei o seu. É Winston... Winston Smith.

— Como você descobriu isso?

— Imagino que sou melhor em descobrir coisas que você, querido. Vem cá, o que você pensava de mim antes do dia que passei aquele bilhete para você?

Ele não sentiu tentação alguma de mentir para ela. Era até mesmo uma espécie de oferta amorosa, começar contando o pior.

— Eu odiava te ver — ele disse. — Eu queria estuprar e então assassinar você em seguida. Duas semanas atrás, cogitei quebrar seu crânio com um paralelepípedo, de verdade. Se você quer saber mesmo, eu imaginava que você tinha algo a ver com a Polícia do Pensar.

A garota riu em deleite, evidentemente tomando isso como um tributo à excelência de seu disfarce.

— Não a Polícia do Pensar! Você não pensou isso de verdade, né?

— Bem, talvez não exatamente isso. Mas pela sua aparência geral... só porque você é jovem e suave e saudável, você entende... Eu achei que provavelmente...

— Você achou que eu era uma boa integrante do Partido. De palavras e ações puras. Letreiros, procissões, lemas, jogos, caminhadas comunitárias, todas essas coisas. E você pensou que, se eu tivesse a mínima oportunidade, denunciaria você como um criminoso do pensar e mandaria te apagarem?

— É, algo desse tipo. Muitas moças são assim, sabe.

— É culpa desse negócio maldito — ela disse, arrancando a faixa escarlate da Liga Antissexo Júnior e a lançando num galho. Então, como se tocar a cintura a houvesse lembrado de algo, ela tateou no bolso do macacão e sacou de lá um pedacinho de chocolate. Quebrou-o no meio e deu uma das partes para Winston. Mesmo antes de pegar, ele soube pelo cheiro que era um chocolate muito incomum. Era escuro e brilhante, e estava enrolado em papel prateado. Chocolate em geral era uma coisa marrom opaca farelenta cujo sabor lembrava, do melhor jeito que se podia descrever, fumaça de lixo em chamas. Mas em algum momento ou outro, ele havia provado chocolate como o pedaço que ela lhe dera. O primeiro traço daquele odor agitou alguma memória que ele não conseguia definir, mas que era poderosa e perturbadora.

— Onde você conseguiu isso? — ele disse.

— Mercado negro — ela respondeu com indiferença. — Na verdade, eu sou esse tipo de garota, num primeiro olhar. Sou boa em jogos. Fui líder de tropa nos Espiões. Faço trabalho voluntário três noites por semana na Liga Antissexo Júnior. Passei horas e horas colando essas bobagens deles por toda Londres. Eu sempre carrego a ponta de um dos cartazes nas manifestações. Sempre pareço animada e nunca me esquivo de nada. Sempre grite com a multidão, é o que eu digo. É a única maneira de ficar seguro.

O primeiro fragmento de chocolate derretera na língua de Winston. O sabor era encantador. Mas havia ainda aquela memória se movendo nas margens da consciência, algo sentido com força, mas não reduzível a um formato definido, como um objeto visto pelo canto do olho. Ele afastou aquilo de si, ciente apenas de que era a memória de alguma ação que ele gostaria de desfazer, mas não podia.

— Você é muito jovem — ele disse. — Você é dez ou quinze anos mais nova que eu. O que você poderia ver para se sentir atraída por um homem como eu?

— Foi algo no seu rosto. Pensei em me arriscar. Sou boa em ver pessoas deslocadas. Assim que vi você, eu sabia que estava contra ELES.

ELES, parecia, significava o Partido, e acima de tudo o Núcleo do Partido, de quem ela falava com um ódio zombeteiro escancarado que deixava Winston inquieto, apesar de saber que estavam seguros ali, se é que podiam estar seguros em qualquer lugar. Uma coisa que o surpreendia nela era a crueza da linguagem. Membros do Partido não podiam xingar, e o próprio Winston muito raramente xingava, em voz alta, ao menos. Julia, no entanto, parecia não conseguir mencionar o Partido, e em especial o Núcleo do Partido, sem usar o tipo de linguagem que se via rabiscada em becos imundos gotejantes. Ele não deixava de gostar. Era apenas um sintoma de sua revolta contra o Partido e todos os seus modos, e de alguma maneira parecia natural e saudável, como o espirro de um cavalo que cheira alfafa ruim. Eles haviam deixado a clareira e vagavam pela sombra quadriculada com os braços ao redor da cintura um do outro sempre que havia espaço para andarem lado a lado. Ele notou como a cintura dela parecia muito mais suave agora que a faixa havia desaparecido. Eles não falavam acima de um sussurro. Fora da clareira, Julia disse, era melhor ficar em silêncio. Logo chegaram à beirada da floresta pequena. Ela o fez parar.

— Não vá para a área aberta. Pode haver alguém olhando. Estamos bem se ficarmos atrás dos galhos.

Estavam parados à sombra de aveleiras. A luz do sol, filtrada por inúmeras folhas, ainda queimava em seus rostos.

Winston olhou para o campo mais além, e passou por um choque de reconhecimento lento e curioso. Ele conhecia aquela imagem. Um velho pasto bastante gasto, com uma trilha feita pelo roçar de passos que a atravessaram, além de um montículo aqui e acolá. Na beira da sebe irregular do lado oposto, os galhos dos elmos se moviam de forma quase imperceptível sob a brisa, e suas folhas se moviam de leve em massas densas como os cabelos de uma mulher. Com certeza, em algum lugar por perto, mas fora do alcance da visão, devia haver um córrego com poças verdes onde robalinhos nadavam.

— Não tem um córrego aqui perto? — ele sussurrou.

— Certo, tem um córrego. Fica na beira do campo a seguir, na verdade. Tem peixes lá, grandes, enormes. Você consegue ver todos nas poças sob os salgueiros, balançando as caudas.

— É a Terra Dourada... quase — ele murmurou.

— A Terra Dourada?

— Não é nada, na verdade. Uma paisagem que vi às vezes num sonho.

— Olha! — sussurrou Julia.

Um tordo havia pousado em um galho a menos de cinco metros de distância, quase no nível de seus rostos. Talvez não os houvesse visto. Estava no sol, enquanto eles, na sombra. Abriu as asas, fechou-as de volta no lugar com cuidado, baixou a cabeça por um momento, como se fizesse uma espécie de mesura para o sol, e então começou a lançar uma torrente de canção. Na quietude da tarde, o volume de som era surpreendente. Winston e Julia se abraçaram, fascinados. A música seguiu e seguiu, minuto após minuto, com variações surpreendentes, nunca se repetindo, quase como se o pássaro estivesse deliberadamente se exibindo com sua virtuose. Às vezes, ele parava por alguns segundos, abria e fechava as asas, então expandia o peito manchado e voltava a cantar. Winston o observou com uma espécie de reverência vaga. Para quem, para que, aquela ave cantava? Nenhuma parceira, nenhum rival a assistia. O que a fazia sentar-se na beira daquela floresta solitária e lançar sua música no vazio total? Ele se perguntou se haveria, afinal de contas, um microfone escondido em algum lugar próximo. Ele e Julia conversaram apenas em sussurros baixos, então ele não captaria o que eles haviam dito, apenas o tordo.

Talvez do outro lado do instrumento algum homenzinho com ar de besouro estivesse ouvindo com atenção — ouvindo aquilo. Mas paulatinamente o fluxo de música afastou todas as especulações de sua mente. Era como se ela fosse algum líquido que se derramava sobre ele e se misturava com a luz do sol filtrando-se por entre as folhas. Ele parou de pensar e apenas sentiu. A cintura da garota na dobra de seu braço era macia e quente. Ele a puxou de volta, de modo que ficaram peito com peito; o corpo dela pareceu derreter no dele. Onde quer que suas mãos se movessem, tudo cedia como água. Suas bocas se prenderam uma à outra; era bastante diferente dos beijos duros que haviam trocado antes. Quando afastaram seus rostos, ambos suspiraram fundo. O pássaro se assustou e voou com um bater de asas. Winston aproximou os lábios do ouvido dela.

— AGORA — ele sussurrou.

— Aqui não — ela sussurrou de volta. — Vamos para o esconderijo. É mais seguro.

Rápido, com um rachar ocasional de galhos, tomaram o caminho de volta para a clareira. Quando estavam dentro do círculo de freixos, ela se virou e o encarou. Ambos respiravam depressa, mas o sorriso havia reaparecido nos cantos dos lábios dela. Ela ficou parada olhando-o por um instante, então tateou no zíper do macacão. E, sim!, era quase como seu sonho. Quase com a velocidade que ele imaginara ela tirou as roupas, e quando as deixou de lado, foi com o mesmo gesto magnífico com o qual uma civilização inteira parecia ser aniquilada. Seu corpo brilhou branco sob o sol. Mas por um momento ele não olhou para seu corpo; os olhos estavam ancorados no rosto sardento, em seu leve sorriso ousado. Ele se ajoelhou perante ela e pegou as mãos dela dentro das suas.

— Você já fez isso antes?

— É claro. Centenas de vezes... bem, muitas vezes, de qualquer forma.

— Com membros do Partido?

— Sim, sempre com membros do Partido.

— Com membros do Núcleo do Partido?

— Não, não com aqueles porcos. Mas tem um monte que FARIA se tivessem a menor oportunidade. Eles não são tão santos quanto fingem que são.

O coração dele saltou. Ela havia feito aquilo diversas vezes; ele queria que houvessem sido centenas... milhares. Qualquer coisa que sugerisse corrupção sempre o enchia com uma esperança insana. Quem sabe o Partido estivesse podre sob a superfície, o culto ao esforço e à abnegação fosse apenas um fingimento para esconder a imoralidade. Se ele pudesse infectar todos eles com lepra ou sífilis, com que alegria faria isso! Qualquer coisa para apodrecer, enfraquecer, para minar! Ele a puxou para baixo para que ficassem de joelhos, frente a frente.

— Ouça. Quanto mais homens você teve, mais amo você. Você entende isso?

— Sim, perfeitamente.

— Eu odeio pureza, odeio bondade! Não quero que nenhuma virtude exista em lugar nenhum. Quero que todos sejam corruptos até os ossos.

— Muito bem, então eu vou lhe agradar, querido. Sou corrupta até os ossos.

— Você gosta de fazer isso? Não quero dizer apenas eu: quero dizer, a coisa em si?

— Eu adoro.

Isso era, acima de tudo, o que ele queria ouvir. Não apenas o amor de uma pessoa, mas o instinto animal, o simples desejo indiferente: esta era a força que quebraria o Partido em pedacinhos. Ele a pressionou na grama, em meio aos jacintos caídos. Dessa vez não houve dificuldade. Agora o subir e descer dos seios dela voltavam a uma velocidade normal, e, numa espécie de abandono agradável, ambos desmoronaram. O sol parecia ter ficado mais quente. Os dois estavam sonolentos. Ele tateou em busca do macacão abandonado e o colocou em parte por cima dela. Quase de imediato, eles pegaram no sono e dormiram por cerca de meia hora.

Winston acordou primeiro. Ele se sentou e olhou o rosto sardento de Julia, ainda adormecido em paz, a palma da mão como travesseiro. Exceto pela boca, não se podia dizer que era linda. Havia uma ou duas rugas ao redor dos olhos, se você olhasse com cuidado. O cabelo escuro curto era extraordinariamente espesso e macio. Ocorreu-lhe que ele ainda não sabia o sobrenome dela ou onde morava.

O jovem corpo forte, agora indefeso no sono, despertou nele um sentimento protetor de pena. Mas a ternura irracional que sentira sob a amendoeira, enquanto o tordo cantava, não retornara exatamente. Ele afastou o macacão e estudou seu flanco branco e macio. Nos velhos tempos, ele pensou, um homem olhava para o corpo de uma garota e via que era desejável, e só isso. Mas agora não se podia ter amor puro ou luxúria pura. Nenhuma emoção era pura, porque tudo se misturava com medo e ódio. O abraço deles havia sido uma batalha, e o clímax, uma vitória. Era um golpe desfechado contra o Partido. Era um ato político.

CAPÍTULO 3

— **P**odemos voltar aqui mais uma vez — disse Julia. — Em geral, é seguro usar qualquer esconderijo duas vezes. Mas só depois de um ou dois meses, claro.

Assim que ela despertou, seu comportamento mudou. Ficou alerta e profissional, se vestiu, passou a faixa escarlate ao redor da cintura e começou a organizar os detalhes da viagem de volta. Pareceu natural deixar isso para ela. Era óbvio que ela tinha uma astúcia prática que Winston não possuía, e ela parecia também ter um conhecimento profundo da área rural ao redor de Londres, adquirido por inúmeras caminhadas comunitárias. A rota que lhe passou era diferente da que ele usou para chegar, e o levava a uma estação de trem diferente.

— Nunca volte para casa pelo mesmo caminho que veio — ela disse, como se enunciasse um importante princípio geral. Ela partiria primeiro, e Winston deveria esperar meia hora antes de seguir.

Ela havia nomeado um lugar onde poderiam se encontrar depois do trabalho, dali a quatro noites. Era uma rua em uma das áreas mais pobres, onde havia um mercado aberto que em geral era lotado e barulhento. Ela estaria perto das bancas, fingindo procurar cadarços ou linhas de costura. Se ela julgasse que estava tudo certo, assoaria o nariz quando ele se aproximasse; do contrário, ele deveria passar por ela sem demonstrar que a conhecia. Mas com sorte, no meio da multidão, seria seguro conversar por um quarto de hora para planejar outro encontro.

— Agora preciso ir — ela disse assim que ele havia decorado as instruções. — Tenho que voltar às dezenove e trinta. Tenho que prestar duas horas de serviço para a Liga Antissexo Júnior, distribuindo panfletos ou algo assim. Não é uma desgraça? Passe a mão no meu cabelo, fazendo favor? Ficou algum galho no meu cabelo? Tem certeza? Então adeus, meu amor, adeus!

Ela se lançou em seus braços, beijou-o quase com violência e um momento depois saiu empurrando pelos freixos e desapareceu na floresta com muito pouco ruído. Até mesmo agora ele não tinha descoberto seu sobrenome ou endereço. No entanto, não fazia diferença, pois era inconcebível que se encontrassem num ambiente fechado ou trocassem qualquer tipo de comunicação escrita.

Por acaso, nunca voltaram à clareira na floresta. Durante o mês de maio, houve apenas uma ocasião em que de fato conseguiram fazer amor. Foi em outro esconderijo que Julia conhecia, o campanário de uma igreja em ruínas numa parte do interior quase deserta em que uma bomba atômica havia caído trinta anos antes. Era um bom esconderijo uma vez que se chegava lá, mas chegar era perigoso. De resto, podiam se encontrar apenas nas ruas, num lugar diferente a cada noite e nunca por mais de meia hora por vez. Na rua, geralmente era possível falar, de certa forma. Conforme andavam pela calçada lotada, não exatamente lado a lado e nunca olhando um para o outro, eles seguiam uma curiosa conversa intermitente que acendia e apagava como a luz de um farol, de súbito abocanhados pelo silêncio com a aproximação de um uniforme do Partido ou a proximidade de uma teletela, para então retomar minutos depois no meio de uma frase, então cortar de forma abrupta ao se separarem no lugar combinado, e continuar quase sem reintrodução no dia seguinte. Julia parecia estar bastante acostumada com esse tipo de conversa, que chamava de "falar em parcelas". Ela também tinha a surpreendente habilidade de falar sem mover os lábios. Apenas uma vez em quase um mês de encontros noturnos eles conseguiram trocar um beijo. Estavam passando em silêncio por uma rua lateral (Julia nunca falava quando estavam longe de ruas principais) quando houve um rugido ensurdecedor, a terra tremeu, o ar escureceu, e Winston se deparou consigo mesmo deitado de lado, ferido e apavorado. Um míssil devia ter caído bastante perto. De súbito, ele se deu conta do rosto de Julia a poucos centímetros do dele, mortalmente branco, branco como giz. Até mesmo seus lábios estavam brancos. Ela estava morta! Ele a apertou contra o próprio corpo e descobriu que estava beijando um rosto vivo e quente. Mas havia alguma coisa poeirenta no caminho dos lábios. Os rostos de ambos estavam cobertos com uma grossa camada de pó de concreto.

Havia noites em que eles chegavam ao *rendez-vous* e então tinham que caminhar um passando pelo outro sem um sinal, porque uma patrulha acabara de passar pela esquina ou um helicóptero voava acima. Mesmo se fosse menos perigoso, teria sido difícil achar tempo para se encontrarem. A jornada de trabalho de Winston era de sessenta horas semanais, a de Julia era ainda maior, e seus dias livres variavam de acordo com a pressão do trabalho e com frequência não coincidiam. De qualquer modo, era raro que Julia tivesse uma noite completamente livre. Ela passava uma quantidade surpreendente de tempo frequentando cursos e demonstrações, distribuindo literatura da Liga Antissexo

Júnior, preparando faixas para a Semana do Ódio, organizando coletas para a campanha de economias e atividades similares. Era bem pago, ela disse, era camuflagem. Se você seguisse as regras pequenas, podia quebrar as grandes. Ela até mesmo induziu Winston a hipotecar mais uma de suas noites trabalhando meio período com munições, algo feito voluntariamente por membros zelosos do Partido. Então, uma noite por semana, Winston passava quatro horas de tédio paralisante, parafusando pequenos pedaços de metal que provavelmente eram partes de detonadores de bombas, em uma oficina cheia de correntes de ar e mal iluminada onde o bater de martelos se misturava à música das teletelas em monotonia.

Quando se encontraram na torre da igreja, os vazios em suas conversas fragmentárias se preencheram. Foi uma tarde ardente. O ar na pequena câmara quadrada sobre os sinos estava quente e estagnado, e fedia horrivelmente a cocô de pombo. Eles ficaram sentados conversando por horas no chão empoeirado sujo com galhos, um ou outro se levantando de tempos em tempos para espiar pelas seteiras e se certificar de que ninguém estava vindo.

Julia tinha 26 anos de idade. Ela vivia em uma pensão com trinta outras garotas ("Sempre o fedor de mulher! Como eu odeio mulheres!", ela disse, ali entre eles) e trabalhava, como ele havia imaginado, nas máquinas de escrever romance no Departamento de Ficção. Ela gostava do trabalho, que consistia majoritariamente em fazer funcionar e alimentar um motor elétrico poderoso mas complicado. Ela era "pouco esperta", mas gostava de usar as mãos e se sentia em casa com o maquinário. Conseguia descrever o processo inteiro de composição de uma novela, desde a diretiva geral do Comitê de Planejamento até os retoques finais do Esquadrão de Reescrita. Mas ela não se interessava pelo produto final. Ela "não gostava muito de ler", segundo disse. Livros eram apenas uma mercadoria que tinha que ser produzida, como geleia ou cadarços.

Ela não tinha memória alguma de qualquer coisa antes do começo dos anos 1960, e a única pessoa que conheceu que falava muito dos dias antes da Revolução foi um avô que desapareceu quando ela tinha oito anos. Na escola, havia sido capitã do time de hóquei e ganhara troféus de ginástica olímpica por dois anos seguidos. Ela foi líder de tropa dos Espiões e secretária de uma filial da Liga Juvenil antes de se juntar à Liga Antissexo Júnior. Sempre apresentara um caráter excelente. Tinha até (uma marca infalível de boa reputação) sido chamada para trabalhar no Pornodep, a subseção do Departamento de Ficção que produzia pornografia barata para distribuição entre proletários. Era apelidada de Casa da Imundície pelas pessoas que trabalhavam nela, ela observou. Permanecera lá por um ano, ajudando a produzir livretos em pacotes lacrados com títulos como "Contos da palmada safada" ou "Uma noite no internato de garotas", a serem furtivamente adquiridos por jovens proletários que tinham a impressão de estar comprando algo ilegal.

— Como são esses livros? — perguntou Winston com curiosidade.

— Ah, um monte de bobagem medonha. São chatos, na verdade. Eles só têm seis tipos de enredo, mas ficam trocando. É claro que eu estava apenas nos caleidoscópios. Nunca cheguei ao Esquadrão de Reescrita. Não sou literária, querido... Nem pra isso.

Ele descobriu com surpresa que todos os funcionários do Pornodep, exceto os gerentes departamentais, eram garotas. A teoria era que homens, cujos instintos sexuais eram menos controláveis que os de mulheres, corriam mais perigo de se corromper com a imundície com que lidavam.

— Eles nem gostam de ter mulheres casadas lá — ela acrescentou. Garotas sempre devem ser tão puras. Ali estava uma que não era, de qualquer forma.

Ela tivera seu primeiro caso quando tinha dezesseis anos, com um membro do Partido que tinha sessenta e depois cometeu suicídio para evitar a prisão.

— E ainda bem que fez isso — disse Julia —, ou eles teriam arrancado meu nome dele quando ele confessou.

Desde então houvera vários outros. A vida, na visão dela, era bastante simples. Você queria se divertir; "eles", querendo dizer o Partido, queriam impedir que isso acontecesse; você quebrava as regras do melhor jeito que conseguia. Ela parecia achar tão natural que "eles" quisessem lhe roubar seus prazeres quanto era natural que você quisesse evitar ser pego. Odiava o Partido e afirmava isso com as palavras mais brutais, mas não fazia críticas diretas a ele. Exceto no que se relacionava diretamente à vida dela, ela não tinha interesse na doutrina do Partido. Ele notou que ela nunca usava palavras da Novilíngua, exceto as que entraram em uso corrente. Ela nunca ouvira falar da Irmandade e se negava a acreditar na sua existência. Qualquer tipo de revolta organizada contra o Partido, já fadada ao fracasso, lhe parecia idiota. O mais inteligente era quebrar as regras e continuar vivo mesmo assim. Ele se perguntou vagamente quantos outros como ela poderia haver na nova geração de pessoas que haviam crescido no mundo da Revolução, sem conhecer outra coisa, aceitando o Partido como algo inalterável, como o céu, sem se rebelar contra sua autoridade, mas apenas fugindo dela, como um coelho foge de um cão.

Eles não discutiram a possibilidade de se casar. Era remota demais para que valesse a pena pensar a respeito. Nenhum comitê imaginável sancionaria um casamento assim, mesmo se Katharine, a esposa de Winston, pudesse de alguma forma ter sido eliminada. Era irremediável, mesmo como devaneio.

— Como é que ela era, sua esposa? — disse Julia.

— Ela era... você conhece a palavra em Novilíngua BOMPENSADOR? Quer dizer naturalmente ortodoxa, incapaz de pensar algo ruim?

— Não, não conhecia a palavra, mas eu conheço o tipo de pessoa, muito bem.

Ele começou a contar a história de sua vida casada, mas curiosamente ela parecia já saber as partes essenciais. Ela descreveu a ele, quase como se tivesse visto ou sentido, o endurecimento do corpo de Katharine assim que ele a tocava, o modo como ela ainda parecia estar afastando-o com todas as forças, mesmo quando os braços estavam apertados ao redor dele. Com Julia, ele não sentia dificuldade de falar a respeito de coisas assim: Katharine, de qualquer maneira, deixara de ser uma memória dolorosa havia muito tempo e se tornara apenas algo desagradável.

— Eu poderia ter aguentado se não fosse por uma coisa — ele disse. Ele contou a ela sobre a pequena cerimônia frígida que Katharine o forçava a fazer na mesma noite toda semana. — Ela odiava, mas nada a fazia parar com isso. Ela costumava chamar de... mas você nunca vai adivinhar.

— Nosso dever para com o Partido — disse Julia de prontidão.

— Como você sabia disso?

— Também fui para a escola, querido. Educação sexual uma vez por mês para os maiores de dezesseis anos. E o

Movimento Juvenil. Eles enfiam isso na sua cabeça por anos. Eu ouso dizer que funciona em muitos casos. Mas é claro que nunca se sabe; as pessoas são umas hipócritas de marca maior.

Ela começou a expandir o assunto. Com Julia, tudo voltava à sua própria sexualidade. Assim que se chegava a isso, ela era capaz de grande astúcia. Ao contrário de Winston, ela havia compreendido o significado interno do puritanismo sexual do Partido. Não era apenas que o instinto sexual criava um mundo próprio, fora do poder do Partido e que, portanto, tinha de ser destruído, se possível. O mais importante era que a privação sexual induzia à histeria, que era desejável, pois podia ser transformada em um desejo febril por guerra e idolatria ao líder. A forma como ela definiu foi:

— Quando você se apaixona, você gasta energia; e depois se sente feliz e não liga para nada. Eles não suportam que você se sinta assim. Querem que você esteja explodindo de energia o tempo todo. Todas essas marchas e vivas e carregar bandeiras é simplesmente sexo que deu errado. Se você está feliz consigo mesmo, por que deveria se empolgar com o Grande Irmão e o Plano Trienal e os Dois Minutos de Ódio e todo o resto desse estrume idiota?

Isso era bastante verdadeiro, ele pensou. Havia uma conexão direta e íntima entre castidade e ortodoxia política. Afinal, como manter o medo, o ódio e a credulidade lunática de que o Partido precisava para manter seus membros no tom certo, se não com a repressão de algum instinto poderoso e o uso disso como força motriz? O impulso sexual era perigoso ao Partido, e o Partido o transformou em algo a seu favor. Fizeram um truque parecido com o instinto parental. A família não poderia ser realmente abolida e, de fato, as pessoas eram encorajadas a gostar de seus filhos, quase da forma antiga. Os filhos, por outro lado, eram sistematicamente colocados contra os pais e aprendiam a espioná-los e a delatar seus desvios de conduta. A família havia se tornado, para todos os efeitos, uma extensão da Polícia do Pensar. Era um dispositivo por meio do qual todos podiam viver cercados noite e dia por informantes que os conheciam intimamente.

De forma abrupta, sua mente voltou a Katharine. Katharine, sem dúvida alguma, o teria denunciado à Polícia do Pensar se não fosse, por acaso, burra demais para detectar a heterodoxia de suas opiniões. Mas o que de fato a reativou na mente dele naquele momento foi o calor sufocante da tarde, que trouxera suor a sua testa. Ele começou a contar a Julia sobre algo que acontecera, ou na verdade fracassou em acontecer, em outra tarde fervente de verão, onze anos antes.

Eles estavam casados tinha três ou quatro meses. Haviam se perdido numa caminhada comunitária no interior de Kent. Haviam ficado para trás dos outros por apenas alguns minutos, mas viraram em um curva errada e na hora se viram na beira de uma pedreira de calcário. Era uma queda livre de dez ou vinte metros com rochas no fundo. Não havia ninguém para quem perguntar o caminho. Assim que se deu conta de que estavam perdidos, Katharine ficou muito inquieta. Ficar longe da multidão barulhenta de parceiros de caminhada, mesmo que por um momento, lhe dava a sensação de estar fazendo algo errado. Ela queria se apressar de volta pelo caminho que vieram e começar a procurar na outra direção. Mas nesse momento Winston notou alguns tufos de salgueirinha crescendo nas rachaduras do penhasco sob eles. Um tufo tinha duas cores, magenta e vermelho tijolo, aparentemente crescendo da mesma raiz. Ele nunca havia visto algo assim e chamou Katherine para olhar.

— Olhe, Katherine! Olhe aquelas flores. Aquele punhado lá embaixo. Você viu que são duas cores diferentes?

Ela já havia virado para ir embora, mas voltou por um instante, com muita má vontade. Até se inclinou sobre o penhasco para ver onde ele apontava. Ele estava parado um pouco atrás e colocou sua mão na cintura dela para estabilizá-la. Naquele momento, de súbito lhe ocorreu como estavam completamente a sós. Não havia uma criatura humana em lugar nenhum, nenhuma folha revirando, nem sequer um pássaro acordado. Num lugar assim, o risco de haver microfones escondidos era muito baixo, e mesmo que houvesse um microfone, apenas poderia captar sons. Era a hora mais quente e modorrenta da tarde. O sol queimava sobre eles, o suor escorria em seu rosto. E o pensamento lhe ocorreu...

— Por que você não deu um bom empurrão nela? — disse Julia. — Eu teria.

— Sim, querida, você teria. Eu teria, se fosse naquela época a mesma pessoa que sou agora. Ou talvez eu... Não tenho certeza.

— Você se arrepende de não ter empurrado?

— Sim. Como um todo, eu me arrependo de não ter feito isso.

Eles estavam sentados lado a lado no piso empoeirado. Ele a puxou para mais perto dele. A cabeça dela descansava em seu ombro, o cheiro agradável de seu cabelo sobrepujando o do cocô de pombo. Ela era muito jovem, ele pensou, ela ainda esperava alguma coisa da vida, não entendia que empurrar uma pessoa inconveniente de um penhasco não resolvia nada.

— Na verdade, não teria feito diferença nenhuma — ele disse.

— Então por que você se arrepende de não ter empurrado?

— Só porque prefiro um positivo do que um negativo. Nesse jogo que estamos jogando, não se pode ganhar. Alguns tipos de fracasso são melhores que outros, só isso.

Ele sentiu os ombros dela se remexerem em discordância. Ela sempre o contradizia quando ele dizia algo desse tipo. Ela não aceitava como lei da natureza que o indivíduo sempre é derrotado. De certa forma, ela se dava conta de que ela mesma estava fadada, que mais cedo ou mais tarde a Polícia do Pensar a pegaria e mataria, mas com outra parte de sua mente ela acreditava que de algum modo era possível construir um mundo secreto em que se podia viver como quisesse. Tudo que era necessário era sorte, astúcia e ousadia. Ela não entendia que não existia algo como felicidade, que a única vitória estava no futuro distante, muito depois de morrer, que a partir do momento em que se declarava guerra contra o Partido era melhor pensar em si mesmo como um defunto.

— Somos os mortos — ele disse.

— Não estamos mortos ainda — disse Julia, prosaica.

— Não fisicamente. Seis meses, um ano... Cinco anos, é possível. Tenho medo da morte. Você é jovem, então é presumível que tenha mais medo do que eu. É óbvio que devemos adiar o máximo que pudermos. Mas não faz muita diferença. Desde que seres humanos continuem humanos, morte e vida são a mesma coisa.

— Ah, que bobagem! Com quem você preferiria dormir, comigo ou com um esqueleto? Você não gosta de estar vivo?

Você não gosta de sentir: este sou eu, esta é minha mão, esta é minha perna, eu sou real, sólido, estou vivo! Você não gosta DISSO?

Ela se torceu e pressionou os seios contra ele. Ele conseguia sentir seus seios, maduros e firmes, através do macacão. O corpo dela parecia estar transbordando um pouco de sua juventude e vigor para o dele.

— Sim, eu gosto disso — ele disse.

— Então pare de falar em morrer. E agora ouça, querido, temos que combinar nosso próximo encontro. A gente poderia ir ao lugar na floresta. Já demos tempo suficiente, um bom descanso. Mas você precisa chegar lá de um jeito diferente dessa vez. Já planejei tudo. Você pega o trem... mas olha, vou desenhar para você.

De seu modo prático, ela juntou um quadradinho de poeira e, com um galho de um ninho de pombo, começou a rabiscar um mapa no chão.

CAPÍTULO 4

Winston olhou pelo quartinho simplório sobre a loja de sr. Charrington. Ao lado da janela, a cama gigante estava feita, com cobertores esfarrapados e um travesseiro sem fronha. O relógio antigo com as doze horas seguia a tiquetaquear na prateleira da cornija. No canto, na mesinha de armar, o peso de papel de vidro que havia comprado em sua última visita brilhava com suavidade na meia escuridão.

No guarda-fogo havia um velho fogareiro a querosene, uma panela e duas xícaras, providenciadas por sr. Charrington. Winston acendeu o fogo e colocou uma panela de água para ferver. Ele havia trazido um envelope cheio de Café Victory e alguns tabletes de sacarina. Os ponteiros do relógio diziam sete e vinte; eram dezenove e vinte, na verdade. O relógio ainda media as horas do dia em doze. Julia chegaria às dezenove e trinta.

Loucura, loucura, seu coração seguia dizendo: loucura consciente, gratuita e suicida. De todos os crimes que um membro do Partido poderia cometer, esse era o menos possível de esconder. Na verdade, a ideia viera à sua mente de início na forma de uma visão, do piso de papel espelhado pela superfície da mesinha de armar. Como ele havia previsto, sr. Charrington não criou dificuldade nenhuma em relação a alugar o quarto. Ele obviamente estava contente pelos poucos dólares que isso lhe traria. Tampouco pareceu chocado ou ofensivamente sabichão quando ficou claro que Winston queria o quarto para o propósito de um caso romântico. Em vez disso, ele olhou para um pouco longe e falou de temas genéricos, com um ar tão delicado que deu a impressão de que havia se tornado parcialmente invisível. Privacidade, ele disse, era algo muito valioso. Todo mundo queria um lugar onde pudesse ficar sozinho às vezes. E quando tinham um lugar desses, era apenas boa educação que qualquer um que também soubesse disso guardasse esse conhecimento para si mesmo. Ele até, parecendo sumir aos poucos enquanto o fazia, acrescentou que havia duas entradas na casa, uma delas pelo quintal dos fundos, que dava em um beco.

Sob a janela, alguém cantava. Winston espiou para fora, seguro pela proteção da cortina de musselina. O sol de junho ainda estava alto no céu, e na quadra iluminada de sol abaixo, uma mulher monstruosa, sólida como um pilar normando, com fortes antebraços vermelhos e um avental despencado preso na cintura, mancava de um lado para o outro entre um tanque e um varal, prendendo uma série de coisas brancas quadradas que Winston reconheceu como fraldas de bebês. Sempre que sua boca não estava fechada com prendedores, ela cantava em um poderoso contralto.

Foi só um casinho de nada.
Rápido como um dia de abril,
mas suas palavra, seus olhar,
nunca se viu!
Tudo fez meus sonho revirar!
Agora meu coração está cheio de geada!

A canção estivera assombrando Londres nas últimas semanas. Era uma das inúmeras canções similares publicadas por uma subseção do Departamento de Música, para a alegria dos proletários A letra dessas canções era composta sem nenhuma intervenção humana em um instrumento conhecido como versificador. Mas a mulher cantava com tamanha afinação que transformava o lixo pavoroso em um som quase agradável. Ele conseguia ouvir a mulher cantando e a sola dos sapatos nas lajotas e o choro de crianças na rua, e em algum lugar a distância um rugir leve de trânsito, e ainda assim o recinto parecia curiosamente silencioso, graças à ausência de uma teletela.

Loucura, loucura, loucura!, ele pensou de novo. Era inconcebível que eles pudessem frequentar esse lugar por mais do que algumas semanas sem serem pegos. Mas a tentação de ter um esconderijo que fosse verdadeiramente deles, fechado e por perto tinha sido grande demais para ambos. Por algum tempo depois da visita ao campanário da igreja, foi impossível organizar encontros. As horas de trabalho haviam aumentado drasticamente em antecipação à Semana do Ódio. Estava a mais de um mês de distância, mas as preparações enormes e complexas que ela envolvia estavam dando trabalho a mais para todos.

Enfim, os dois conseguiram assegurar uma tarde livre no mesmo dia. Eles concordaram em voltar para a clareira na floresta. Na noite anterior, encontraram-se por um instante na rua. Como de costume, Winston mal olhou para Julia enquanto vagavam na multidão, mas do curto olhar que ela lhe lançou pareceu a ele que estava mais pálida do que de costume.

— Está cancelado — ela murmurou assim que julgou seguro falar. — Amanhã, quero dizer.

— O quê?

— Amanhã de tarde. Não posso ir.

— Por que não?

— Ah, o motivo de sempre. Começou cedo desta vez.

Por um momento ele ficou violentamente furioso. Ao longo do mês que vinham se encontrando, a natureza de seu desejo por ela havia mudado. No começo, houvera pouca sensualidade verdadeira naquilo. A primeira vez que fizeram amor fora apenas um ato da vontade. Porém, depois da segunda vez, ficou diferente. O cheiro de seu cabelo, o sabor de sua boca, a sensação de sua pele pareciam ter entrado nele, ou no ar ao redor dele. Ela havia se tornado uma necessidade física, algo que ele não apenas queria, mas ao qual sentia ter um direito. Quando ela disse que não poderia ir, ele teve a sensação de que ela o passava para trás. Mas naquele exato momento a multidão os pressionou juntos e suas mãos se encontraram por acidente. Ela apertou a ponta dos dedos dele, um pequeno aperto que parecia convidar não desejo, mas afeto. Ele se deu conta de que quando se convivia com uma mulher, esse tipo de frustração em particular devia ser normal e recorrente; e uma ternura profunda, como não havia sentido por ela antes, de súbito tomou conta dele. Ele desejou que fossem um par casado há dez anos. Quis andar com ela pelas ruas assim como faziam naquele momento, mas de forma aberta e sem medo, falando de trivialidades e comprando uma coisa ou outra para a casa. Ele quis, acima de tudo, que eles tivessem um lugar onde pudessem ficar a sós sem sentir a obrigação de fazer amor cada vez que se encontrassem. Não foi bem naquele momento, mas em algum instante no dia seguinte, que a ideia de alugar o quarto do sr. Charrington lhe ocorreu. Quando sugeriu isso a Julia, ela concordou com prontidão inesperada. Os dois sabiam que era insanidade. Era como se estivessem intencionalmente dando um passo a mais para seus túmulos. Enquanto estava sentado na beira da cama esperando, ele pensou de novo nos porões do Ministério do Amor. Era curioso como aquele horror predestinado se movia para dentro e fora da consciência do sujeito. Lá estava ele, fixado num momento futuro, precedendo a morte, tão certamente como 99 precede 100. Não se podia evitar esse fato, mas talvez se pudesse adiá-lo: e ainda assim, em vez disso, de vez em quando, em um ato consciente e voluntarioso, o sujeito escolhia encolher o intervalo antes que acontecesse.

Nesse momento houve um passo rápido nas escadas. Julia irrompeu no recinto. Ela carregava um saco marrom de ferramentas, de lona áspera, como a que ele a havia visto carregar às vezes de um lado para o outro no Ministério. Ele saltou para a frente para tomá-la em seus braços, mas ela se soltou bastante rápido, em parte porque ainda estava segurando o saco.

— Só um segundo — ela disse. — Deixe-me só mostrar o que eu tenho aqui. Você trouxe aquela imundície de Café Victory? Imaginei que traria. Pode jogar fora, porque não vamos precisar. Olhe aqui.

Ela se ajoelhou, abriu o saco e tirou chaves de fenda e martelo que preenchiam a parte de cima. Debaixo deles havia alguns pacotinhos de papel organizados. O primeiro pacote que ela passou para Winston tinha toque estranho, ainda que vagamente familiar. Estava cheio de algum tipo de material arenoso pesado, que cedia quando se apertava o pacote.

— Não é açúcar, é? — ele disse.

— Açúcar de verdade. Não sacarina, açúcar. E aqui tem um pão... pão branco decente, não o nosso negócio horrível... e um potinho de geleia. E aqui tem um pouco de leite... mas olha aqui! Eu estou orgulhosa mesmo é deste aqui. Tive que colocar uns sacos a mais ao redor, porque...!

Mas ela não precisava dizer a ele por que precisou enrolar mais. O cheiro já enchia o recinto, um cheiro rico e quente que parecia emanar do começo de sua infância, mas que era possível encontrar ocasionalmente mesmo agora, descendo um corredor antes de uma porta fechar, ou se difundindo misteriosamente numa rua lotada, farejado por um instante e então perdido de novo.

— É café — ele murmurou —, café de verdade.

— É café do Núcleo do Partido. Tem um quilo todo aqui — ela disse.

— Como você conseguiu todas essas coisas?

— É tudo coisa do Núcleo do Partido. Não tem nada que os porcos não tenham, nada. Mas é claro que garçons e empregados e as pessoas vão pegando as coisas e... olha, tenho um pacotinho de chá também.

Winston havia se agachado ao lado dela. Ele rasgou um canto do pacote.

— É chá de verdade. Não folhas de amora.

— Tem circulado muito chá ultimamente. Capturaram a Índia, ou algo assim — ela disse com vagueza. — Mas ouça, querido. Quero que você vire as costas para mim por três minutos. Vá se sentar do outro lado da cama. Não fique muito perto da janela. E não olhe até eu falar.

Winston olhou com distração pela cortina de musselina. Na quadra abaixo, a mulher de braços vermelhos ainda marchava de um lado para o outro entre o varal e o tanque. Ela tirou mais dois pregadores da boca e cantou do fundo do coração:

Eles diz que o tempo cura as coisa tudo,
dizem que sempre dá pra esquecer;
Mas os sorriso e lágrima, o detalhe mais miúdo
Ainda fazem meu coração doer!

Ela conhecia toda a bobagem de cor, aparentemente. A voz subia com o doce ar do verão, muito afinada, carregada com uma espécie de melancolia feliz. Tinha-se a sensação de que ela estaria perfeitamente contente se o final de tarde de junho fosse sem fim e o suprimento de roupas infinito, em permanecer ali por mil anos, pendurando fraldas e cantando lixo. Ele se deu conta do fato curioso de que nunca havia escutado um membro do Partido cantar sozinho e de forma espontânea. Teria até mesmo parecido um pouco heterodoxo, uma excentricidade perigosa, como falar sozinho. Talvez fosse apenas quando as pessoas estavam perto de morrer de fome que tivessem assunto para cantar.

— Pode virar agora — disse Julia.

Ele se virou e, por um instante, quase não conseguiu reconhecê-la. O que ele havia de fato esperado era vê-la nua. Mas ela não estava nua. A transformação que havia acontecido era muito mais surpreendente. Ela havia pintado o rosto.

Ela devia ter entrado em alguma lojinha das áreas proletárias e comprado um kit completo de materiais de maquiagem. Os lábios estavam profundamente avermelhados, as bochechas com ruge, o nariz com pó; havia até mesmo um toque de algo sob seus olhos para deixá-los mais brilhantes. Não estava feito com muita habilidade, mas os padrões de Winston nessas questões não eram altos. Ele nunca havia visto ou imaginado uma mulher do Partido com cosméticos no rosto. A melhoria em sua aparência era espantosa. Com apenas alguns toques leves de cor nos lugares certos, ela havia não apenas ficado muito mais bonita, mas, acima de tudo, muito mais feminina. Seu cabelo curto e macacão de garoto apenas enfatizavam o efeito. Quando ele a tomou em seus braços, uma onda de violetas sintéticas inundou suas narinas. Ele se lembrou da semiescuridão da cozinha no porão e de uma boca feminina cavernosa. Era o mesmo perfume que ela usava; mas no momento não parecia importar.

— Perfume também! — ele disse.

— Sim, querido, perfume também. E sabe o que vou fazer depois? Vou arranjar um vestido de mulher de verdade em algum canto e usar em vez dessas calças malditas. Vou usar meias-calças de seda e sapatos de salto alto! Neste quarto, vou ser uma mulher, não camarada do Partido.

Eles arrancaram suas roupas mutuamente e subiram na imensa cama de mogno. Era a primeira vez que ele se desnudava na presença dela. Até agora ele tivera vergonha demais de seu corpo pálido e esquálido, com as veias varicosas saltando na panturrilha e o trecho descolorido sobre o tornozelo. Não havia lençóis, mas a manta sobre a qual haviam deitado era puída e macia, e o tamanho e molejo do colchão surpreendeu os dois.

— Deve estar cheia de insetos, mas quem liga? — disse Julia. Não se via mais uma cama de casal hoje em dia, exceto na casa de proletários. Winston ocasionalmente dormira em uma na sua infância; Julia nunca estivera em uma antes, até onde conseguia lembrar.

De imediato dormiram um pouco. Quando Winston acordou, os ponteiros do relógio haviam descido para perto das nove. Ele não se moveu, porque Julia dormia com o rosto no braço dele. A maior parte de sua maquiagem havia se transferido para o próprio rosto dele ou para o travesseiro, mas uma leve mancha de ruge ainda ressaltava a beleza da maçã de seu rosto. Um raio amarelo do sol poente caía pelo pé da cama e iluminava a lareira, onde a água na panela fervia rápido. Na quadra, a mulher havia parado de cantar, mas os gritos fracos de crianças flutuavam para dentro. Ele se perguntou vagamente se no passado abolido era uma experiência normal ficar deitado na cama assim, no frescor de um começo de noite no verão, um homem e uma mulher sem roupas, fazendo amor quando queriam, falando do que queriam, sem nenhuma compulsão de levantar, apenas deitados ali e ouvindo os sons pacíficos do lado de fora. É claro que nunca poderia ter existido um momento em que isso parecesse comum, poderia? Julia acordou, esfregou os olhos e se apoiou nos cotovelos para olhar para o fogareiro a querosene.

— Metade da água ferveu e se foi — ela disse. — Vou levantar e fazer um café daqui a pouco. Temos uma hora. Que horas eles cortam a energia no seu prédio?

— Vinte e três e trinta.

— É vinte e três na pensão. Mas você tem que chegar mais cedo que isso, porque...Ei! Sai daí, seu nojento imundo!

De súbito, ela se retorceu na cama, pegou um sapato do chão e o atirou num canto com um golpe pueril, exatamente como ele a havia visto lançar o dicionário em Goldstein naquela manhã nos Dois Minutos de Ódio.

— O que foi? — ele disse em surpresa.

— Um rato. Eu o vi enfiar o nariz nojento para fora do lambri. Tem um buraco ali. Dei um bom susto nele, pelo menos.

— Ratos! — murmurou Winston. — Neste quarto!

— Estão por toda parte — disse Julia com indiferença enquanto se deitava de novo. — Temos até na cozinha da pensão. Algumas partes de Londres estão repletas deles. Sabia que atacam crianças? Atacam, sim. Em algumas dessas ruas, as mulheres não ousam deixar um bebê sozinho por dois minutos. São os grandões marrons que fazem isso. E a coisa mais nojenta é que esses imundos sempre...

— NÃO CONTINUE! — disse Winston, com os olhos fechados com força.

— Meu querido! Você ficou bastante pálido. O que houve? Ratos deixam você mal?

— De todos os horrores do mundo... um rato!

Ela pressionou o corpo no dele e enroscou braços e pernas, como se para acalmá-lo e lhe dar segurança com o calor do próprio corpo. Ele não reabriu os olhos de imediato. Por diversos momentos, tivera a sensação de estar de volta em um pesadelo recorrente de tempos em tempos ao longo da vida. Era sempre praticamente igual. Ele estava parado na frente de uma parede de escuridão, e do outro lado dela havia algo intolerável, algo pavoroso demais para ser encarado. No sonho, seu sentimento mais profundo era de autoenganação, porque de fato ele sabia o que estava atrás do muro de escuridão. Com um esforço fatal, como se arrancasse um pedaço do próprio cérebro, ele poderia inclusive arrastar a coisa para a claridade. Ele sempre acordava sem descobrir o que era; mas de alguma forma estava conectado com o que Julia estivera dizendo antes de ele interromper.

— Desculpe — ele disse —, não é nada. Não gosto de ratos, só isso.

— Não se preocupe, querido, não vamos ter esses nojentos imundos aqui. Vou fechar o buraco com partes do saco antes de irmos. E na próxima vez que viermos aqui, vou trazer reboco e fechar direito.

O instante de pânico já estava semiesquecido. Sentindo leve vergonha de si mesmo, ele apoiou as costas na cabeceira. Julia saiu da cama, colocou o macacão e preparou café. O cheiro que subia da panela era tão poderoso e energizante que fecharam a janela para que ninguém lá fora notasse e ficasse curioso. Ainda melhor do que o sabor de café era a textura sedosa trazida pelo açúcar, algo que Winston tinha quase esquecido depois de anos de sacarina. Com uma mão no bolso e um pedaço de pão com geleia na outra, Julia vagou pelo quarto, espiando a estante com indiferença, apontando as melhores formas de reparar a mesinha de armar, ajeitando-se na poltrona gasta para ver se era confortável e examinando o absurdo relógio com doze horas com uma espécie de diversão tolerante. Ela levou o peso de papel de vidro para a cama a fim de olhar com luz melhor. Ele o apanhou dela, fascinado, como sempre, pela aparência lisa como água da chuva do vidro.

— O que você acha que é isso? — disse Julia.

— Acho que não é nada... Quer dizer, não acho que tenha sido usado para alguma coisa. É o que eu gosto nisso. É como um naco de história que eles esqueceram de alterar. É uma mensagem de cem anos atrás, se alguém soubesse ler.

— E aquela pintura ali — ela indicou a gravura na parede oposta —, aquilo teria cem anos?

— Mais. Duzentos, ouso dizer. Não tem como definir. É impossível descobrir a idade de qualquer coisa hoje em dia.

Ela se aproximou para olhar.

— Foi daqui que o nojento enfiou o nariz para fora — ela disse, chutando o lambri logo abaixo da imagem. — Que lugar é esse? Já vi em alguma parte.

— É uma igreja, ou ao menos era. St. Clement Danes, era o nome. — O fragmento da rima que sr. Charrington lhe havia ensinado voltou à cabeça, e ele acrescentou com um pouco de nostalgia: — *Laranjas e limões, tocam os sinos da St. Clement os bretões*!

Para a surpresa dele, ela completou:

— *Você me deve dinheiro, os sinos da Saint Martin abrem berreiro / Quando vai me pagar?, ou os sinos de Old Bailey vão tocar...**
Qualquer coisa do tipo. Não consigo lembrar como segue. Mas de qualquer forma eu me lembro como acaba. *Então vem lamparina apagar para você nanar. Então vem o ceifeiro e corta você inteiro!*

Foi como duas partes de uma autenticação. Mas devia ter outra frase depois de "os sinos de Old Bailey". Talvez pudesse ser cavoucado da memória de sr. Charrington, se ele fosse adequadamente incentivado.

— Quem ensinou isso para você? — ele disse.

— Meu avô. Ele costumava cantar para mim quando eu era garotinha. Ele foi vaporizado quando eu tinha oito anos... de qualquer forma, desapareceu. Eu me pergunto o que era um "limão" — ela acrescentou, inconsequente. — Já vi laranjas. São uma fruta redonda amarela com casca grossa.

— Eu me lembro de limões — disse Winston. — Eram bastante comuns nos anos cinquenta. Eram tão azedos que te davam nos nervos só de cheirar.

— Aposto que a pintura tem uns bichos atrás — disse Julia. — Um dia desses vou tirar e dar uma boa limpada. Imagino que esteja quase na hora de irmos. Tenho que começar a lavar essa tintura toda. Que chatice! Vou tirar o batom do seu rosto depois.

Winston ainda demorou mais alguns minutos para se levantar. O quarto escurecia. Ele se virou para a luz e ficou deitado contemplando o peso de papel de vidro. A coisa incansavelmente interessante não era o fragmento de coral, mas o interior do vidro em si. Havia tanta profundidade naquilo, e, ainda assim, era quase transparente como o ar. Era

---

* No original (segundo verso): "When will you pay me? Say the bells at Old Bailey".

como se a superfície do vidro fosse o arco do céu, fechando um mundo minúsculo com sua atmosfera completa. Ele tinha a sensação de que conseguiria entrar, e que na verdade estava lá dentro, junto à cama de mogno e à mesinha de armar e ao relógio e à gravura em aço e ao peso de papel em si. O peso de papel era o quarto em que ele estava, e o coral era a vida de Julia e a dele, fixados em uma espécie de eternidade no cerne do cristal.

CAPÍTULO 5

Syme havia desaparecido. Veio uma manhã, e ele não estava no trabalho: algumas pessoas descuidadas comentaram a ausência. No dia seguinte, ninguém o mencionou. No terceiro dia, Winston entrou no vestíbulo do Departamento de Registros para olhar o quadro de avisos. Um dos avisos tinha uma lista impressa dos membros do Comitê de Xadrez, Syme havia sido um deles. Estava quase exatamente como antes — nada havia sido riscado —, mas tinha um nome a menos. Era o suficiente. Syme havia cessado de existir: ele nunca existira.

O clima estava quente como um forno. No Ministério labiríntico, os recintos sem janela com ar-condicionado mantinham a temperatura normal, mas do lado de fora as calçadas queimavam a sola dos pés e o fedor do metrô no horário de pico era um horror. As preparações para a Semana do Ódio estavam a toda, e as equipes de todos os Ministérios estavam fazendo hora extra. Procissões, encontros, desfiles militares, palestras, figuras de cera, miniaturas, exibições de filmes, programação de teletela, tudo tinha que ser organizado; bancas a montar, efígies a construir, lemas a criar, canções a escrever, rumores a circular, fotos a falsificar. A unidade de Julia no Departamento de Ficção havia sido afastada da produção de romances e estava confeccionando uma série de panfletos sobre atrocidades. Winston, além de seu trabalho de costume, passava longos períodos todos os dias olhando edições anteriores do *The Times* e alterando e embelezando artigos noticiosos que seriam citados em discursos. Tarde da noite, quando multidões de proletários arruaceiros tomavam as ruas, a cidade ganhava um ar curiosamente febril. As bombas caíam com mais frequência que antes, e às vezes, muito longe, havia explosões enormes que ninguém sabia explicar e sobre as quais havia boatos malucos.

A nova música que seria o tema da Semana do Ódio (a Canção do Ódio, chamava-se) já havia sido composta e estava sendo inserida repetidamente nas teletelas. Tinha um ritmo selvagem de latido que não podia exatamente ser chamado de música, mas lembrava uma batida de tambor. Rugida por centenas de vozes e acompanhada pelos passos pesados de pés marchando, era aterrorizante. Os proletários haviam tomado gosto por ela, e nas ruas, à meia-noite, ela competia com a ainda popular "Foi só um casinho de nada". As crianças Parsons tocavam a canção todas as horas, noite e dia, insuportáveis, com um pente e um pedaço de papel higiênico. As noites de Winston estavam mais cheias que nunca. Esquadrões de voluntários, organizados por Parsons, preparavam as ruas para a Semana do Ódio, costurando faixas, pintando cartazes, erguendo mastros em telhados e perigosamente atirando cabos pela rua para pendurar bandeirinhas. Parsons se gabava de que apenas o edifício Mansões Victory exibiria quatrocentos metros de bandeirolas. Ele estava em seu habitat natural e feliz como um passarinho. O calor e o trabalho manual lhe haviam dado um pretexto para voltar às bermudas e uma camisa aberta à noite. Ele estava em todos os lugares ao mesmo tempo, empurrando, puxando, costurando, martelando, improvisando, animando todos com exortações camaradas e exalando por cada centímetro de seu corpo o que parecia ser um suprimento interminável de suor de cheiro acre.

Um cartaz novo havia aparecido por toda a Londres de súbito. Não tinha legenda e representava apenas a figura de um soldado eurasiano, três ou quatro metros de altura, marchando em frente com um rosto mongol sem expressão e botas gigantescas, uma metralhadora apontada do quadril. De qualquer ângulo que olhasse para o pôster, o cano da arma, aumentado pela perspectiva, parecia apontar diretamente para você. O negócio havia sido colado em todo espaço vazio de cada parede, em número maior até mesmo do que o de retratos do Grande Irmão. Os proletários, em geral apáticos com a guerra, estavam sendo atirados em um de seus frenesis periódicos de patriotismo. Como se para harmonizar com o humor geral, foguetes estavam matando um número maior de pessoas do que o de costume. Um caiu em um cinema lotado em Stepney, enterrando centenas de vítimas nas ruínas.

A população inteira da vizinhança compareceu para um longo funeral enfileirado que seguiu por horas e foi, na verdade, um encontro de indignados. Outra bomba caiu em um terreno baldio que era usado como parquinho e dúzias de crianças explodiram em pedacinhos. Houve mais demonstrações furiosas, uma efígie de Goldstein foi queimada, centenas de cópias do cartaz do soldado eurasiano foram arrancadas e acrescidas às chamas e algumas lojas foram saqueadas no tumulto; então um rumor circulou de que espiões estavam dirigindo as bombas por meio de ondas sem fio, e um casal de idosos, suspeito de ter procedência estrangeira, teve sua casa queimada e faleceu por sufocamento.

No aposento sobre a loja do sr. Charrington, quando conseguiam ir até lá, Julia e Winston ficavam deitados lado a lado na cama nua sob a janela aberta, nus por uma questão de frescor. O rato nunca voltara, mas os insetos haviam se multiplicado pavorosamente com o calor. Não parecia importar. Sujo ou limpo, o quarto era o paraíso. Assim que chegavam, jogavam pó de pimenta, comprado no mercado negro, por todos os lados, arrancavam as próprias roupas e faziam amor com corpos suados, então pegavam no sono e acordavam para ver que os insetos haviam se reunido e se preparavam para um contra-ataque.

 Quatro, cinco, seis — sete vezes se encontraram ao longo do mês de junho. Winston havia largado o hábito de beber gim a todo momento. Parecia ter perdido a necessidade. Ele havia engordado, a úlcera varicosa melhorara, deixando apenas uma mancha marrom na pele sobre o tornozelo, os acessos de tosse no começo da manhã haviam parado. O processo da vida havia deixado de ser intolerável, ele não tinha mais nenhum impulso de fazer caretas para a teletela ou xingar a plenos pulmões. Agora que eles tinham um esconderijo seguro, quase um lar, o fato de poderem se encontrar com baixa frequência e por poucas horas nem mesmo parecia uma dificuldade. O que importava era que o quarto sobre a lojinha de cacarecos existia. Saber que ele estava ali, inviolado, era quase o mesmo que estar lá. O quarto era um mundo, um bolsão do passado onde animais extintos podiam caminhar. O sr. Charrington, Winston pensou, era outro animal extinto. Ele normalmente parava para conversar com sr. Charrington por alguns minutos no caminho escada acima. O velho parecia sair raras vezes, se saía, e, por outro lado, parecia quase não ter clientes. Ele vivia uma existência fantasmagórica entre a loja escura e pequena e uma cozinha ainda menor nos fundos, onde preparava suas refeições e que continha, entre outras coisas, um gramofone incrivelmente antigo com uma trompa gigantesca. Ele parecia contente com a oportunidade de falar. Vagando entre seu estoque sem valor, com seu nariz longo e óculos de lentes grossas e os ombros inclinados para a frente no casaco de veludo, ele sempre tinha o ar de ser mais um colecionador do que um negociante. Com uma espécie de entusiasmo desbotado, ele apontaria essa pilha de lixo ou aquela — uma rolha de porcelana, a tampa pintada de uma caixa de rapé quebrada, um medalhão de ouro falso contendo uma mecha de cabelo de algum bebê morto fazia muito tempo —, nunca pedindo a Winston que comprasse, apenas que admirasse. Falar com ele era como ouvir o tilintar de uma caixa de música gasta. Ele havia arrastado dos cantos da memória mais alguns fragmentos de rimas infantis esquecidas. Havia uma sobre vinte e quatro melros, outra sobre uma vaca de chifre torto, outra sobre a morte de um coitado de um pintarroxo. Ele disse:

— Acabou de me ocorrer que poderia interessar a você.
— E dava uma risadinha suplicante sempre que tinha um fragmento novo. Mas ele nunca conseguia lembrar mais do que algumas frases de cada canção.

O casal sabia — de certa forma, nunca estava fora das mentes deles — que o que estava acontecendo ali não poderia durar muito. Havia momentos em que o fato da morte iminente parecia tão palpável como a cama em que estavam deitados, e eles se abraçavam numa espécie de sensualidade desesperançada, como uma alma amaldiçoada agarrando seu último pedaço de prazer quando faltam cinco minutos para a badalada do relógio. Mas também havia momentos em que tinham a ilusão não apenas de segurança, mas de permanência. Desde que estivessem de fato naquele quarto, ambos sentiam, nenhum mal poderia lhes acontecer. Chegar ali era difícil e perigoso, mas o quarto em si era um santuário. Era como quando

Winston olhava nas profundezas do peso de papel, com a sensação de que seria possível entrar naquele mundo de vidro, e que uma vez lá dentro, o tempo poderia parar. Com frequência eles se entregavam aos prazeres de devaneios de fuga. A sorte se manteria por tempo indeterminado, e eles seguiriam com sua intriga, daquela mesma forma, pelo resto de suas vidas naturais. Ou Katharine morreria, e com manobras sutis Winston e Julia conseguiriam se casar. Ou eles cometeriam suicídio juntos. Ou desapareceriam, se alterariam além de qualquer reconhecimento, aprenderiam a falar com sotaque proletário, arranjariam empregos em fábricas e viveriam o resto de suas vidas sem ser detectados em uma ruela qualquer. Era tudo uma bobagem, como os dois sabiam. Na verdade, não havia escapatória. Até mesmo o plano que era praticável, o suicídio, eles não tinham intenção de levar a cabo. Aguentar firme de um dia para outro e de semana para outra, estendendo um presente sem futuro, parecia um instinto inconquistável, assim como os pulmões sempre puxarão a próxima lufada de ar, se houver ar disponível.

Às vezes, eles também falavam de se envolver em rebelião ativa contra o Partido, mas sem noção alguma de como dar o primeiro passo. Mesmo que a fabulosa Irmandade fosse uma realidade, ainda permanecia a dificuldade de encontrar uma forma de entrar nela. Ele contou a ela da intimidade estranha que existia, ou parecia existir, entre ele mesmo e O'Brien e o impulso que sentia às vezes de simplesmente ir até a presença de O'Brien, anunciar que era um inimigo do Partido e demandar sua ajuda. Era curioso, isso não parecia a ela algo impossivelmente temerário de se fazer. Ela estava acostumada a julgar as pessoas por seus rostos e lhe pareceu natural que Winston acreditasse que

O'Brien era de confiança apenas com uma única troca de olhar. Além disso, ela partia do pressuposto de que todos, ou quase todos, odiavam o Partido em segredo e quebrariam as regras se achassem que era seguro fazer isso. Mas ela se negava a acreditar que uma oposição difundida e organizada existia ou poderia existir. Os contos sobre Goldstein e seu exército subterrâneo, ela dizia, eram simplesmente um monte de bobagem que o Partido tinha inventado para seus propósitos particulares e em que se tinha que fingir acreditar. Inúmeras vezes, em comícios do Partido e demonstrações espontâneas, ela gritou a toda potência pela execução de pessoas cujos nomes nunca tinha ouvido falar e em cujos crimes não tinha a menor fé. Quando julgamentos públicos aconteciam, ela assumia seu posto nos destacamentos das Ligas Juvenis que cercavam as cortes de manhã até a noite, cantando em intervalos "Morte aos traidores". Durante os Dois Minutos de Ódio ela sempre se distinguia entre os outros em insultos gritados para Goldstein. Ainda assim, tinha uma ideia muito vaga de quem era Goldstein e que doutrinas ele supostamente representava. Ela havia crescido depois da Revolução e era jovem demais para se lembrar das batalhas ideológicas dos anos 1950 e 1960. Algo como movimento político independente estava além de sua imaginação; e, de qualquer forma, o Partido era invencível. Sempre existiria, e sempre seria o mesmo. Só seria possível se rebelar contra ele por desobediência secreta ou, no máximo, atos isolados de violência, como matar alguém ou explodir algo.

De algumas maneiras, ela era muito mais astuta do que Winston e muito menos suscetível à propaganda do Partido. Uma vez, quando ele mencionou por acaso alguma conexão com a guerra da Eurásia, ela o surpreendeu dizendo com indiferença que, na sua opinião, a guerra não estava acontecendo. As bombas que caíam diariamente em Londres provavelmente eram lançadas pelo próprio Governo da Oceânia, "só para manter as pessoas assustadas". Essa era uma possibilidade que literalmente nunca havia ocorrido a ele. Ela também despertava nele algo como inveja ao contar que, durante os Dois Minutos de Ódio, a sua grande dificuldade era evitar cair na gargalhada. Mas ela questionava os ensinamentos do Partido somente quando eles de alguma forma envolviam sua vida. Com frequência, aceitava a mitologia oficial, simplesmente porque a diferença entre a verdade e a mentira não pareciam importantes para ela. Ela acreditava, por exemplo, tendo aprendido na escola, que o Partido havia inventado aviões. (Em sua época de escola, Winston lembrava, no final dos anos 1950, era apenas o helicóptero que o Partido afirmava ter inventado; uma dúzia de anos depois, quando Julia estava na escola, já afirmava ser o avião; mais uma geração e afirmaria ser o motor a vapor.) E quando disse a ela que aviões já existiam antes de ele nascer e muito antes da Revolução, o fato lhe pareceu totalmente desinteressante. Afinal de contas, o que importava quem inventou o avião? Foi um choque maior para ele quando descobriu por alguma observação casual que ela não lembrava que a Oceânia, quatro anos antes, estivera em guerra com a Lestásia e em paz com a Eurásia. Era verdade que ela via que a guerra inteira era uma lorota; mas aparentemente não tinha nem sequer notado que o nome do inimigo havia mudado.

— Achei que sempre estivéssemos em guerra com a Eurásia — ela disse de forma vaga. Aquilo o assustou um pouco. A invenção de aviões datava de muito antes de seu nascimento, mas a troca na guerra acontecera apenas quatro anos antes, bem depois de ela ser adulta. Ele discutiu com ela a respeito disso por talvez um quarto de hora. No final, conseguiu forçar a memória dela a recuar até uma lembrança vaga de que em dado momento a Lestásia, e não a Eurásia, fora o inimigo. Mas a questão ainda parecia pouco importante.

— Quem liga? — ela disse com impaciência. — É sempre uma guerra depois da outra, e todo mundo sabe que as notícias são só mentiras de qualquer forma.

Às vezes, ele falava com ela a respeito do Departamento de Registros e as falsificações descaradas que ele cometia ali. Coisas assim não pareciam horrorizá-la. Ela não sentia o abismo se abrindo sob seus pés com a ideia de mentiras se tornando verdades. Ele contou a história de Jones, Aaronson e Rutherford e o memorável pedaço de papel que ele um dia teve em suas mãos. Não causou uma grande impressão nela. De início, de fato, ela não conseguiu entender qual era o sentido da história.

— Eles eram amigos seus? — ela disse.

— Não, eu não conhecia nenhum deles. Eles eram membros do Núcleo do Partido. Além disso, eram muito mais velhos que eu. Eles eram dos dias antigos, antes da Revolução. Eu mal os conhecia de vista.

— Então para que se preocupar? As pessoas são mortas o tempo todo, não são?

Ele tentou fazê-la entender.

— Esse foi um caso excepcional. Não era apenas uma questão de alguém ser morto. Você se dá conta de que o passado, começando com ontem mesmo, foi de fato abolido? Se ele sobrevive em qualquer lugar, é em alguns poucos objetos sólidos sem palavras ligadas a eles, como naquele pedaço de vidro ali. Nós já não sabemos quase literalmente nada da Revolução e dos anos antes da Revolução. Todos os registros existentes foram destruídos ou falsificados, todos os livros foram reescritos, todos os quadros repintados, cada estátua e rua e construção foi rebatizada, todas as datas alteradas. E esse processo continua a cada dia e a cada minuto. A história parou. Nada existe exceto um presente sem fim em que o Partido tem sempre razão. Eu sei, é claro, que o passado é falsificado, mas não seria possível para mim provar isso, até quando eu mesmo fiz a falsificação. Depois de ter feito, nenhuma evidência permanece. A única evidência está dentro da minha própria mente, e eu não tenho como saber com certeza se algum outro ser humano compartilha minhas memórias. Só naquela ocasião única, em toda a minha vida, eu de fato tive evidência concreta depois do evento... anos depois.

— E para que serviu isso?

— Não serviu de nada, porque eu joguei fora alguns minutos depois. Mas se o mesmo acontecesse hoje, eu teria guardado.

— Bem, eu não teria! — disse Julia. — Estou pronta para me arriscar, mas apenas por algo que valha a pena, não por pedaços velhos de jornal. O que você poderia ter feito com aquilo, mesmo que tivesse guardado?

— Não muito, talvez. Mas era uma prova. Poderia ter plantado algumas dúvidas aqui e ali, supondo que eu tivesse ousado mostrar a alguém. Não imagino que possamos alterar qualquer coisa ao longo de nossas vidas. Mas seria possível imaginar pequenos nós de resistência surgindo aqui e ali... Pequenos grupos de pessoas se unindo, e gradualmente crescendo, e até mesmo deixando alguns registros para trás, para que as próximas gerações possam prosseguir de onde paramos.

— Não estou interessada na próxima geração, querido. Estou interessada em NÓS.

— Você só é uma rebelde da cintura para baixo — ele disse.

Ela achou isso brilhantemente astuto e lançou os braços ao redor dele em deleite.

Ela não tinha o menor interesse nas ramificações da doutrina do Partido. Sempre que ele começava a falar dos princípios de Socing, duplipensar, na mutabilidade do passado e na negação da realidade objetiva e usava palavras da Novilíngua, ela ficava entediada e confusa e dizia que nunca prestava muita atenção a esse tipo de coisa. Se a pessoa sabia que era tudo uma bobagem, então por que se permitir se preocupar com isso? Ela sabia quando aplaudir e quando vaiar, e isso era tudo de que alguém precisava. Se ele seguisse falando de tais assuntos, ela tinha o hábito desconcertante de pegar no sono. Ela era uma dessas pessoas que conseguia pegar no sono a qualquer hora e em qualquer posição. Falando com ela, ele se deu conta de como era fácil apresentar uma aparência de ortodoxia mesmo sem ter a menor noção do que ortodoxia significava. De certa forma, a visão de mundo do Partido se impunha de forma mais bem--sucedida em pessoas incapazes de entendê-la. Essas pessoas poderiam ser convencidas a aceitar as violações mais flagrantes da realidade, porque nunca entenderam de fato a enormidade do que lhes era pedido, e não estavam suficientemente interessadas em eventos públicos para notar o que acontecia. Pela falta de entendimento, eles permaneciam sãos. Simplesmente engoliam tudo, e o que engoliam não lhes fazia mal, porque não deixava resíduo algum para trás, assim como um grão de milho passará sem ser digerido pelo corpo de um pássaro.

CAPÍTULO 6

Aconteceu, enfim. A mensagem esperada chegou. Sua vida inteira, parecia, ele estivera esperando isso acontecer.

Ele caminhava pelo corredor longo no Ministério e estava quase no ponto em que Julia lhe havia passado o bilhete na mão quando se deu conta de que alguém maior do que ele caminhava logo atrás. A pessoa, quem quer que fosse, deu uma tossida leve, evidentemente como uma introdução à fala. Winston parou de forma abrupta e se virou. Era O'Brien.

Enfim estavam cara a cara, e parecia que seu único impulso era sair correndo. Seu coração saltava com violência. Ele estaria incapaz de falar. O'Brien, no entanto, havia continuado em frente no mesmo movimento, colocando uma mão amistosa no braço de Winston por um instante, para que os dois andassem lado a lado. Ele começou a falar com a peculiar cortesia grave que o diferenciava da maioria dos membros do Núcleo do Partido.

— Eu estava esperando por uma oportunidade de falar com você — ele disse. — Eu estava lendo um de seus artigos sobre Novilíngua no *The Times* esses tempos. Você tem um interesse erudito em Novilíngua, acredito eu?

Winston havia recuperado parte de seu autocontrole.

— Dificilmente erudito — ele disse. — Sou apenas um amador. Não é meu assunto. Nunca tive nada a ver com a construção do idioma de fato.

— Mas você escreve com muita elegância — disse O'Brien. — Esta opinião não é apenas minha. Estive falando algum tempo atrás com um amigo seu que com certeza é um especialista. Seu nome me foge da mente agora.

De novo, o coração de Winston se agitou dolorosamente. Era inconcebível que isso fosse qualquer outra coisa além de uma referência a Syme. Mas Syme não estava apenas morto, ele estava abolido, uma despessoa. Qualquer referência identificável a ele teria sido mortalmente perigosa. A observação de O'Brien devia, era óbvio, ter a intenção de sinal, um código. Ao compartilhar esse pequeno ato de crimepensar, ele havia transformado ambos em cúmplices. Haviam continuado a caminhar devagar pelo corredor, mas agora O'Brien havia parado. Com a amizade curiosa e desarmante que ele sempre conseguia colocar no gesto, reposicionou os óculos no rosto. Então, prosseguiu:

— O que eu de fato queria dizer era que, no seu artigo, notei que você usou duas palavras que se tornaram obsoletas. Mas isso aconteceu muito recentemente. Você já viu a Décima Edição do Dicionário de Novilíngua?

— Não — disse Winston. — Pensei que ainda não tinha sido lançada. Ainda estamos usando a Nona no Departamento de Registros.

— A Décima Edição não deve aparecer por mais uns meses, creio eu. Mas algumas provas antecipadas estão circulando. Eu mesmo tenho uma. Talvez lhe interesse dar uma olhada?

— Muito — disse Winston, vendo de imediato aonde a conversa ia.

— Algumas das evoluções novas são das mais inteligentes. A diminuição no número de verbos... é essa a questão que vai interessar você, creio eu. Deixe-me ver, será que envio um mensageiro com o dicionário para você? Mas temo que, invariavelmente, sempre acabo esquecendo coisas desse tipo. Talvez você pudesse buscar no meu apartamento no horário mais conveniente para você? Espere. Deixe-me passar meu endereço.

Eles estavam parados na frente de uma teletela. De uma maneira um pouco distraída, O'Brien tateou os dois bolsos e então sacou um caderninho de capa de couro e uma caneta-tinteiro dourada. Bem debaixo da teletela, em uma posição que qualquer um que estivesse assistindo do outro lado do instrumento poderia ler o que escrevia, ele rabiscou um endereço, arrancou a página e a passou para Winston.

— Eu geralmente estou em casa às noites — ele disse. — Se não, meu empregado vai lhe entregar o dicionário.

Ele partiu, deixando Winston segurando o pedaço de papel, que dessa vez não precisava ser escondido. Ainda assim, ele memorizou cuidadosamente o que estava escrito, e algumas horas depois o largou em um buraco de memória junto com uma massa de outros papéis.

Eles falaram um com o outro por alguns minutos no máximo. Havia apenas um significado que esse episódio poderia ter. Ele tinha sido planejado como uma forma de informar o endereço de O'Brien para Winston. Isso era necessário, porque, exceto com uma pergunta direta, nunca era possível descobrir onde qualquer um vivia. Não havia diretórios de nenhum tipo. "Se você quiser falar comigo, é aqui que posso ser encontrado", era o que O'Brien estivera dizendo. Talvez houvesse até uma mensagem escondida em algum lugar no dicionário. Mas de qualquer forma, uma coisa era certa. A conspiração com a qual ele havia sonhado existia, e ele havia chegado às margens dela.

Ele sabia que mais cedo ou mais tarde obedeceria à convocação de O'Brien. Talvez amanhã, talvez depois de uma longa demora — ele não tinha certeza. O que estava acontecendo era apenas a resolução de um processo que havia começado anos antes. O primeiro passo havia sido um pensamento secreto e involuntário, o segundo havia sido o início do diário. Ele havia passado de pensamentos a palavras, e agora de palavras a atos. O último passo era algo que aconteceria no Ministério do Amor. Ele havia aceitado. O fim estava contido no começo. Mas era assustador: ou, mais exatamente, era como um antegosto de morte, como estar um pouco menos vivo. Mesmo enquanto falava com O'Brien, quando o significado das palavras se revelou, um sentimento gelado e trêmulo havia tomado conta de seu corpo. Ele tinha a sensação de pisar na umidade da cova, e não era muito melhor sempre ter sabido que a cova estava ali e esperando por ele.

CAPÍTULO 7

Winston acordara com os olhos cheios de lágrimas. Julia rolou com sono contra ele, murmurando algo que poderia ter sido "O que foi?".

— Eu sonhei que... — ele começou e parou antes. Era complexo demais para colocar em palavras. Havia o sonho em si, e havia a memória conectada a ele que voou para sua mente nos poucos segundos depois de acordar.

Ele se recostou com os olhos fechados, ainda encharcado na atmosfera do sonho. Era um sonho vasto e luminoso em que sua vida inteira parecia se estender perante ele como uma paisagem em uma noite de verão depois da chuva. Tudo havia acontecido dentro do peso de papel de vidro, mas a superfície do vidro era o domo do céu, e dentro do domo tudo estava inundado com uma luz clara suave em que se podia ver em distâncias intermináveis. O sonho também era abarcado por — de fato, em algum sentido, havia consistido de — um gesto do braço feito por sua mãe e feito de novo trinta anos depois pela judia que ele havia visto no filme de notícias, tentando proteger o garotinho de balas, antes do helicóptero os explodir em pedacinhos.

— Você sabia que — ele disse — até este momento eu acreditava que havia assassinado minha mãe?

— Por que você assassinou sua mãe? — disse Julia, quase adormecida.

— Eu não assassinei minha mãe. Não fisicamente.

No sonho, ele havia se lembrado da última vez que vislumbrara a mãe, e, alguns momentos depois de acordar, o amontoado de pequenos eventos cercando aquele havia voltado. Era uma memória que ele devia ter deliberadamente empurrado de sua consciência por muitos anos. Não tinha certeza da data, mas ele devia ter ao menos dez anos de idade, possivelmente doze, quando aconteceu.

Seu pai desaparecera um pouco antes, quanto tempo antes ele não conseguia se lembrar. Lembrava-se melhor das circunstâncias turbulentas e inquietantes da época: os pânicos periódicos com os ataques aéreos e os abrigos nas estações de metrô, as pilhas de detritos por todos os lados, as proclamações ininteligíveis coladas nas esquinas, as gangues de jovens em camisas da mesma cor, as filas enormes na frente das padarias, o fogo intermitente de metralhadoras a distância — acima de tudo, o fato de que nunca havia o suficiente para comer. Ele se lembrava de tardes longas passadas com outros garotos revirando latas de lixo e pilhas de entulho, pegando os talos de repolho, cascas de batata, às vezes até mesmo restos de casca de pão estragado da qual eles raspavam com cuidado as cinzas; e também esperando passar os caminhões que faziam certa rota e eram conhecidos por carregar comida de gado e que, quando sacudiam ao passar por trechos ruins da estrada, às vezes derramavam fragmentos de bolo de linhaça.

Quando seu pai desapareceu, sua mãe não demonstrou surpresa nem qualquer luto violento, mas uma mudança súbita tomou conta dela. Ela parecia ter se tornado completamente sem ânimo. Era evidente até para Winston que ela estava esperando por algo que sabia que tinha que acontecer. Ela fazia tudo que era necessário — cozinhava, lavava, costurava, fazia a cama, varria o chão, limpava as prateleiras — sempre muito devagar e com uma curiosa ausência de movimentos supérfluos, como um boneco articulado se movendo por conta própria. Seu grande corpo fornido parecia recair naturalmente de volta à imobilidade. Ela ficava sentada quase imóvel na cama por horas, cuidando da irmãzinha dele, uma criança minúscula, adoentada, muito silenciosa, de dois ou três anos de idade, com um rosto que a magreza havia deixado simiesco. Muito ocasionalmente ela pegava Winston em seus braços e o pressionava contra o próprio corpo por muito tempo sem dizer nada. Ele estava ciente, apesar de sua juventude e egoísmo, que isso estava de alguma forma conectado com a coisa nunca mencionada que estava prestes a acontecer.

Ele se lembrava do lugar em que moravam, um quarto escuro com cheiro de fechado que parecia ter a metade preenchida com uma cama com colcha branca. Havia um fogareiro a gás atrás do guarda-fogo, e uma prateleira onde a comida ficava guardada, e no corredor do lado de fora havia uma pia marrom de louça de barro, compartilhada por vários quartos. Ele se lembrava do corpo estatuesco da mãe inclinando-se sobre o fogareiro a gás para mexer algo em uma panela. Acima de tudo, ele se lembrava da sua fome contínua, e as batalhas ferozes e sórdidas nas horas das refeições. Ele pedia para sua mãe, choramingando, de novo e de novo, por que não havia mais comida, ele gritava e fazia birra com ela (ele até lembrava os tons de voz, que estava começando a mudar prematuramente e às vezes ecoava de uma forma peculiar), ou ele tentava conseguir um pouco de pena com uma nota lamuriosa em seus esforços para obter uma parcela maior que a que estava reservada para ele. Sua mãe estava bastante disposta a lhe dar uma parte maior. Ela partia do pressuposto de que ele, "o garoto", devia ficar com a maior porção; mas por mais que ela lhe desse, ele invariavelmente pedia mais. Em todas as refeições, ela suplicava para que ele não fosse egoísta e lembrasse que sua irmãzinha estava doente e também precisava de comida, mas não adiantava nada. Ele chorava de raiva quando ela parava de servir, e tentava arrancar a panela e a colher das mãos dela, pegava bocados do prato da irmã. Ele sabia que estava matando as duas de fome, mas não conseguia evitar; ele até mesmo sentia que tinha direito a fazer isso. A fome clamorosa na sua barriga parecia justificá-lo. Entre refeições, se sua mãe não vigiasse, ele constantemente surrupiava o estoque miserável de comida na estante.

Um dia, uma ração de chocolate foi distribuída. Fazia semanas ou meses que não havia uma distribuição dessas. Ele se lembrava com muita clareza daquele precioso bocadinho de chocolate. Era um pedaço de duas onças (eles ainda falavam em onças como medidas naquela época, aquelas cinquenta gramas) para dividir entre os três. Era óbvio que deveria ser dividido em três partes iguais. De súbito, como se ouvisse a voz de outra pessoa, Winston se ouviu demandando num tom alto e estrondoso que ele devia receber o pedaço inteiro. Sua mãe lhe disse para não ser ganancioso. Houve uma discussão longa e resmungona que deu várias voltas, com gritos, choramingos, lágrimas, protestos, barganhas. Sua pequenina irmã, agarrada à mãe com as duas mãos, exatamente como um macaquinho, estava no colo olhando por cima do ombro para ele, com olhos grandes e melancólicos. No fim das contas, sua mãe quebrou três quartos do chocolate e deu a Winston, dando o outro quarto para sua irmã. A garotinha pegou o chocolate e o olhou estupidamente, talvez sem saber o que era. Winston a observou por um momento. Então, com um pulo rápido, agarrou o pedaço de chocolate da mão da irmã e disparou rumo à porta.

— Winston, Winston! — a mãe o chamou. — Volte aqui! Devolva o chocolate da sua irmã!

Ele parou, mas não voltou. Os olhos ansiosos da mãe estavam fixos no rosto dele. Mesmo agora que pensava na coisa, ele não sabia o que estava prestes a acontecer. Sua irmã, ciente de ter sido roubada de algo, havia começado um choro fraco. Sua mãe passou o braço ao redor da criança a pressionou o rosto dela em seu peito. Alguma coisa no gesto lhe dizia que sua irmã estava morrendo. Ele deu as contas e disparou escada abaixo, com o chocolate ficando grudento em sua mão.

Ele nunca mais viu sua mãe. Depois de ter devorado o chocolate, sentiu-se um pouco envergonhado de si mesmo e ficou na rua por várias horas, até a fome o levar de volta para casa. Quando voltou, sua mãe desaparecera. Isso já estava se tornando normal na época. Nada havia sido levado do quarto exceto pela mãe e a irmã. Eles não tinham levado nenhuma roupa, nem mesmo o casaco da mãe. Até hoje, ele não tinha certeza de que sua mãe estava morta. Era perfeitamente possível que ela houvesse apenas sido enviada para um campo de trabalho forçado. Quanto à irmã, ela podia ter sido removida, como o próprio Winston, para uma das colônias de crianças desabrigadas (Centros de Coleta, chamavam-se) que haviam crescido como resultado da guerra civil, ou podia ter sido enviada para o campo de trabalho junto de sua mãe, ou apenas deixada em algum lugar para morrer.

O sonho ainda estava vívido em sua mente, em especial o gesto envolvente e protetor do braço em que seu significado inteiro parecia estar contido. Sua mente voltou a outro sonho de dois meses antes. Exatamente como sua mãe havia sentado na cama encardida de colcha branca, com a bebê agarrada a ela, era como ela se sentava no navio afundando, muito longe abaixo dele e afundando mais a cada minuto, mas ainda com os olhos erguidos para ele através da água escurecendo.

Ele contou a Julia a história do desaparecimento de sua mãe. Sem abrir os olhos, ela rolou na cama e se ajeitou numa posição mais confortável.

— Eu imagino que você era um porquinho desgraçado naquela época — ela disse vagamente. — Todas as crianças são umas porcas.

— Sim. Mas a parte importante da história é que...

Pela respiração dela, era evidente que estava pegando no sono de novo. Ele gostaria de ter continuado a falar sobre a mãe. Não imaginava, pelo que conseguia se lembrar dela, que ela houvesse sido uma mulher incomum, menos ainda uma mulher inteligente; e, ainda assim, ela tivera uma espécie de nobreza, uma pureza, apenas porque os padrões que ela seguia eram privados. Seus sentimentos eram seus e não poderiam ser alterados de fora. Não teria ocorrido a ela que uma ação que é ineficaz se torna, assim, sem significado. Se você amava alguém, amava alguém, e quando você não tinha mais nada para dar, ainda lhe dava amor. Quando o último pedaço de chocolate acabou, a mãe havia agarrado a criança em seus braços. Não servia de nada, não mudava nada, não produziria mais chocolate, não evitava a morte da criança ou a dela própria; mas lhe parecia natural fazer isso. A mulher refugiada no barco também cobria o garotinho com o braço, o que não protegeria mais das balas do que uma folha de papel. A coisa terrível que o Partido havia feito era convencer as pessoas de que meros impulsos, meros sentimentos, não importavam nada, enquanto ao mesmo tempo roubava delas todo o poder sobre o mundo material. Então, uma vez que se estivesse nas mãos do Partido, o que você sentia ou não sentia, o que fazia ou evitava fazer, literalmente não mudava nada. Fosse lá o que acontecesse, você desaparecia, e ninguém mais ouvia falar de você nem de suas ações de novo. Você era removido do curso da história sem deixar rastro. E, ainda assim, para as pessoas de apenas duas gerações atrás, isso não teria parecido tão importante assim, porque ninguém estava tentando alterar a história. Eles eram governados por lealdades privadas que não questionavam. O que importava eram relacionamentos individuais, e um gesto completamente impotente, um abraço, uma lágrima, uma palavra dita a um homem moribundo, poderiam ter valor em si mesmos. De súbito, ocorreu-lhe que os proletários haviam permanecido nessa condição. Eles não eram leais a um partido ou a um país ou a uma ideia, eles eram leais uns aos outros. Pela primeira vez em sua vida, ele não desprezou os proletários ou pensou neles apenas como uma força inerte que um dia ganharia vida e regeneraria o mundo. Os proletários tinham permanecido humanos. Eles não haviam endurecido por dentro. Eles haviam se agarrado às emoções primitivas que ele próprio teve que aprender de novo com um esforço consciente. E, ao pensar nisso, ele lembrou, sem relevância aparente, como algumas poucas semanas antes ele havia visto uma mão cortada na calçada e a chutara na sarjeta como se fosse caule de repolho.

— Os proletários são seres humanos — ele disse em voz alta. — Nós não somos humanos.

— Por que não? — disse Julia, que havia despertado de novo.

Ele pensou por um tempinho.

— Já ocorreu a você — ele disse — que a melhor coisa para nós seria apenas sair daqui antes que seja tarde demais e nunca mais nos vermos de novo?

— Sim, querido, me ocorreu diversas vezes. Mas não vou fazer isso, mesmo assim.

— Nós tivemos sorte — ele disse —, mas isso não pode durar muito mais. Você é jovem. Você parece normal e inocente. Se ficar longe de pessoas como eu, pode continuar viva por mais cinquenta anos.

— Não. Eu já pensei nisso. Tudo que você fizer eu vou fazer. E não precisa ficar tão desanimado. Sou bastante boa em ficar viva.

— Nós podemos ficar juntos por mais seis meses... um ano... Não tem como saber. No fim das contas, com certeza estaremos separados. Você se dá conta de como estaremos completamente sozinhos? Quando eles colocarem as mãos em nós, não haverá nada, literalmente nada, que qualquer um de nós possa fazer pelo outro. Se eu confessar, vão atirar em você, e se eu me recusar a confessar, eles vão atirar em você de qualquer forma. Nada que eu possa fazer, dizer ou me impedir de dizer vai atrasar a sua morte mais do que cinco minutos. Nenhum de nós sequer vai saber se o outro está vivo ou morto. Nós estaremos totalmente sem poder algum. A única coisa que importa é que não deveríamos nos trair, apesar de que até isso não faz a menor diferença.

— Se você está falando de confessar — ela disse —, nós vamos confessar, com certeza. Todo mundo sempre confessa no fim das contas. Não dá para evitar. Eles torturam a gente.

— Não falo de confissão. Confissão não é traição. O que você diz ou faz não importa: só sentimentos importam. Se eles puderem me fazer parar de amar você... essa seria a traição real.

Ela pensou a respeito.

— Eles não podem fazer isso — ela disse enfim. — É a única coisa que não podem fazer. Eles podem fazer você dizer qualquer coisa... QUALQUER COISA... Mas não podem fazer você acreditar nisso. Não conseguem entrar em você.

— Não — ele disse, com um pouco mais de esperança —, não; isso é bastante verdade. Não conseguem entrar em você. Se você puder SENTIR que permanecer humano vale a pena, mesmo quando não pode obter nenhum resultado, você ganhou deles.

Ele pensou na teletela com seu ouvido que nunca dormia. Eles podiam espiar você noite e dia, mas se você mantivesse a própria mente ainda conseguiria vencê-los pela astúcia. Com toda a inteligência deles, nunca haviam dominado o segredo de descobrir o que outro ser humano pensava. Talvez isso fosse menos verdadeiro quando você estivesse de fato nas mãos deles. Ninguém sabia o que acontecia dentro do Ministério do Amor, mas era possível adivinhar: torturas, drogas, instrumentos delicados que registravam suas reações nervosas, cansaço gradual por insônia e solidão e interrogatório persistente. Fatos, de qualquer forma, não podiam ser mantidos escondidos. Eles podiam ser rastreados em interrogatório, podiam ser espremidos de você com tortura. Mas se o objetivo não fosse permanecer vivo, mas sim permanecer humano, que diferença fazia em última análise? Eles não podiam alterar seus sentimentos: aliás, você mesmo não podia alterá-los, mesmo que quisesse. Eles poderiam desnudar o máximo de detalhes de tudo o que você já tinha feito ou dito ou pensado; mas as profundezas do coração, cujo funcionamento era misterioso até para você mesmo, permaneciam inexpugnáveis.

CAPÍTULO 8

Eles haviam conseguido, eles enfim haviam conseguido!

O recinto em que estavam tinha formato longo e iluminação suave. A teletela estava reduzida a um murmúrio baixo; a opulência do carpete azul-escuro dava a impressão de caminhar sobre veludo. Na extremidade do recinto, O'Brien estava sentado à mesa sob uma lâmpada de tons verdes, com uma massa de papéis em cada lado. Ele não se incomodara em erguer os olhos quando o empregado trouxe Julia e Winston ao recinto.

O coração de Winston batia com tanta força que ele duvidava se conseguiria falar. Eles haviam conseguido, eles enfim haviam conseguido!, era tudo que conseguia pensar. Havia sido um ato ousado ir até lá, e loucura pura chegarem juntos; no entanto, era verdade que haviam chegado por rotas diferentes e se encontrado só na porta de O'Brien. Mas simplesmente entrar em um lugar como esse requeria um esforço de coragem. Apenas em ocasiões raras se via o interior das moradias de membros do Núcleo do Partido, ou sequer penetravam no bairro em que esses membros moravam. Toda a atmosfera do imenso edifício de apartamentos, a opulência e amplidão de tudo, os cheiros não familiares de comida boa e tabaco bom, os elevadores silenciosos e incrivelmente ágeis deslizando para cima e para baixo, os empregados com librés brancas se apressando de um lado para o outro — tudo era intimidador. Apesar de ele ter um bom pretexto para estar ali, sentia-se assombrado a cada passo pelo medo de que um guarda de uniforme preto de súbito apareceria de algum canto, exigiria documentação e ordenaria que fosse embora. O empregado de O'Brien havia admitido os dois sem objeção. Ele era um homem pequeno de cabelo escuro num paletó branco, com um rosto completamente sem expressão em formato de diamante que poderia ser de um chinês. A passagem pela qual ele os levou era de carpete suave, com papel de parede cor de creme e lambris brancos, tudo limpo com requinte. Aquilo também intimidava. Winston não conseguia se lembrar de ter estado, na sua vida inteira, em um corredor cujas paredes não estivessem encardidas pelo contato com corpos humanos.

O'Brien tinha um pedaço de papel entre os dedos e parecia estudá-lo com atenção. Seu rosto pesado, abaixado de forma que se podia ver a linha do nariz, parecia tanto formidável quanto inteligente. Por talvez vinte segundos ficou sentado sem se agitar. Então puxou o ditafone para si e soltou uma mensagem no jargão híbrido dos Ministérios:

— *Itens um vírgula cinco vírgula sete aprovados todomente ponto sugestão contida item seis duplomais ridícula quase crimepensar cancelar ponto nãoproceder construçãomente préobter maismente estimativas maquinário suplementar ponto fim mensagem.*

Ele se levantou de forma deliberada da cadeira e se aproximou deles atravessando o carpete silencioso. Um pouco da atmosfera oficial parecia ter se afastado dele com as palavras em Novilíngua, mas sua expressão era mais sombria que de costume, como se não estivesse contente por ser interrompido. O terror que Winston já sentia foi atravessado por uma onda de vergonha comum. Pareceu-lhe bastante possível que ele houvesse apenas cometido um erro idiota. Pois que provas tinha de fato de que O'Brien era algum tipo de conspirador político? Nada além de um olhar trocado e uma única observação duvidosa; além disso, apenas suas próprias imaginações secretas, fundamentadas em um sonho. Ele não podia nem mesmo recair no fingimento de que viera pegar o dicionário emprestado, porque, naquele caso, a presença de Julia seria impossível de explicar. Conforme O'Brien passava pela teletela, um pensamento pareceu lhe ocorrer. Ele parou, se virou e pressionou um interruptor na parede. Houve um estalo alto. A voz havia parado.

Julia soltou um som minúsculo, uma espécie de guincho de surpresa. Mesmo no meio de seu pânico, Winston ficou chocado demais para conseguir segurar a língua.

— Você pode desligar! — ele disse.

— Sim — disse O'Brien —, nós podemos desligar. Temos esse privilégio.

Ele estava na frente deles agora. Sua forma sólida se avultava sobre o casal, e a expressão em seu rosto ainda era indecifrável. Ele esperava, com uma espécie de gravidade, que Winston falasse, mas sobre o quê? Até mesmo agora, era bastante concebível que ele fosse apenas um homem ocupado se perguntando com irritação por que havia sido interrompido. Ninguém falou. Depois do apagar da teletela, o quarto parecia mortalmente quieto. Os segundos passaram em marcha arrastada, imensos. Com dificuldade, Winston continuou com os olhos fixos em O'Brien. Então, de súbito, o rosto sombrio se rompeu no que poderia ser o começo de um sorriso. Com seu gesto característico, O'Brien recolocou os óculos no nariz.

— Eu começo ou vocês? — ele disse.

— Eu começo — disse Winston de imediato. — Aquele negócio está desligado mesmo?

— Sim, tudo está desligado. Estamos sozinhos.

— Nós viemos aqui porque...

Ele pausou, dando-se conta pela primeira vez de como seus motivos eram vagos. Já que ele não sabia de fato que tipo de ajuda esperava de O'Brien, não era fácil dizer por que estava ali. Ele continuou, ciente de que o que estava dizendo deveria soar tão débil quanto pretensioso:

— Nós acreditamos que existe algum tipo de conspiração, algum tipo de organização secreta trabalhando contra o Partido, e que você está envolvido nela. Nós queremos nos juntar e trabalhar nela. Somos inimigos do Partido. Não acreditamos nos princípios do Socing. Somos criminosos do pensar. Também somos adúlteros. Digo isso a você porque queremos nos colocar à sua mercê. Se você quiser que nós nos incriminemos de alguma outra forma, estamos prontos.

Ele parou e espiou por cima do ombro, com a sensação de que a porta fora aberta. De fato, o pequeno empregado com cara amarela havia entrado sem bater. Winston viu que ele estava carregando uma bandeja com um decantador e taças.

— Martin é um de nós — disse O'Brien, impassível. — Traga as bebidas aqui, Martin. Coloque na mesa redonda. Temos cadeiras suficientes? Então é melhor sentar e falar com conforto. Puxe uma cadeira, Martin. É uma questão de negócios. Você pode parar de ser um empregado pelos próximos dez minutos.

O homenzinho se sentou, bastante confortável, e ainda assim com um ar servil, o ar de um valete aproveitando um privilégio. Winston o espiou com o rabo do olho. Ocorreu a ele que a vida inteira daquele homem era interpretar um papel, e que ele sentia que era perigoso abandonar a personalidade assumida por um momento que fosse. O'Brien pegou o decantador pelo pescoço e encheu os copos com um líquido vermelho-escuro. Aquilo trouxe a Winston memórias apagadas de algo visto muito tempo atrás em uma parede ou anúncio luminoso: o formato de uma garrafa imensa composta de luzes elétricas que pareciam subir e descer e servir o conteúdo em um copo. Olhando de cima, o líquido parecia quase negro, mas no decantador brilhava como rubi. Tinha um cheiro amargo e doce. Ele viu Julia pegar a taça e cheirar com franca curiosidade.

— Isso se chama vinho — disse O'Brien com um sorriso leve. — Você deve ter lido a respeito em livros, sem dúvida. Temo que não circule muito fora do Núcleo do Partido. — Seu rosto ficou solene e ele ergueu a taça. — Acho que é adequado que comecemos com um brinde. Ao nosso Líder: a Emmanuel Goldstein.

Winston pegou a taça com certa ansiedade. Vinho era algo sobre o qual tinha lido e com que tinha sonhado. Como o peso de papel de vidro, ou as canções semiesquecidas de sr. Charrington, pertencia ao passado desaparecido e romântico, o período antigo, como ele gostava de chamar em seus pensamentos secretos. Por algum motivo, ele sempre pensara em vinho como algo com um sabor intensamente doce, como o de geleia de amoras, e de efeito intoxicante imediato. Na realidade, quando chegou a engolir, a bebida era distintamente decepcionante. A verdade era que, depois de anos bebendo gim, ele mal conseguiu saborear. Ele baixou a taça vazia.

— Então esse Goldstein existe mesmo? — ele disse.

— Sim, Goldstein existe e está vivo. Onde, eu não sei.

— E a conspiração... a organização? É real? Não é apenas uma invenção da Polícia do Pensar?

— Não, é real. A Irmandade, nós chamamos. Vocês nunca vão saber muito mais da Irmandade, exceto que ela existe e vocês são parte dela. Voltarei a esse assunto em um instante. — Ele olhou para o relógio de pulso. — Não é sábio, nem para membros do Núcleo do Partido, desligar a teletela por mais de meia hora. Vocês não deveriam ter vindo aqui juntos, e terão de partir em separado. Você, camarada — ele baixou a cabeça para Julia —, partirá primeiro. Nós temos cerca de vinte minutos à nossa disposição. Vocês entendem que devo começar fazendo certas perguntas a vocês. Em termos gerais, o que estão dispostos a fazer?

— Tudo que formos capazes — disse Winston.

O'Brien havia se virado um pouco na cadeira para ficar frente a frente com Winston. Ele quase ignorou Julia, parecendo partir do pressuposto de que Winston poderia falar por ela. Por um momento, as pálpebras baixaram sobre seus olhos. Ele começou a fazer as perguntas em uma voz baixa e sem expressão, como se fosse uma rotina, uma espécie de catecismo, cuja maioria das respostas ele já conhecia.

— Estão preparados para dar suas vidas?
— Sim.
— Estão preparados para cometer homicídio?
— Sim.
— Cometer atos de sabotagem que podem causar a morte de centenas de pessoas inocentes?
— Sim.
— Trair seu país a potências estrangeiras?
— Sim.
— Estão preparados para trapacear, forjar, chantagear, corromper as mentes de crianças, distribuir drogas viciantes, encorajar a prostituição, disseminar doenças venéreas... fazer qualquer coisa que possivelmente cause desmoralização e enfraqueça o poder do Partido?
— Sim.

— Se, por exemplo, servisse ao nosso interesse de alguma forma jogar ácido sulfúrico na cara de uma criança... estão preparados para fazer isso?

— Sim.

— Estão preparados para perder a própria identidade e viver o resto da vida como garçons ou estivadores?

— Sim.

— Estão preparados para cometer suicídio, se e quando ordenarmos?

— Sim.

— Estão preparados, vocês dois, para se separar e nunca mais verem um ao outro?

— Não! — interrompeu Julia.

Pareceu a Winston que muito tempo se passou antes de responder. Por um momento, ele pareceu inclusive estar privado do poder de fala. Sua língua funcionou em silêncio, formando os sons de abertura primeiro de uma palavra e depois de outra, de novo e de novo. Até tê-lo dito, não sabia que palavra iria dizer.

— Não — ele enfim disse.

— Vocês se saíram bem, a meu ver — disse O'Brien. — É necessário que nós saibamos tudo.

Ele se virou para Julia e acrescentou com uma voz um pouco mais expressiva:

— Você entende que mesmo que ele sobreviva, pode ser como uma pessoa diferente? Nós poderemos ser obrigados a dar a ele uma identidade nova. Seu rosto, movimentos, formato das mãos, a cor do cabelo... até mesmo sua voz seria diferente. E você mesma poderia ter que se tornar outra pessoa. Nossos cirurgiões podem alterar as pessoas e deixá-las irreconhecíveis. Às vezes, é necessário. Às vezes, até mesmo amputamos um membro do corpo.

Winston não conseguiu segurar um olhar de esguelha para o rosto mongol de Martin. Não havia cicatrizes até onde ele podia ver. Julia havia ficado um pouco mais pálida, então suas sardas se destacavam, mas ela encarava O'Brien com ousadia. Ela murmurou algo que parecia ser uma concordância.

— Bom. Então isso está decidido.

Havia uma caixa prateada com cigarros na mesa. Com um ar bastante distraído, O'Brien os empurrou para eles, pegou um para si, então levantou de novo e começou a andar devagar de um lado para o outro, como se pensasse melhor em pé. Eram cigarros muito bons, muito grossos e bem enrolados, com um toque sedoso pouco familiar no papel. O'Brien olhou para o relógio de pulso de novo.

— É melhor voltar para a copa, Martin — ele disse. — Vou ligar daqui a um quarto de hora. Dê uma boa olhada no rosto desses camaradas antes de partir. Você os verá de novo. Eu talvez não.

Assim como haviam feito na porta da frente, os olhos escuros do homenzinho piscaram sobre seus rostos. Não havia o menor traço de amistosidade em seus modos. Ele estava memorizando a aparência deles, mas não sentia o menor interesse por eles, ou parecia não sentir. Ocorreu a Winston que um rosto sintético talvez fosse incapaz de mudar de expressão. Sem falar ou dar qualquer tipo de saudação, Martin saiu, fechando a porta em silêncio atrás de si. O'Brien seguia caminhando para cima e para baixo, uma mão no bolso do macacão preto, a outra segurando o cigarro.

— Entendam — ele disse —, vocês estarão lutando no escuro. Sempre estarão no escuro. Receberão ordens e vão obedecê-las, sem saber por quê. Mais tarde, enviarei um livro para vocês, e dele aprenderão a verdadeira natureza da sociedade em que vivemos, e a estratégia segundo a qual a destruiremos. Quando tiverem lido o livro, serão membros integrais da Irmandade. Mas dos objetivos pelos quais batalhamos e das tarefas imediatas do momento, vocês nunca saberão de nada. Digo a vocês que a Irmandade existe, mas não posso contar se os números são de cem membros ou dez milhões. De seu conhecimento pessoal, nunca saberão se ela chega sequer a ter uma dúzia. Vocês terão três ou quatro contatos, renovados de tempos em tempos conforme desaparecem. Como esse foi seu primeiro contato, será preservado. Quando receberem ordens, elas virão de mim. Se acharmos necessário nos comunicar com vocês, será através de Martin. Quando forem enfim pegos, vocês confessarão. Isso é inevitável. Mas terão pouquíssimo para confessar além de suas próprias ações. Não conseguirão trair mais do que meia dúzia de pessoas sem importância. É provável que nem mesmo me traiam. A essa altura, eu posso estar morto, ou terei me tornado outra pessoa, com um rosto diferente.

Ele continuou a se mover de um lado para o outro sobre o carpete suave. Apesar de seu corpo maciço, tinha movimentos de notável graça. Isso transparecia até mesmo no gesto com que enfiava a mão no bolso ou manipulava um cigarro. Mais ainda do que de força, ele passava a impressão de confiança e de um entendimento tingido com ironia. Por mais honesto que pudesse ser, ele não tinha nada da obsessão pertencente a um fanático. Quando falava de assassinato, suicídio, doença venérea, membros amputados e rostos alterados, era com um leve ar de galhofa. "Isso é inevitável", sua voz parecia dizer; "isso é o que temos que fazer, sem titubear. Mas isso não é o que estaremos fazendo quando a vida voltar a valer a pena de viver".

Uma onda de admiração, quase idolatria, fluía de Winston para O'Brien. Naquele momento, ele havia esquecido a figura obscura de Goldstein. Quando se olhava para os ombros poderosos de O'Brien e seu rosto de traços brutos, tão feio e entretanto tão civilizado, era impossível acreditar que ele poderia ser derrotado. Não havia estratagema a que ele não se igualasse, nenhum perigo que não pudesse prever. Até mesmo Julia parecia estar impressionada. Ela havia deixado o cigarro apagar e ouvia com atenção. O'Brien continuou:

— Vocês já escutaram rumores da existência da Irmandade. Sem dúvida têm sua própria ideia de como ela é. Vocês devem ter imaginado, provavelmente, um submundo imenso de conspiradores, encontros secretos em sótãos, mensagens rabiscadas em paredes, reconhecer um ao outro com palavras-chave ou movimentos especiais da mão. Não existe nada assim. Os membros da Irmandade não têm como reconhecer uns aos outros, e é impossível para qualquer membro saber da identidade de mais do que alguns poucos. O próprio Goldstein, se caísse nas mãos da Polícia do Pensar, não poderia lhes dar uma lista completa de membros, nem qualquer informação que os levasse a uma lista completa. Não existe uma lista. A Irmandade não pode ser apagada porque não é uma organização no sentido comum. Nada a mantém junta além de uma ideia que é indestrutível. Vocês nunca terão qualquer coisa que os sustente, exceto a ideia. Não terão camaradagem ou encorajamento. Quando enfim forem pegos, não receberão nenhuma ajuda. Nunca ajudamos nossos membros. No máximo, quando é absolutamente necessário que alguém seja silenciado, conseguimos às vezes contrabandear uma lâmina de barbear para a cela do prisioneiro. Vocês vão precisar se acostumar a viver sem resultados e sem esperança. Trabalharão por algum tempo, serão pegos, confessarão e então morrerão. Esses são os únicos resultados que verão. Não existe nenhuma possibilidade de que qualquer mudança perceptível aconteça durante o período da vida de vocês. Nós somos os mortos. Nossa única vida verdadeira está no futuro. Nós faremos parte dele como punhados de poeira e lascas de osso. Mas o quanto esse futuro pode estar distante, não há como saber. Pode ser daqui a mil anos. No momento, nada é possível, exceto aumentar a área de sanidade pouco a pouco. Não podemos agir coletivamente. Podemos apenas espalhar nosso conhecimento por aí, de indivíduo para indivíduo, geração após geração. Frente à Polícia do Pensar, não há outra forma.

Ele parou e olhou para o relógio de pulso pela terceira vez.

— Está quase na hora de você ir, camarada — ele disse para Julia. — Espera. O decantador ainda está meio cheio.

Ele encheu as taças e ergueu a sua própria pela haste.

— A que brindamos dessa vez? — ele disse, ainda com a mesma leve sugestão de ironia. — À confusão da Polícia do Pensar? À morte do Grande Irmão? À humanidade? Ao futuro?

— Ao passado — disse Winston.

— O passado é mais importante — concordou O'Brien com gravidade.

Esvaziaram suas taças, e um momento depois Julia se levantou para ir. O'Brien pegou uma caixinha do topo de um armário e lhe estendeu um tablete branco liso, pedindo-lhe que o colocasse na língua. Era importante, ele disse, não sair cheirando a vinho: os ascensoristas eram muito observadores. Assim que a porta se fechou atrás dela, ele pareceu esquecer sua existência. Deu mais um ou dois passos de um lado para o outro, então parou.

— Há detalhes a se estabelecer — ele disse. — Imagino que você tenha um esconderijo de algum tipo?

Winston explicou a respeito do quarto sobre a loja de sr. Charrington.

— Isso servirá por enquanto. Mais tarde, vamos arranjar outra coisa para você. É importante mudar o esconderijo com frequência. Por enquanto, enviarei para vocês uma cópia do LIVRO — até mesmo O'Brien, Winston notou, pareceu pronunciar as palavras como se estivessem em itálico —, o livro de Goldstein, entende, assim que possível. Pode demorar alguns dias até eu conseguir um. Não existem muitos, como você deve imaginar. A Polícia do Pensar os caça e destrói quase com a mesma velocidade com que conseguimos produzir. Faz pouquíssima diferença. O livro é indestrutível. Se a última cópia sumisse, nós poderíamos reproduzir o livro quase palavra por palavra. Você leva uma pasta consigo para o trabalho? — ele acrescentou.

— Via de regra, sim.

— Como ela é?

— Preta, muito gasta. Com duas calças.

— Preta, duas alças, muito gasta... bom. Um dia, em um futuro relativamente próximo... não posso lhe dar uma data... uma das mensagens a respeito do seu trabalho matinal conterá uma palavra impressa incorretamente, e você terá que pedir uma repetição. No dia seguinte, irá ao trabalho sem a pasta. Em algum momento durante o dia, na rua, um homem tocará você no ombro e dirá: "Acho que você deixou sua pasta cair". A que ele lhe entregar vai ter uma cópia do livro de Goldstein. Você o devolverá em catorze dias.

Eles ficaram em silêncio por um momento.

— Há alguns minutos antes de você precisar ir — disse O'Brien. — Nós nos encontraremos de novo... se de fato nos encontrarmos de novo...

Winston ergueu os olhos para ele:

— No lugar sem escuridão? — ele disse de forma hesitante.

O'Brien assentiu sem parecer surpreso.

— No lugar sem escuridão — ele disse, como se houvesse reconhecido a alusão. — E no meio-tempo, há alguma coisa que você gostaria de dizer antes de partir? Alguma mensagem? Perguntas?

Winston pensou. Não parecia haver nenhuma pergunta a mais que ele quisesse fazer; muito menos sentiu qualquer impulso de dizer generalidades elevadas. Em vez de qualquer coisa diretamente ligada a O'Brien ou à Irmandade, uma espécie de imagem composta do quarto escuro onde sua mãe passara seus últimos dias veio à sua mente, e o quartinho sobre a loja do sr. Charrington e o peso de papel de vidro e a gravura em metal na moldura de jacarandá. Quase aleatoriamente, ele disse:

— Você já ouviu uma cantiga infantil antiga, que começa com: "*Laranjas e limões, tocam os sinos da Saint Clement os bretões*"?

De novo, O'Brien assentiu com a cabeça. Com uma espécie de cortesia grave, ele completou a estrofe:

— "*Laranjas e limões, tocam os sinos da Saint Clement os bretões / Você me deve dinheiro, os sinos da Saint Martin abrem berreiro / Quando vai me pagar?, ou os sinos de Old Bailey vão tocar / Quando eu ficar rico, como os sinos de Shoreditch, e tenho dito!*"*

— Você conhece o último verso! — disse Winston.

---

*   No original (último verso): "When I grow rich, say the bells of Shoreditch".

— Sim, eu conheço o último verso. E agora, temo eu, é hora de você partir. Mas espere. Se me permite, é melhor eu lhe dar um desses tabletes.

Quando Winston se levantou, O'Brien estendeu a mão. Seu aperto poderoso esmagou os ossos da palma da mão de Winston. À porta, Winston olhou para trás, mas O'Brien parecia já estar em processo de tirá-lo de sua mente. Ele estava esperando com a mão no interruptor que controlava a teletela. Além dele, Winston conseguia ver a escrivaninha com a luminária de luz verde, o ditafone e cestos de arame profundamente abarrotados com papéis. O incidente estava terminado. Dentro de trinta segundos, ocorreu-lhe, O'Brien estaria de volta ao seu trabalho importante em nome do Partido, antes interrompido.

CAPÍTULO 9

Winston se sentia gelatinoso de fadiga. "Gelatinoso" era a palavra apropriada. Viera à sua mente espontaneamente. Seu corpo parecia não apenas ter a fraqueza de uma gelatina, mas sua translucidez. Ele sentia que se levantasse a mão, conseguiria ver a luz atravessá-la. Todo o sangue e linfa haviam sido sugados dele pelo imenso excesso de trabalho, deixando para trás apenas uma estrutura frágil de nervos, ossos e pele. Todas as sensações pareciam estar aumentadas. Seu macacão pesava nos ombros, a calçada fazia cócegas nos pés, até mesmo o abrir e fechar de uma mão era um esforço que fazia suas juntas rangerem.

Ele havia trabalhado mais de noventa horas em cinco dias. Assim como todo mundo no Ministério. Agora tudo estava terminado, e ele não tinha nada para fazer, literalmente, nada de trabalho do Partido de qualquer descrição, até a manhã seguinte. Ele poderia passar seis horas no esconderijo e outras nove em sua própria cama. Devagar, sob o sol ameno da tarde, ele subiu por uma rua miserável na direção da loja do sr. Charrington, sempre atento a patrulhas, mas convencido de forma irracional de que naquela tarde não haveria perigo de alguém interferir com ele. A pasta pesada que ele carregava batia contra seu joelho a cada passo, enviando uma sensação formigante pela perna. Dentro estava o livro, que àquela altura estava em sua posse havia seis dias, e não o abrira ainda, nem mesmo o olhara.

No sexto dia da Semana do Ódio, depois das procissões, dos discursos, dos gritos, dos cantos, das faixas, dos pôsteres, dos filmes, das figuras de cera, do rufar de tambores e do clangor das cornetas, do tremor dos pés em marcha, do movimento moedor das esteiras em tanques, do rugir das esquadrilhas da fumaça, do estampido das armas — depois de seis dias disso, quando o grande orgasmo se elevava ao clímax e o ódio geral contra a Eurásia havia subido a tamanho delírio que, se a multidão pudesse colocar as mãos nos dois mil criminosos de guerra da Eurásia que seriam enforcados publicamente no último dia das celebrações, eles estraçalhariam todos em pedacinhos sem questionar —, nesse exato momento foi anunciado que a Oceânia não estava, afinal de contas, em guerra com a Eurásia. A Oceânia estava em guerra com a Lestásia. A Eurásia era uma aliada.

Não houve, é claro, nenhuma admissão de que qualquer mudança ocorrera. Apenas se tornou sabido, em todas as partes e com extrema subitaneidade, que a Lestásia era a inimiga, não a Eurásia. Winston estava participando de uma manifestação em uma das praças centrais de Londres no momento em que ocorreu. Era noite e os rostos brancos e faixas escarlates estavam luridamente iluminadas por holofotes. A praça estava lotada com muitas milhares de pessoas, incluindo um grupo de cerca de mil crianças em idade escolar com uniforme dos Espiões. Em uma plataforma drapeada de escarlate, um orador do Núcleo do Partido, um homem pequeno e magro com braços desproporcionalmente longos e um grande crânio careca sobre o qual alguns poucos fiapos se agarravam, estava arengando a multidão. Uma pequena figura com ar de Rumpelstiltskin, contorcido em ódio, agarrava o pescoço do microfone com uma mão enquanto a outra, enorme na ponta de um braço ossudo, arranhava o ar de forma ameaçadora sobre sua cabeça. A voz, metálica em virtude dos amplificadores, retumbava um catálogo sem fim de atrocidades, massacres, deportações, saques, estupros, tortura de prisioneiros, bombardeio de civis, propaganda mentirosa, agressões injustas, tratados rompidos. Era quase impossível ouvi-lo sem ficar primeiro convencido e, em seguida, enfurecido. A curtos intervalos a fúria na multidão fervia e se derramava, e a voz do orador afundava sob o rugido de besta selvagem que subia incontrolavelmente de milhares de gargantas. Os gritos mais selvagens de todos vinham das crianças. O discurso já se desenrolava havia talvez vinte minutos quando um mensageiro correu para a plataforma e um pedaço de papel foi passado para a mão do orador. Ele o abriu e abriu sem pausar o discurso. Nada mudou em sua voz e em seus modos, ou no conteúdo do que ele dizia, mas de súbito os nomes eram diferentes. Sem palavras ditas, uma onda de entendimento varreu a multidão. A Oceânia estava em guerra com a Lestásia! No momento seguinte, houve uma comoção tremenda. As faixas e cartazes que decoravam a praça estavam todos errados! Uma boa metade deles estava com os rostos errados! Era sabotagem! Os agentes de Goldstein estiveram trabalhando! Houve um interlúdio de rebelião enquanto pôsteres eram arrancados de muros, faixas rasgadas em pedacinhos e pisoteadas. Os Espiões foram prodigiosos, trepando em tetos e cortando cabos de bandeirolas que saíam das chaminés. Mas em dois ou três minutos estava tudo terminado. O orador, ainda agarrado ao microfone, os ombros caídos para a frente, a mão livre agarrada ao ar, havia retornado direto para o discurso. Um minuto mais e os rugidos ferozes de raiva de novo explodiam da multidão. O Ódio prosseguiu exatamente como antes, exceto que o alvo havia sido modificado.

O que impressionou Winston ao se lembrar disso foi que o orador mudou de uma fala para a outra, na verdade no meio de uma frase, não apenas sem pausar, mas sem sequer quebrar a sintaxe. Naquele instante, todavia, ele tinha outras coisas com as quais se preocupar. Foi durante o momento de desordem, enquanto os pôsteres eram rasgados, que um homem cujo rosto ele não viu havia batido em seu ombro e dito:

— Com licença, acho que você deixou sua pasta cair.

Ele pegou a pasta distraído, sem falar. Sabia que demoraria dias antes de ter uma oportunidade de olhar lá dentro. No momento em que a manifestação acabou, ele foi imediatamente para o Ministério da Verdade, apesar de já ser quase 23 horas. A equipe inteira do Ministério fizera o mesmo. As ordens já saindo das teletelas, comandando-os de volta aos postos, mal eram necessárias.

Oceânia estava em Guerra com a Lestásia: Oceânia sempre estivera em guerra com a Lestásia. Uma grande parte da literatura política de cinco anos agora estava completamente obsoleta. Relatórios e registros de todos os tipos, jornais, livros, panfletos, filmes, trilhas sonoras, fotos — tudo tinha que ser retificado na velocidade da luz. Apesar de nenhuma diretiva ter sido enviada, era sabido que os chefes dos Departamentos pretendiam que dentro de uma semana nenhuma referência à guerra com a Eurásia, ou à aliança com a Lestásia, continuasse existindo em qualquer lugar. O trabalho era esmagador, mais ainda porque os processos envolvidos não podiam receber seus nomes reais. Todos no Departamento de Registros trabalhavam dezoito das vinte e quatro horas, com dois intervalos roubados de três horas para dormir. Colchões foram trazidos dos sótãos e espalhados por todos os corredores; refeições consistiam de sanduíches e Café Victory trazidos em carrinhos por atendentes da cantina. A cada vez que Winston se interrompia para um de seus períodos de sono, tentava deixar a escrivaninha limpa de trabalho, e cada vez que ele se arrastava de volta, com os olhos grudentos e doloridos, via que outra ducha de cilindros de papel havia coberto a escrivaninha como uma nevasca acumulada, enterrando em parte o ditafone e transbordando para o chão, de modo que o primeiro trabalho era sempre empilhá-los com uma organização mínima para ter espaço de trabalho. O pior de tudo era que o trabalho não era, de forma alguma, apenas mecânico. Com frequência bastava substituir um nome por outro, mas qualquer relato detalhado de eventos exigia cuidado e imaginação. Até mesmo o conhecimento geográfico necessário para transferir a guerra de uma parte do mundo para outra era considerável.

No terceiro dia, seus olhos ardiam insuportavelmente e os óculos precisavam ser limpados a cada poucos minutos. Era como se digladiar com alguma maciça tarefa física, algo que o sujeito tinha direito de recusar, mas que, ao mesmo tempo, sentia-se neuroticamente ansioso a cumprir. Até onde tinha tempo de lembrar, ele não se incomodava com o fato de que cada palavra que murmurava no ditafone, cada risco de seu lápis-tinta eram uma mentira deliberada. Ele sentia a mesma ansiedade de todos no Departamento para que a imitação ficasse perfeita. Na manhã do sexto dia, o gotejar de cilindros diminuiu de velocidade. Por cerca de meia hora, nada saiu do tubo; então mais um cilindro, então nada. Por todos os lados, mais ou menos ao mesmo tempo, o trabalho ficava mais leve. Um suspiro profundo e tão secreto quanto possível atravessou o Departamento. Um feito imponente, que nunca poderia ser mencionado, havia sido alcançado. Era agora impossível a qualquer ser humano provar, com evidência documental, que a guerra com a Eurásia havia um dia acontecido. Às doze horas, foi inesperadamente anunciado que todos os empregados no Ministério estavam liberados até a manhã seguinte. Winston, ainda carregando a pasta contendo o livro, que permanecera entre seus pés enquanto trabalhava e sob seu corpo enquanto dormia, foi para casa, fez a barba e quase pegou no sono na banheira, apesar de a água mal estar pouca coisa mais que tépida.

Com um estalo quase voluptuoso nas juntas, subiu as escadas sobre a loja do sr. Charrington. Ele estava cansado, mas não mais sonolento. Abriu a janela, acendeu o fogareiro imundo e colocou uma panela de água para ferver para o café. Julia chegaria em breve: enquanto isso, havia o livro. Ele se sentou na poltrona puída e abriu as alças da pasta.

Um volume pesado preto, costurado de forma amadora, sem nome ou título na capa. A impressão também parecia um pouco irregular. As páginas estavam gastas nas beiradas e despencavam com facilidade, como se o livro tivesse passado por muitas mãos. A inscrição na primeira folha dizia:

A TEORIA E PRÁTICA DO COLETIVISMO OLIGÁRQUICO
por Emmanuel Goldstein

Winston começou a ler.

Capítulo I
Ignorância é força
Por todo o tempo registrado, e provavelmente desde o fim do Período Neolítico, existiram três tipos de pessoas no mundo: as Superiores, as Médias e as Baixas. Elas foram subdivididas

de muitas formas, receberam incontáveis nomes diferentes, e seus números relativos, assim como sua atitude em relação umas às outras, variaram de uma era para a outra: entretanto, a estrutura essencial da sociedade nunca se alterou. Mesmo depois de levantes enormes e mudanças aparentemente irrevocáveis, o mesmo padrão sempre se restabeleceu, assim como um giroscópio sempre retorna ao equilíbrio, por mais que seja empurrado para um lado ou para o outro.

Os objetivos desses grupos são inteiramente inconciliáveis...

Winston parou de ler, em especial para apreciar o fato de que ele estava lendo, em conforto e segurança. Ele estava sozinho: sem teletela, sem uma orelha no buraco da fechadura, nenhum impulso nervoso de espiar por cima do ombro ou cobrir a página com a mão. O ar doce de verão soprava contra sua bochecha. De algum lugar muito longe flutuavam gritos fracos de crianças; no quarto em si não havia som, exceto a voz de inseto do relógio. Ele se afundou um pouco mais profundamente na poltrona e colocou os pés no guarda-fogo. Era um estado de graça, era uma eternidade. De súbito, como as pessoas às vezes fazem com um livro que sabem que acabarão lendo e relendo palavra por palavra, ele abriu em outra parte e se deparou com o Capítulo III. Prosseguiu lendo:

Capítulo III
Guerra é paz

A separação do mundo em três grandes superestados foi um evento que poderia ser e de fato foi previsto antes do meio do século XX. Com a absorção da Europa pela Rússia e do Império Britânico pelos Estados Unidos, dois dos três poderes existentes, a Eurásia e Oceânia, já estavam de fato existindo. O terceiro, Lestásia, só emergiu como uma unidade distinta depois de outra década de batalhas confusas. As fronteiras entre os três superestados são arbitrárias em alguns lugares, e em outros flutuam de acordo com as fortunas da guerra, mas em geral seguem linhas geográficas. A Eurásia é composta por toda a parte norte da massa terrestre europeia e asiática, de Portugal ao Estreito de Bering. A Oceânia é composta pelas Américas, as ilhas do Atlântico, inclusive as britânicas, Australásia e a porção sul da África. A Lestásia, menor que as outras e com uma fronteira ocidental menos definida, é composta pela China e os países ao sul dela, as ilhas japonesas e uma porção grande mas oscilante da Manchúria, da Mongólia e do Tibete.

Em uma combinação ou outra, esses três superestados estão permanentemente em guerra, e têm estado assim pelos últimos 25 anos. Guerra, no entanto, não é mais o combate desesperado e aniquilante que era nas décadas iniciais do século XX. É um conflito de objetivos limitados entre combatentes incapazes de destruir um ao outro, não têm causa material para lutar e não estão divididos por nenhuma diferença ideológica genuína. Isso não quer dizer que a conduta da guerra ou a atitude prevalecente em relação a ela se tornaram menos sanguinárias ou mais cavalheirescas. Pelo contrário: a histeria de guerra é contínua e universal em todos os países, e atos como estupro, saques, assassinato de crianças, redução de populações inteiras à escravidão e retaliações contra prisioneiros que se estendem até mesmo à fervura e ao sepultamento vivo são vistos como normais, e, quando são cometidos pelo seu lado em vez de pelo inimigo, são meritórios. Mas, em um sentido físico, a guerra envolve um número muito pequeno de pessoas, em sua maioria especialistas altamente treinados, e causa relativamente poucas baixas. O combate, quando existe, acontece em fronteiras vagas cujas localizações o homem comum apenas pode imaginar, ou ao redor das Fortalezas Flutuantes, que protegem locais estratégicos nas pistas oceânicas. Nos centros de civilização, a guerra não significa nada além de uma falta de bens de consumo e a ocasional explosão de mísseis que pode causar algumas dezenas de mortes. A guerra de fato mudou de caráter. Mais exatamente, os motivos pelos quais se trava uma guerra mudaram em ordem de importância. Motivos que já estavam presentes em algum nível nas grandes guerras do começo do século XX agora se tornaram dominantes e são conscientemente reconhecidos e acionados.

Para entender a natureza da guerra atual — pois, apesar do reagrupamento que ocorre a cada poucos anos, é sempre a mesma guerra —, deve-se entender em primeiro lugar que é impossível que ela seja decisiva. Nenhum dos três superestados poderia ser definitivamente conquistado, mesmo pelos outros dois combinados. Eles são equilibrados demais, e suas defesas naturais são formidáveis demais. A Eurásia é protegida por seu vasto território em terra. A Oceânia, pela extensão do Atlântico e Pacífico; a Lestásia é protegida pela fertilidade e engenhosidade de seus habitantes. Em segundo lugar, não há mais, em um sentido material, qualquer coisa pela qual lutar. Com o estabelecimento de economias autocontidas, em que a produção e o consumo são engrenagens conectadas, a luta por mercados, que era a principal causa das guerras anteriores, acabou, enquanto a competição por matéria-prima não é mais uma questão de vida e morte. De qualquer forma, cada um dos três superestados é tão vasto que pode obter quase toda a matéria-prima de que precisa dentro de suas próprias fronteiras. No que se trata do propósito econômico direto da guerra, é uma guerra por força de trabalho. Entre as fronteiras dos superestados e não permanentemente na posse de qualquer um deles, há um quadrilátero grosseiro com os cantos em Tânger, Brazzaville, Darwin e Hong Kong, contendo dentro de si cerca de um quinto da população da terra. É pela posse dessas regiões de alta densidade populacional e da calota polar do Hemisfério Norte que os três poderes estão sempre brigando. Na prática, nunca um único poder controla a área disputada em sua totalidade. Porções dela estão passando de mãos o tempo inteiro, e é a oportunidade de obter esse ou aquele fragmento com um golpe súbito de traição que dita as mudanças infinitas de alinhamento.

Todos os territórios disputados contêm minerais valiosos, e alguns deles têm produtos vegetais importantes como a borracha, que em climas frios é necessário sintetizar por meio de métodos relativamente caros. Mas, acima de tudo, eles contêm uma reserva sem fim de trabalho barato. Qualquer poder que controlar a África equatoriana, ou os países do Oriente Médio, ou a Índia do Sul, ou o arquipélago da Indonésia, tem à sua disposição os corpos de dezenas ou centenas de milhares de trabalhadores braçais nativos, mal pagos e esforçados. Os habitantes dessas áreas, reduzidos de forma mais ou menos aberta à categoria de escravos, passam continuamente de conquistador para conquistador, e são gastos como petróleo ou carvão na corrida para produzir mais armamentos, para conquistar mais território, para controlar mais força de trabalho, para produzir mais armamentos, para conquistar mais território, e assim por diante, indefinidamente. Devemos destacar que o combate nunca se move de fato para além dos limites das áreas disputadas. As fronteiras da Eurásia flutuam, avançando ou recuando entre a bacia do Congo e a costa norte do Mediterrâneo; as ilhas do Oceano Índico e Pacífico estão constantemente sendo capturadas e recapturadas pela Oceânia ou pela Lestásia; na Mongólia, a linha divisória entre Eurásia e Lestásia nunca é estável; ao redor do polo, todos os três poderes reclamam para si territórios enormes, que na verdade estão majoritariamente desabitados e inexplorados; mas o equilíbrio de poder sempre permanece, a grosso modo, equilibrado, e o território que forma o cerne de cada superestado sempre permanece inviolado. Além disso, o trabalho dos povos explorados perto da linha do Equador não é realmente necessário à economia mundial. Eles não acrescentam nada à riqueza do mundo, já que o que quer que produzam é usado nos propósitos da guerra, e o objetivo ao travar uma guerra é sempre estar numa posição melhor a partir da qual começar outra guerra. Com seu trabalho, as populações escravas permitem que o ritmo de guerra contínua se acelere. Se não existissem, todavia, a estrutura da sociedade mundial e o processo pelo qual ela se mantém não seriam essencialmente diferentes.

O objetivo primário da guerra moderna (segundo os princípios do DUPLIPENSAR, esse objetivo é simultaneamente reconhecido e não reconhecido pelos cérebros comandantes do Núcleo do Partido) é usar todos os produtos da máquina sem melhorar o padrão geral de vida. Desde o final do século XIX, o problema de o que fazer com o excesso dos bens de consumo esteve latente na sociedade industrial. No momento, quando poucos seres humanos sequer têm o suficiente para comer, esse problema é obviamente não urgente, e poderia não se tornar, mesmo se nenhum processo artificial de destruição estivesse em funcionamento. O mundo de hoje é um lugar exposto, faminto, dilapidado comparado ao mundo que existia antes de 1914, e mais ainda se o compararmos ao futuro imaginário pelo qual as pessoas daquela época ansiavam. No começo do século XX, a visão de uma sociedade do futuro inacreditavelmente rica, com lazer, organização e eficiência — um cintilante mundo antisséptico de vidro e aço e concreto branco como a neve —, era parte da consciência de quase todas as pessoas alfabetizadas. A ciência e a tecnologia se desenvolviam em velocidades prodigiosas, e parecia natural imaginar que continuariam se desenvolvendo. Isso não aconteceu, em parte por causa do empobrecimento causado por uma longa série de guerras e revoluções, em parte porque o progresso científico e técnico dependiam do hábito empírico de pensar, que não podia sobreviver em uma sociedade estritamente regimentada. Como um todo, o mundo é mais primitivo hoje do que era cinquenta anos atrás. Certas áreas mais atrasadas avançaram, e diversos equipamentos, sempre conectados de alguma forma com atividades de guerra e espionagem policial, foram desenvolvidos, mas experimentação e invenção em larga escala pararam e as devastações da guerra atômica dos anos 1950 nunca foram reparadas por completo. Ainda assim, os perigos inerentes à máquina ainda estão lá. A partir do momento em que a máquina fez sua primeira aparição, ficou claro a todos os seres humanos pensantes que a necessidade do trabalho humano enfadonho e, portanto, em uma grande parte a necessidade de desigualdade humana, haviam desaparecido. Se a máquina fosse usada deliberadamente com esse objetivo, a fome, o trabalho excessivo, a sujeira, o analfabetismo e as doenças poderiam ser eliminados em poucas gerações. E, na verdade, sem ser usada para nada parecido, mas por uma espécie de processo automático — produzindo riqueza que às vezes era impossível não distribuir —, a máquina de fato aumentou imensamente o padrão de vida do ser humano médio por cerca de cinquenta anos ao final do século XIX e o começo do século XX.

Mas também ficou claro que um aumento geral da riqueza mundial ameaçava a destruição — de fato, em alguns sentidos era a própria destruição — de uma sociedade hierárquica. Em um mundo em que todos trabalhassem poucas horas, tivessem comida suficiente, morassem em casas com banheiro e geladeira e tivessem um automóvel ou até um avião, a forma mais óbvia e talvez mais importante de desigualdade já teria desaparecido. Se em algum momento se generalizasse, a riqueza não traria nenhuma distinção. Era possível, sem dúvidas, imaginar uma sociedade em que a RIQUEZA, no sentido de bens pessoais e luxos, seria distribuída igualitariamente, enquanto o PODER permanecia das mãos de uma pequena casta privilegiada. Mas, na prática, uma sociedade assim não poderia mais permanecer estável. Pois se o lazer e a segurança fossem desfrutados por todos igualmente, a grande massa de seres humanos que normalmente fica estupefata pela pobreza se tornaria letrada e aprenderia a pensar por si mesma; e assim que tivesse feito isso, mais cedo ou mais tarde se daria conta de que a minoria privilegiada não tinha função, e a varreria para longe. No longo prazo, uma sociedade hierárquica era apenas possível com base na pobreza e na ignorância. Voltar ao passado agrícola, como alguns pensadores do começo do século XX sonhavam em fazer, não era uma solução praticável. Entrava em conflito com a tendência à mecanização que havia se tornado praticamente instintiva por quase todo o mundo, e mais ainda, qualquer país que permanecesse retrógrado em sua indústria estava indefeso no sentido militar e destinado a ser dominado, de forma direta ou indireta, pelos rivais mais avançados.

Tampouco era uma solução satisfatória manter as massas na pobreza restringindo a produção de bens. Isso aconteceu em grande extensão durante a fase final do capitalismo, grosso modo entre 1920 e 1940. A economia de muitos países chegou a estagnar, terras pararam de ser cultivadas, equipamento fundamental não foi adquirido, grandes blocos populacionais foram impedidos de trabalhar e mantidos semivivos por meio de caridade estatal. Mas isso também gerava fraqueza militar, e já que as privações que causavam eram obviamente desnecessárias, isso fez com que a oposição fosse inevitável. O problema era como manter as rodas da indústria girando sem aumentar a riqueza real do mundo. Bens deveriam ser produzidos, mas não distribuídos. E, na prática, a única forma de conseguir isso era com um estado contínuo de guerra.

O ato essencial da guerra é a destruição, não necessariamente de vidas humanas, mas dos produtos do trabalho humano. A guerra é uma forma de estraçalhar, ou lançar na estratosfera, ou afundar nas profundezas do oceano, materiais que poderiam de outra forma ser usados para deixar as massas confortáveis demais, e, portanto, no longo prazo, inteligentes demais. Mesmo quando armas de guerra não são de fato destruídas, sua produção ainda é uma forma conveniente de gastar força de trabalho sem produzir nada que possa ser consumido. Uma Fortaleza Flutuante, por exemplo, carrega em si o trabalho que construiria diversas centenas de navios de carga. Em última instância, ela é destruída por ser obsoleta, nunca tendo trazido nenhum benefício material a ninguém, e com trabalhos ainda mais laboriosos outra Fortaleza Flutuante é construída. Por princípio, o esforço de guerra é sempre planejado como forma de devorar qualquer excedente que possa existir depois de satisfazer as necessidades mínimas da população. Na prática, as necessidades da população são sempre subestimadas, com o resultado de que há uma falta crônica de metade das necessidades da vida; mas isso é visto como uma vantagem. É uma política deliberada manter até mesmo os grupos favorecidos em algum lugar quase à beira da privação, porque um estado geral de escassez aumenta a importância de pequenos privilégios e assim amplia a distinção entre um grupo e outro. Pelos padrões do começo do século XX, até mesmo um membro do Núcleo do Partido leva uma vida austera e árdua. Ainda assim, os poucos luxos de que ele de fato goza — um apartamento grande e bem equipado, a textura melhor das roupas, a melhor qualidade de sua comida e bebida e tabaco, seus dois ou três empregados, seu automóvel ou helicóptero particular —, isso o coloca em um mundo diferente do de um membro periférico do Partido, e os membros periféricos do Partido têm uma vantagem similar em comparação com as massas submersas que chamamos de "proletários". A atmosfera social é a de uma cidade sitiada, em que a posse de um punhado de carne de cavalo faz a diferença entre riqueza e pobreza. E ao mesmo tempo, a consciência de estar em guerra, e portanto em perigo, faz a entrega de todo o poder para uma casta pequena parecer uma condição natural e inevitável para a sobrevivência.

A guerra, veremos, cumpre a destruição necessária, mas a cumpre de uma forma psicologicamente aceitável. Por princípio, seria bem simples desperdiçar os excedentes de trabalho do mundo construindo templos e pirâmides, cavando buracos e enchendo-os de novo, ou até mesmo produzindo quantidades vastas de bens e então colocando fogo neles. Mas isso forneceria apenas a base econômica e não a emocional para uma sociedade hierárquica. O que se concerne aqui não é a moral das massas, cuja atitude não importa desde que sejam mantidas trabalhando de forma contínua, mas a moral do Partido em si. É esperado que mesmo o membro mais humilde do Partido seja competente, engenhoso e até inteligente dentro de parâmetros estreitos, mas também é necessário que ele seja um fanático crédulo e ignorante cujas emoções prevalecentes sejam medo, ódio, adulação e triunfo orgíaco. Em outras palavras, é necessário que ele tenha a mentalidade apropriada a um estado de guerra. Não importa se a guerra está de fato acontecendo e, já que nenhuma vitória decisiva é possível, não importa se a guerra está indo bem ou mal. Tudo o que é necessário é que um estado de guerra exista. Essa separação de consciências que o Partido requer de seus membros, e que é mais fácil de obter na atmosfera de guerra, é agora quase universal, mas quanto mais alto o sujeito sobe nas fileiras hierárquicas, mais marcada ela se torna. É precisamente no Núcleo do Partido que a histeria bélica e o ódio pelo inimigo são mais fortes. Em sua posição de administrador, é frequentemente necessário que um membro do Núcleo do Partido saiba que esse ou aquele item de notícias de guerra são inverdades, e ele pode com frequência estar ciente de que a guerra inteira é espúria, e/ou não está acontecendo, ou está acontecendo por propósitos muito diferentes dos que foram declarados; mas essa consciência é fácil de neutralizar com a técnica do DUPLIPENSAR. Enquanto isso, nenhum membro do Núcleo do Partido vacila por um instante sequer em sua crença mística de que a guerra é real, e de que está fadada a terminar de forma vitoriosa, com a Oceânia como mestre indisputável do mundo inteiro.

Todos os membros do Núcleo do Partido acreditam nesta conquista vindoura como um artigo de fé. Ela será obtida pela aquisição gradual de mais e mais território, construindo assim uma preponderância de poder esmagadora, ou pela descoberta de alguma arma nova e incontestável. A busca por novas armas continua, incessante, e é uma das poucas atividades remanescentes em que mentes do tipo inventivo ou especulativo podem encontrar vazão. Na Oceânia atual, a Ciência, no sentido antigo, quase cessou de existir. Em Novilíngua, não há palavra para "Ciência". O método de pensamento científico em que todas as conquistas científicas do passado se fundaram se opõe aos princípios mais fundamentais do Socing. E até mesmo o progresso tecnológico apenas acontece quando seus produtos podem de alguma forma ser usados para a redução de liberdade humana. Em todas as artes úteis, o mundo está ou parado ou regredindo. Os campos são cultivados com arados puxados com cavalos, enquanto livros são escritos com máquinas. Mas em questões de importância vital — querendo dizer, de fato, a guerra e espionagem policial —, a abordagem empírica ainda é encorajada, ou ao menos tolerada. Os dois objetivos do Partido são conquistar toda a superfície terrestre e extinguir, de uma vez por todas, toda a possibilidade de pensamento independente. Há, portanto, dois grandes problemas que o Partido se preocupa em resolver. Um é como descobrir, contra a sua vontade, o que outro ser humano está pensando, e o outro é como matar várias centenas de milhões de pessoas em poucos segundos sem nenhum aviso prévio. Até onde a pesquisa científica ainda existe, esses são seus tópicos de pesquisa. O cientista atual é uma mistura de inquisidor e psicólogo, estudando com minúcia normal e real o significado de expressões faciais, gestos e tons de voz, e testando os efeitos produtores de verdades de drogas, terapia de choque, hipnose e tortura física; ou ele é um químico, físico ou biólogo, preocupado apenas com os assuntos de sua área de pesquisa que forem relevantes para tirar uma vida. Nos vastos laboratórios do Ministério da Paz, e em estações experimentais escondidas nas florestas brasileiras, ou no deserto australiano, ou nas ilhas perdidas da Antártida, as equipes de especialistas trabalham incansavelmente. Alguns estão envolvidos apenas com o planejamento da logística de guerras futuras; outros planejam mísseis cada vez maiores, explosivos cada vez mais poderosos e armaduras cada vez mais impenetráveis; outros buscam gases novos e mais fatais, ou venenos solúveis capazes de serem produzidos em quantias suficientes para destruir a vegetação de continentes inteiros, ou cepas de germes de doenças imunizadas contra todos os anticorpos possíveis; outros se esforçam para produzir um veículo que suporte atravessar o solo como um submarino faz na água, ou um avião tão independente da própria base como um navio a vela; outros exploram possibilidades ainda mais remotas, como focar os raios de sol com lentes suspensas a milhares de quilômetros de distância no espaço, ou produzir terremotos artificiais e maremotos utilizando o calor do centro da Terra.

Mas nenhum desses projetos sequer chega perto de se realizar, e nenhum dos três superestados algum dia ganha uma vantagem significativa sobre os outros. O que é mais notável é que todos os três poderes já têm, na bomba atômica, uma arma muito mais poderosa do que qualquer uma que seus atuais pesquisadores provavelmente descobrirão. Apesar de o Partido, seguindo seu hábito, reivindicar a invenção para si, bombas atômicas surgiram pela primeira vez por volta dos anos 1940 e foram usadas em larga escala pela primeira vez cerca de dez anos depois. Naquela época, algumas centenas de bombas foram lançadas em centros industriais, em especial na Rússia europeia, Europa Ocidental e América do Norte. O efeito foi o de convencer grupos dirigentes de todos os países que mais algumas bombas nucleares significariam o fim da sociedade organizada, e, portanto, do poder deles mesmos. Após isso, apesar de nenhum acordo formal ter sido feito ou sugerido, nenhuma outra bomba foi lançada. Todos os três poderes apenas continuaram a produzir bombas atômicas e a guardá-las em preparação para a oportunidade decisiva que todos ainda acreditam que virá, mais cedo ou mais tarde. Enquanto isso, a arte da guerra permaneceu quase imóvel por trinta ou quarenta anos. Helicópteros são mais usados do que eram antes, aviões bombardeiros foram amplamente suplantados por projéteis autopropelidos, e o navio de guerra móvel e frágil cedeu espaço para a Fortaleza Flutuante, quase impossível de afundar; tirando isso, houve pouco desenvolvimento. O tanque, o submarino, o torpedo, a metralhadora, até mesmo o rifle e a granada de mão ainda estão em uso. E, apesar dos massacres sem fim relatados na imprensa e nas teletelas, as batalhas desesperadas de guerras anteriores, em que centenas de milhares e até milhões de homens com frequência eram mortos em poucas semanas, nunca se repetiram.

Nenhum dos superestados tenta qualquer manobra que envolva o risco sério de derrota. Quando qualquer operação maior é executada, é em geral um ataque surpresa contra um aliado. A estratégia que todos os três poderes estão seguindo, ou fingem para si mesmos que estão seguindo, é a mesma. O plano é fechar, com uma combinação de combate, barganha e toques de traição em momentos pontuais, um círculo de bases circulando por completo um ou outro dos estados rivais, e então assinar um pacto de amizade com aquele rival e permanecer em termos pacíficos por alguns anos a fim de colocar a suspeita para dormir. Durante esse tempo, foguetes cheios de bombas atômicas podem ser montados em locais estratégicos; enfim, todos eles serão disparados ao mesmo tempo, com efeitos tão devastadores que tornarão a retaliação impossível. Então será a hora de assinar um pacto de amizade com o poder mundial restante, em preparação para outro ataque. Esse esquema, quase desnecessário dizer, é um mero devaneio, impossível de realizar. Além disso, nenhum combate ocorre de fato, exceto nas áreas disputadas perto do Equador e no Polo Norte: invasões de território inimigo nunca acontecem. Isso explica o fato de que, em alguns lugares, as fronteiras entre superestados são arbitrárias. A Eurásia, por exemplo, poderia conquistar as Ilhas Britânicas com facilidade, já que são parte geográfica da Europa, ou, por outro lado, seria possível que a Oceânia empurrasse suas fronteiras até o Reno ou o Vístula. Mas isso violaria o princípio, seguido por todos os lados, apesar de nunca formulado, de integridade cultural. Se a Oceânia conquistasse as áreas antes conhecidas como França e Alemanha, seria necessário exterminar os habitantes dali, uma tarefa de grande dificuldade física, ou assimilar uma população de cerca de cem milhões de pessoas que, no que diz respeito ao desenvolvimento tecnológico, está mais ou menos nos níveis oceânicos. O problema é o mesmo para os três superestados.

É absolutamente necessário à estrutura deles que não haja contato com estrangeiros, exceto, de forma limitada, com prisioneiros de guerra e escravos de cor. Mesmo o aliado oficial do momento sempre é visto com a mais sombria suspeita. Tirando prisioneiros de guerra, o cidadão médio da Oceânia nunca pousa os olhos em um cidadão da Eurásia ou da Lestásia, e está proibido de aprender idiomas estrangeiros. Se lhe fosse permitido o contato com estrangeiros, descobriria que são criaturas similares a ele mesmo e que a maioria das informações contadas sobre eles são falsas. O mundo selado em que ele vive se partiria, e o medo, ódio e presunção de que sua moral depende poderiam evaporar. É, portanto, notado em todos os lados que, por mais frequentemente que Pérsia, Egito, Java ou Ceilão troquem de mãos, as fronteiras principais nunca podem ser cruzadas por nada além de mísseis.

Sob isso, há um fato nunca mencionado em voz alta, mas entendido de forma tácita e obedecido: pontualmente, que a condição de vida nesses três superestados é muito parecida. Na Oceânia, a filosofia prevalecente se chama Socing, na Eurásia se chama Neobolchevismo, e na Lestásia é chamada por um nome chinês, em geral traduzido como Adoração à Morte, mas talvez melhor adaptado como Obliteração do Eu. O cidadão da Oceânia não pode saber nada das doutrinas das outras duas filosofias, mas aprende a execrá-las como ultrajes bárbaros à moralidade e ao bom senso. Na verdade, as três filosofias mal são distinguíveis, e os sistemas sociais que sustentam não são distinguíveis de forma alguma. Em todos os lugares há a mesma estrutura piramidal, a mesma adoração a um líder semidivino, a mesma economia que existe por e para a guerra contínua. Como consequência, os três superestados não apenas não podem conquistar um ao outro, mas não ganhariam vantagem alguma se o fizessem. Pelo contrário, desde que permaneçam em conflito, eles se apoiam, como um tripé de feixes de milho. E, como de costume, os grupos dominantes dos três poderes estão ao mesmo tempo conscientes e inconscientes do que estão fazendo. Suas vidas são dedicadas à conquista mundial, mas eles também sabem que é necessário que a guerra continue para sempre e sem vitória. Enquanto isso, o fato de que NÃO HÁ perigo de conquista torna possível a negação da realidade, que é o traço especial do Socing e seus sistemas de pensamento rivais. Aqui é necessário repetir o que foi dito antes: que, ao se tornar contínua, a guerra mudou fundamentalmente de caráter.

Em tempos passados, uma guerra, quase que por definição, era algo que mais cedo ou mais tarde chegava ao fim, em geral com uma vitória ou derrota inconfundível. Também no passado a guerra era um dos instrumentos principais por meio dos quais as sociedades humanas eram mantidas em contato com a realidade física. Todos os líderes em todas as eras tentaram impor a seus seguidores uma visão falsa do mundo, mas não podiam se permitir encorajar qualquer ilusão que tendesse a prejudicar a eficiência militar. Como a derrota significava a perda de independência, ou algum outro resultado geralmente visto como indesejável, as precauções contra a derrota tinham que ser sérias. Fatos físicos não podiam ser ignorados. Na filosofia, religião, ética ou política, dois e dois poderiam somar cinco, mas quando se projetava uma arma ou avião, tinham que somar quatro. Nações pouco eficientes eram sempre conquistadas, mais cedo ou mais tarde, e a luta por eficiência era inimiga de ilusões. Além disso, para ser eficiente, era necessário conseguir aprender com o passado, o que significava ter uma ideia razoavelmente precisa do que acontecera no passado. Jornais e livros de história eram, é claro, sempre coloridos e enviesados, mas a falsificação do tipo praticado hoje teria sido impossível. A guerra era uma salvaguarda certeira da sanidade, e no que se tratava das classes dominantes, era provavelmente a salvaguarda mais importante. Enquanto guerras poderiam ser vencidas ou perdidas, nenhuma classe dominante poderia ser irresponsável por completo.

Contudo, quando a guerra se torna literalmente contínua, ela também cessa de oferecer perigo. Quando a guerra é contínua, não existe algo como uma necessidade militar. O progresso técnico pode cessar e os fatos mais palpáveis podem ser negados ou ignorados. Como vimos, pesquisas que podem ser chamadas de científicas ainda existem para os propósitos da guerra, mas são em essência um tipo de devaneio, e o fracasso em demonstrar resultados não é importante. A eficiência, mesmo a eficiência militar, não é mais necessária. Nada é eficiente na Oceânia exceto a Polícia do Pensar. Já que cada um dos superestados é inconquistável, cada um é, em efeito, um universo separado em que quase qualquer perversão do pensamento pode ser praticada. A realidade só exerce sua pressão através das necessidades da vida cotidiana — a necessidade de comer e beber, de se abrigar e vestir, de evitar engolir veneno ou cair de janelas no último andar e assim por diante. Entre a vida e a morte, e entre o prazer físico e a dor física, ainda há uma distinção, mas isso é tudo. Sem contato com o mundo exterior e com o passado, o cidadão da Oceânia é como um homem no espaço sideral, que não tem como saber que lado é para cima ou para baixo. Os líderes de um Estado assim são absolutos, como os faraós ou césares não puderam ser. Eles estão obrigados a evitar que seus seguidores morram de fome em números grandes o suficiente para se tornarem inconvenientes, e são obrigados a permanecer no mesmo baixo nível de técnica militar que seus rivais; mas uma vez que esse mínimo é cumprido, podem espremer a realidade no molde que quiserem.

    A guerra, portanto, se julgarmos pelo padrão de guerras anteriores, é apenas uma impostura. Ela é como as batalhas entre certos animais ruminantes cujos chifres se embatem num ângulo em que ambos perdem a capacidade de ferir o competidor. Mas, apesar de ser irreal, não é sem significado. Ela consome o excedente de bens de consumo, e ajuda a preservar a atmosfera mental especial de que uma sociedade hierárquica necessita. A guerra, como veremos, é agora uma questão puramente interna. No passado, os grupos dominantes de todos os países, embora pudessem reconhecer seu interesse em comum e portanto limitar a destrutividade de suas guerras, de fato lutavam um contra o outro, e o vitorioso sempre saqueava o derrotado. Em nossos dias atuais, eles não estão lutando um contra o outro, de forma alguma. A guerra é travada entre cada grupo dominante contra seus próprios súditos, e o objetivo da guerra não é conquistar novos territórios ou evitar a conquista dos seus, mas manter a estrutura da sociedade intacta. A própria palavra "guerra", portanto, se torna enganosa. Provavelmente seria correto dizer que, ao se tornar contínua, a guerra cessou de existir. A pressão peculiar que ela exerceu sobre os seres humanos entre a Era Neolítica e o começo do século XX desapareceu e foi trocada por algo bastante diferente. O efeito seria muito o mesmo se os três superestados, em vez de lutarem entre si, concordassem em viver em paz perpétua, cada um inviolável em seus próprios limites. Pois, nesse caso, cada um ainda seria um universo autocontido, libertado para sempre da influência moderadora do perigo externo. Uma paz que fosse verdadeiramente permanente seria o mesmo que uma guerra permanente. Este — apesar de a maioria dos membros do Partido apenas entender em um sentido mais superficial — é o significado interior do lema do Partido: GUERRA É PAZ.

Winston parou de ler por um momento. Em algum lugar à distância, um míssil retumbou. O sentimento de regozijo de estar sozinho com o livro proibido, em um quarto sem teletela, não havia passado. Solidão e segurança eram sensações físicas, misturadas de alguma forma com o cansaço de seu corpo, a maciez da poltrona, o toque da leve brisa da janela que passava pela bochecha. O livro o fascinava, ou, com mais precisão, o tranquilizava. Em certo sentido, ele não contava nada de novo, mas isso era parte da atração. O livro dizia o que ele teria dito, se conseguisse colocar seus pensamentos espalhados em ordem. Era o produto de uma mente similar à dele, mas imensamente mais poderosa, mais sistemática, menos dominada pelo medo. Os melhores livros, ele percebeu, são aqueles que lhe contam aquilo que você já sabe. Ele acabava de retornar ao Capítulo I quando ouviu os passos de Julia na escada e saltou da poltrona para encontrá-la. Ela largou o saco marrom de ferramentas no chão e se lançou em seus braços. Fazia mais de uma semana que haviam se visto pela última vez.

— Eu estou com O LIVRO — ele disse quando se desenlaçaram.

— Ah, você está com ele? Bom — ela disse sem muito interesse, e quase de imediato se abaixou ao lado do fogareiro a querosene para preparar café.

Não voltaram ao assunto até terem estado na cama por meia hora. A noite estava fresca o bastante para puxar a colcha. De baixo, vinha o som familiar de cantoria e do arrastar de botas em lajotas. A mulher corpulenta de braços vermelhos que Winston havia visto na primeira visita era quase uma decoração permanente no quintal. Parecia não haver hora do dia em que ela não estivesse marchando de um lado para o outro entre o tanque e o varal, alternando entre encher a boca com pregadores de roupas e soltar a voz em uma canção luxuriante. Julia havia se ajeitado de lado e parecia já estar prestes a pegar no sono. Ele alcançou o livro, que estava no chão, e se sentou apoiado na cabeceira da cama.

— Temos que ler — ele disse. — Você também. Todos os membros da Irmandade têm que ler.

— Você lê — ela disse com os olhos fechados. — Leia em voz alta. É o melhor jeito. Aí você explica para mim conforme avança.

Os ponteiros do relógio marcavam seis, o que significava dezoito. Eles tinham três ou quatro horas pela frente. Ele apoiou o livro nos joelhos e começou a ler:

Capítulo I
Ignorância é força

Por todo o tempo registrado, e provavelmente desde o fim do Período Neolítico, existiram três tipos de pessoas no mundo: as Superiores, as Médias e as Baixas. Elas foram subdivididas de muitas formas, receberam incontáveis nomes diferentes, e seus números relativos, assim como sua atitude em relação umas às outras, variaram de uma era para a outra: mas a estrutura essencial da sociedade nunca se alterou. Mesmo depois de levantes enormes e mudanças aparentemente irrevocáveis, o mesmo padrão sempre se restabeleceu, assim como um giroscópio sempre retorna ao equilíbrio, por mais que seja empurrado para um lado ou para o outro.

— ... Julia, está acordada? — Winston disse.
— Sim, meu amor, estou ouvindo. Pode continuar. Está maravilhoso.

Ele continuou a ler:

Os objetivos desses grupos são inteiramente inconciliáveis. O objetivo da Superior é permanecer onde está. O objetivo da Média é trocar de lugar com a Superior. O objetivo da Baixa, quando ela tem um objetivo — pois é uma característica duradoura dos Baixos que eles vivem demasiado soterrados pela labuta para estar mais do que intermitentemente conscientes de qualquer coisa fora da vida diária — é abolir todas as distinções e criar uma sociedade em que todos os homens sejam iguais. Assim sendo, ao longo de toda a história, uma batalha que é a mesma em seus desenhos gerais ocorre de novo e de novo. Por longos períodos os Superiores parecem estar no poder com segurança, mas mais cedo ou mais tarde sempre parece chegar um momento em que ou perdem a fé em si mesmos ou a capacidade de governar com eficiência, ou os dois. Eles são derrubados pela Média, que convoca a Baixa para o seu lado, fingindo estar lutando por liberdade e justiça. Assim que atinge seus objetivos, a Média lança a Baixa de volta à sua posição de servidão, e eles próprios se tornam a Superior. De imediato, um novo grupo Médio se separa dos outros grupos, ou dos dois, e o embate recomeça. Dos três grupos, apenas o Baixo nunca tem sucesso, nem mesmo temporário, em conquistar seus objetivos. Seria um exagero dizer que ao longo da história não houve progresso do tipo material. Mesmo hoje, em um período de declínio, o ser humano médio está fisicamente melhor do que estava alguns séculos atrás. Mas nenhum avanço em riqueza, nenhum suavizar de modos, nenhuma reforma ou revolução chegou a deixar a igualdade humana um milímetro mais próxima. Do ponto de vista dos Baixos, nenhuma mudança histórica chegou a significar muito mais do que uma mudança de nome dos mestres.

Ao final do século XIX, a recorrência desse padrão havia se tornado óbvia a muitos observadores. Então surgiram escolas de pensadores que interpretavam a história como um processo cíclico e afirmavam demonstrar que a desigualdade era uma lei inalterável da vida humana. Essa doutrina, é claro, sempre tivera seus adeptos, mas houve uma mudança considerável na forma em que ela foi enfim proposta. No passado, a necessidade de uma forma hierárquica da sociedade tinha sido uma doutrina específica dos Superiores. Ela havia sido defendida por reis e aristocratas a padres, advogados e similares que eram parasitários delas, e eram geralmente suavizadas com promessas de recompensa em um mundo imaginário além do túmulo. Os Médios, desde que estivessem em batalha pelo poder, sempre se utilizaram de termos como liberdade, justiça e fraternidade. Agora, no entanto, o conceito de irmandade humana começava a ser roubado por pessoas que ainda não estavam em posições de comando, apenas esperavam estar em breve. No passado, os Médios haviam feito revoluções em nome da igualdade, e então estabelecido uma tirania nova em folha assim que a antiga foi derrubada. O socialismo, uma teoria que surgiu no começo do século XIX e era o último elo numa cadeia de pensamentos se estendendo até as rebeliões de escravos dos tempos antigos, ainda estava profundamente infectado pelo utopismo das épocas passadas. Porém, a cada variante do socialismo que surgiu a partir dos 1900, o objetivo de estabelecer a liberdade e igualdade era abandonado de modo cada vez mais aberto. Os novos movimentos que apareceram nos anos do meio do século, Socing na Oceânia, Neobolchevismo na Eurásia, Adoração à Morte, como se chama de forma comum, na Lestásia, tinham o objetivo consciente de perpetuar a DESliberdade e INigualdade. Esses movimentos novos, é claro, brotaram dos antigos e tendiam a manter os nomes e usar os termos da ideologia da boca para fora. Mas o propósito de todos eles era interromper o progresso e congelar a história em dado momento. O balançar familiar do pêndulo aconteceria mais uma vez, e então pararia. Como de costume, os Superiores seriam substituídos pelos Médios, que então se tornariam os Superiores; mas desta vez, por uma estratégia consciente, os Superiores conseguiriam manter a posição de forma permanente.

As doutrinas novas surgiram em parte por causa da acumulação de conhecimento histórico e do crescimento de noção histórica, que mal haviam existido antes do século XIX. O movimento cíclico da história agora era inteligível, ou parecia ser; e se era inteligível, então era alterável. Mas a causa principal, subjacente, era que desde o começo do século XX a igualdade humana havia se tornado tecnicamente possível. Ainda era verdade que os homens não eram iguais em seus talentos nativos e que funções tinham que ser especializadas de formas que favorecessem alguns indivíduos contra outros; mas não havia nenhuma outra necessidade real para distinções de classe ou grandes diferenças de riqueza. Em épocas anteriores, distinções de classe haviam sido não apenas inevitáveis mas desejáveis. A desigualdade era o preço da civilização. Com o desenvolvimento de produção com máquinas, no entanto, o caso mudava. Mesmo que ainda fosse necessário para seres humanos fazer tipos diferentes de trabalho, já não era mais necessário que vivessem em diferentes níveis sociais e econômicos. Portanto, do ponto de vista dos novos grupos que estavam prestes a tomar poder, a igualdade humana não era mais um ideal a buscar, mas um perigo a evitar. Em épocas mais primitivas, quando uma sociedade justa e pacífica não era de fato possível, ela era bastante fácil de acreditar. A ideia de um paraíso na terra no qual homens viveriam juntos em um estado de irmandade, sem leis e sem trabalho árduo, assombrou a imaginação humana por milhares de anos. E essa visão gozava de certa popularidade mesmo nos grupos que de fato lucravam com cada mudança histórica. Os herdeiros das revoluções Francesa, Inglesa e Americana haviam acreditado em parte nas suas próprias frases de efeito a respeito dos direitos do homem, liberdade de expressão, igualdade perante a lei e coisas do tipo, e até mesmo permitiram que suas condutas fossem influenciadas por essa visão até certo ponto. Mas, na quarta década do século XX, todas as principais correntes do pensamento político eram autoritárias. O paraíso na terra havia sido desacreditado exatamente no momento em que se tornou realizável. Cada nova teoria política, independente do nome, voltava à hierarquização e arregimentação. E, no endurecer geral dos pontos de vista que se estabeleceu no começo de 1930, práticas que tinham sido abandonadas havia muito, em alguns casos centenas de anos — prisões sem julgamento, o uso de prisioneiros de guerra como escravos, execuções públicas, tortura para extrair confissões, o uso de reféns e a deportação de populações inteiras — não apenas se tornaram comuns de novo, mas eram toleradas e até mesmo defendidas por pessoas que se consideravam iluminadas e progressistas.

Foi somente depois de uma década de guerras nacionais, guerras civis, revoluções e contrarrevoluções em todos os cantos do mundo que o Socing e seus rivais emergiram como teorias políticas plenamente desenvolvidas. Mas eles haviam sido prenunciados pelos vários sistemas, em geral chamados de totalitários, que haviam surgido mais cedo naquele mesmo século, e as linhas gerais do mundo que emergiria do caos dominante estavam óbvias havia muito tempo. Que tipo de pessoas controlariam esse mundo era igualmente óbvio. A nova aristocracia era composta em maioria por burocratas, cientistas, técnicos, líderes sindicais, especialistas em publicidade e propaganda, sociólogos, professores, jornalistas e políticos profissionais. Essas pessoas, cujas origens estavam na classe média assalariada e na elite da classe operária, haviam sido moldadas e unidas pelo mundo estéril do monopólio da indústria e pelo governo centralizado. Quando comparados com seus antecessores de eras passadas, eles eram menos avarentos, menos tentados pelo luxo, mais famintos pelo poder puro e, acima de tudo, mais conscientes do que estavam fazendo e mais determinados a destruir a oposição. Essa última diferença era crucial. Em comparação com o que existe hoje, todas as tiranias do passado eram sem convicção e incompetentes. Os grupos dominantes eram sempre infectados até certo ponto por ideias liberais e ficavam contentes em deixar pontas soltas por todo lado, em observar apenas o ato aberto e não se interessar no que as populações estavam pensando. Até mesmo a Igreja Católica da Idade Média era tolerante pelos padrões modernos. Parte do motivo para isso era que, no passado, nenhum governo tivera o poder de manter seus cidadãos sob vigilância constante. A invenção da imprensa, no entanto, facilitou a manipulação da opinião pública, e o filme e o rádio levaram o processo adiante. Com o desenvolvimento da televisão e o avanço tecnológico que possibilitou receber e transmitir ao mesmo tempo em um único instrumento, a vida privada acabou. Cada cidadão, ou ao menos cada cidadão importante o suficiente para que merecesse ser assistido, poderia ser mantido sob o olhar da polícia 24 horas por dia e ouvindo os sons de propaganda oficial, com todos os outros canais de comunicação fechados. A possibilidade de obrigar não apenas a obediência completa à vontade do Estado, mas a uniformidade completa de opinião em todos os sujeitos, agora existia pela primeira vez.

Depois do período revolucionário das décadas de 1950 e 1960, a sociedade se reagrupou, como sempre, em Superiores, Médios e Baixos. Mas o novo grupo Superior, diferente de todos os seus anteriores, não agia por instinto: eles sabiam o que era necessário para manter sua posição. Havia muito tempo se entendera que a única base segura para a oligarquia era o coletivismo. A riqueza e o privilégio são mais fáceis de defender quando são retidos conjuntamente. A chamada "abolição da propriedade privada" que aconteceu em meados do século significou, em efeito, a concentração da propriedade em muito menos mãos do que antes: com a diferença, porém, de que os novos donos eram um grupo, em vez de uma massa de indivíduos. Individualmente, nenhum membro do Partido é dono de nada, exceto parcas posses pessoais. Coletivamente, o Partido é dono de tudo na Oceânia, porque controla tudo e dispõe dos produtos como acha melhor. Nos anos seguintes à Revolução, conseguiu entrar nessa posição de comando quase sem oposição, porque esse processo inteiro foi representado como um ato de coletivização. Sempre se imaginou que se a classe capitalista havia sido expropriada, o socialismo deveria vir em seguida: e indubitavelmente os capitalistas haviam sido expropriados. Fábricas, minas, terras, casas, transporte — tudo havia sido tirado deles; e já que essas coisas não eram mais propriedade privada, por consequência deveriam ser propriedade pública. Socing, que cresceu do movimento socialista anterior e herdou sua fraseologia, na verdade obedeceu ao item principal da agenda socialista; com o resultado, previsto e pretendido, de que a desigualdade econômica se tornara permanente.

Mas os problemas de perpetuar uma sociedade hierárquica vão mais fundo do que isso. Há apenas quatro formas pelas quais um grupo dominante pode cair do poder. Ou ele é conquistado de fora, ou governa com tão pouca eficácia que as massas se agitam à revolta, ou permite que um grupo forte e descontente de Médios passe a existir, ou perde sua própria autoconfiança e disposição de governar. Essas causas não operam sozinhas e, via de regra, todas estão presentes em algum nível. Uma classe dominante que pudesse se proteger de todas elas permaneceria no poder para sempre. Por fim, o fator determinante é a atitude mental da classe dominante em si.

A partir de meados do século XX, o primeiro perigo havia na realidade desaparecido. Cada um dos três poderes que agora dividem o mundo é, de fato, inconquistável, e apenas se tornaria conquistável por mudanças demográficas lentas, coisa que um governo com amplos poderes pode evitar com facilidade. O segundo perigo também é apenas teórico. As massas nunca se revoltam por vontade própria, e nunca se revoltam apenas porque são oprimidas. De fato, se não puderem ter padrões de comparação, elas nem sequer ficam cientes de que são oprimidas. As crises econômicas recorrentes dos tempos passados eram totalmente desnecessárias e agora não têm permissão para acontecer, mas outros deslocamentos igualmente grandes podem e de fato acontecem sem ter resultados políticos, porque o descontentamento não tem como poder se articular. Quanto ao problema da superprodução, que tem estado latente em nossa sociedade desde o desenvolvimento de técnicas com máquina, ele é resolvido por meio da guerra contínua (ver Capítulo III), que também é útil para afinar a moral pública ao tom necessário. Do ponto de vista de nossos líderes atuais, portanto, os únicos perigos genuínos são a criação de um novo grupo de pessoas capazes, subempregadas, com fome de poder, e o crescimento do liberalismo e ceticismo em suas próprias fileiras. Ou seja: o problema é educacional. É um problema de moldagem contínua da consciência tanto do grupo no poder quanto do grupo executivo maior que fica diretamente abaixo dele. A consciência das massas precisa apenas ser influenciada de uma forma negativa.

Dado esse pano de fundo, um sujeito poderia inferir, se já não soubesse, a estrutura geral da sociedade oceânica. No pico da pirâmide vem o Grande Irmão. O Grande Irmão é infalível e todo-poderoso. Todo sucesso, toda conquista, toda vitória, toda descoberta científica, todo conhecimento, toda sabedoria, toda felicidade, toda virtude, considera-se terem vindo diretamente de sua liderança e inspiração. Ninguém jamais viu o Grande Irmão. Ele é um rosto nos pôsteres, uma voz na teletela. Podemos ter uma certeza razoável de que nunca morrerá e já existe incerteza considerável em relação a quando ele nasceu. O Grande Irmão é a face que o Partido escolhe para se mostrar ao mundo. Sua função é agir como um ponto focal para o amor, o medo e a reverência, emoções que são mais facilmente sentidas em relação a um indivíduo do que em relação a uma organização. Abaixo do Grande Irmão, vem o Núcleo do Partido. Seus números são limitados a seis milhões, ou algo menos do que 2% da população da Oceânia. Abaixo do Núcleo do Partido, vêm os membros periféricos do Partido, que — se descrevermos o Núcleo do Partido como o cérebro do Estado — podem ser com justiça comparados às mãos. Abaixo disso, vêm as massas ignorantes a quem nós nos referimos por hábito como "os proletários", que representam cerca de 85% da população. Nos termos da nossa classificação anterior, os proletários são os Baixos, pois as populações escravas das terras equatoriais que passam constantemente de um conquistador para o outro não são uma parte permanente ou necessária da estrutura.

Por princípio, ser membro desses grupos não é hereditário. O filho cujos pais são do Núcleo do Partido não nasce, em teoria, herdando um lugar no Núcleo do Partido. A entrada em qualquer parte do Partido ocorre por teste, feito na idade de dezesseis anos. Tampouco há qualquer discriminação racial ou dominação considerável de uma província sobre outra. Judeus, negros, sul-americanos de puro sangue indígena são encontrados nos ranques mais altos do Partido, e os administradores de qualquer área são sempre escolhidos entre os habitantes daquela área. Em parte alguma da Oceânia as populações têm a sensação de que são uma população colonial gerida por uma capital distante. A Oceânia não tem uma capital, e seu líder titular é uma pessoa cuja localização ninguém conhece. Exceto por ter o inglês como principal LÍNGUA FRANCA e a Novilíngua como língua oficial, não é centralizada de forma alguma. Seus líderes não são ligados por conexões de sangue, mas pela aderência à doutrina comum. É verdade que nossa sociedade é estratificada, e com estratificação bastante rígida, seguindo o que poderia parecer, à primeira vista, linhas hereditárias. Há muito menos circulação entre os grupos diferentes do que o que acontecia sob o capitalismo ou até na era pré-industrial. Entre as duas alas do Partido há uma certa quantidade de intercâmbio, mas apenas o bastante para garantir que os mais fracos sejam excluídos do Núcleo do Partido e que membros ambiciosos das partes periféricas do Partido sejam tornados inofensivos ao ter autorização para subir nos escalões. Proletários, na prática, não podem se graduar ao Partido. Os mais dotados entre eles, que poderiam se tornar núcleos de descontentamento, são simplesmente localizados pela Polícia do Pensar e eliminados. Mas essas condições não são necessariamente permanentes, tampouco é uma questão de princípio. O Partido não é uma classe no sentido antigo da palavra. Ele não tem como objetivo transmitir poder a seus próprios filhos, como tal; e se não houvesse outra forma de manter as pessoas mais capazes no topo, ele estaria perfeitamente preparado para recrutar uma geração totalmente nova nas fileiras do proletariado. Nos anos cruciais, o fato de o Partido não ser um corpo hereditário fez muito para neutralizar a oposição. O tipo mais antigo de socialista, aquele treinado para lutar contra algo chamado "privilégio de classe", presumiu que aquilo que não é hereditário não pode ser permanente. Ele não viu que a continuidade de uma oligarquia não precisava ser física, tampouco parou para refletir que aristocracias hereditárias sempre tiveram vida curta, enquanto organizações adotantes, como a Igreja Católica, duravam às vezes centenas ou milhares de anos. A essência do domínio oligárquico não é a herança de pai para filho, mas a persistência de uma certa visão de mundo e uma certa forma de viver, imposta dos mortos aos vivos. Um grupo dominante é um grupo dominante enquanto puder dominar seus sucessores. O Partido não está preocupado em perpetuar seu sangue, mas em se perpetuar. QUEM detém o poder não importa, desde que a estrutura hierárquica permaneça a mesma.

Todas as crenças, hábitos, emoções, atitudes mentais que caracterizam nossa era são de fato projetados para sustentar a mística do Partido e evitar que a natureza verdadeira da sociedade contemporânea seja percebida. A rebelião física, ou qualquer movimento preliminar rumo à rebelião, no momento não é possível. Dos proletários não há nada a temer. Deixados por conta própria, eles continuarão de geração em geração e de século em século, trabalhando, se multiplicando e morrendo, não apenas sem qualquer impulso de se rebelar, mas sem o poder de compreender que o mundo poderia ser melhor do que é. Eles somente poderiam se tornar perigosos se o avanço da técnica industrial tornasse necessário educá-los mais; entretanto, como rivalidades comerciais e militares não são mais importantes, o nível de educação popular está na verdade declinando. Qual é a opinião das massas, ou não é, é visto com uma questão de indiferença. Eles podem receber liberdade intelectual porque não têm intelecto. Em um membro do Partido, por outro lado, nem mesmo o menor desvio de opinião a respeito do assunto menos importante pode ser tolerado.

Um membro do Partido vive, do nascimento à morte, sob os olhos da Polícia do Pensar. Mesmo quando está sozinho, nunca pode ter certeza de que está sozinho. Onde quer que possa estar, dormindo ou acordado, trabalhando ou descansando, na banheira ou na cama, ele pode ser inspecionado sem aviso e sem saber que está sendo inspecionado. Nada do que ele faz é indiferente. Suas amizades, seus descansos, seu comportamento em relação a esposa e filhos, a expressão facial quando está sozinho, as palavras que murmura enquanto dorme, mesmo os movimentos característicos do corpo estão todos sob ciumento escrutínio. Não apenas qualquer mau comportamento, mas qualquer excentricidade, por menor que seja, qualquer mudança de hábito, qualquer maneirismo nervoso que possa ser o sintoma de uma batalha interior, será detectado com certeza. Ele não tem liberdade de escolha em qualquer direção que seja. Por outro lado, suas ações não são reguladas pela lei ou por qualquer código de conduta formulado com clareza. Na Oceânia, não há lei. Pensamentos e ações que, quando detectados, significam morte certa não são proibidos formalmente, e os expurgos, detenções, torturas, prisões e vaporizações sem fim não são infligidos como punição por crimes que foram de fato cometidos; são apenas uma varredura de pessoas que poderiam talvez cometer um crime em algum momento futuro. Um membro do Partido deve não apenas ter as opiniões corretas, mas os instintos corretos. Muitas das crenças e atitudes requeridas dele nunca são declaradas abertamente, e não poderiam ser declaradas sem desnudar as contradições inerentes ao Socing. Se ele é uma pessoa naturalmente ortodoxa (na Novilíngua, um BOMPENSADOR), ele saberá sempre, em todas as circunstâncias, sem precisar pensar, qual é a crença real ou emoção desejável. Mas, de qualquer forma, um elaborado treinamento mental efetuado na infância e reunido nas palavras da Novilíngua como CRIMEPARAR, BRANQUIPRETO e DUPLIPENSAR deixa o indivíduo relutante ou incapaz de pensar muito profundamente a respeito de qualquer assunto que seja.

Espera-se que um membro do Partido não tenha emoções privadas e nenhuma pausa de entusiasmo. Ele deve viver em um frenesi contínuo de ódio a inimigos estrangeiros e traidores internos, triunfo por vitórias e auto-humilhação perante o poder e a sabedoria do Partido. Os descontentamentos produzidos pela sua vida crua e insatisfatória são deliberadamente voltados para fora e dissipados por meio de dispositivos como os Dois Minutos de Ódio, e as especulações que talvez pudessem induzir a uma atitude cética ou rebelde são mortas na raiz por essa disciplina interior adquirida precocemente. O primeiro e mais simples estágio e nessa disciplina, que pode ser ensinado mesmo a criancinhas pequenas, é chamado, em Novilíngua, de CRIMEPARAR. CRIMEPARAR significa a habilidade de parar imediatamente antes, como por instinto, na soleira de qualquer pensamento perigoso. Inclui o poder de não entender analogias, de não conseguir perceber fracassos lógicos, de não entender os argumentos mais simples se eles forem inimigos do Socing e de se entediar ou sentir repulsa por qualquer linha de raciocínio capaz de levar a uma direção herege. CRIMEPARAR, em resumo, quer dizer estupidez protetora. Mas a estupidez não é suficiente. Pelo contrário, a ortodoxia no sentido integral demanda um controle sobre os próprios processos mentais, tão completo quanto aquele de um contorcionista sobre o próprio corpo. A sociedade oceânica repousa, por fim, sobre a crença de que o Grande Irmão é onipotente e o Partido é infalível. Mas já que em realidade o Grande Irmão não é onipotente e o Partido não é infalível, existe a necessidade de uma flexibilidade incansável, de momento a momento, no tratamento dos fatos. A palavra-chave aqui é BRANQUIPRETO. Como muitas palavras da Novilíngua, essa palavra tem dois significados contraditórios. Aplicada a um oponente, ela significa o hábito de afirmar com descaro que preto é branco, em contradição de fatos evidentes. Aplicada a um membro do Partido, quer dizer uma disposição leal para dizer que o preto é branco quando a disciplina do Partido assim demanda. Mas quer dizer também a habilidade de ACREDITAR que preto é branco, e mais, SABER que preto é branco e esquecer que algum dia já tenha acreditado no contrário. Isso demanda uma alteração contínua do passado, possibilitada pelo sistema de pensamento que realmente abarca todos os outros e que é conhecido na Novilíngua como DUPLIPENSAR.

A alteração do passado é necessária por dois motivos, um dos quais é subsidiário e, digamos assim, preventivo. O motivo subsidiário é que o membro do Partido, como o proletário, tolera condições do momento presente em parte porque não tem padrão de comparação. Ele deve ser isolado do passado, assim como deve ser isolado de países estrangeiros, porque é necessário que ele acredite estar melhor que seus ancestrais e que a média de conforto material está constantemente aumentando. Mas, de longe, o motivo mais importante para o reajuste do passado é a necessidade de salvaguardar a infalibilidade do Partido. Não é apenas que discursos, estatísticas e registros de todo o tipo devem ser constantemente atualizados para mostrar que as previsões do Partido estavam corretas em todos os casos. Também quer dizer que nenhuma mudança em doutrina ou em alinhamento político pode jamais ser admitida.

Pois mudar de ideia, ou mesmo de política, é uma confissão de fraqueza. Se, por exemplo, a Eurásia ou a Lestásia (quem quer que seja) for o inimigo hoje, então esse país deve ter sempre sido o inimigo. E se os fatos disserem o contrário, então os fatos devem ser alterados. Assim sendo, a história é continuamente reescrita. A falsificação cotidiana do passado, realizada pelo Ministério da Verdade, é tão necessária para a estabilidade do regime como o trabalho de repressão e espionagem levado a cabo pelo Ministério do Amor.

A mutabilidade do passado é o eixo central do Socing. Eventos passados, argumenta-se, não têm existência objetiva, sobrevivendo apenas em registros escritos e nas memórias humanas. O passado é o que quer que os registros e as memórias concordarem que seja. E já que o Partido tem controle total sobre todos os registros e controle igualmente total sobre as mentes de seus membros, logo o passado é aquilo que o Partido escolher. Outra consequência é que, apesar de o passado ser alterável, ele nunca foi alterado em nenhuma ocasião específica. Pois quando ele foi recriado em qualquer forma necessária no momento, então essa versão nova É o passado, e nenhum passado diferente pode ter chegado a existir. Isso também se mantém verdadeiro mesmo quando, como acontece com frequência, o mesmo evento tem que ser alterado até ficar irreconhecível diversas vezes no curso de um ano. Em todos os momentos, o Partido está em posse da verdade absoluta, e é claro que o absoluto nunca pode ter sido diferente do que é agora. Veremos que o controle do passado depende, acima de tudo, do treinamento da memória. Certificar que todos os registros escritos concordam com a ortodoxia do momento é apenas um ato mecânico. Também é necessário LEMBRAR que os eventos aconteceram na maneira desejada. E se for necessário rearranjar as memórias da pessoa ou mexer com os registros escritos, então é necessário à pessoa ESQUECER que o fez. O truque para fazer isso pode ser aprendido, como qualquer outra técnica mental. É aprendido pela maioria dos membros do Partido, e com certeza por todos aqueles que são tão inteligentes como ortodoxos. Na Velhíngua chama-se, de forma bastante franca, "controle de realidade". Na Novilíngua, chama-se DUPLIPENSAR, apesar de DUPLIPENSAR abarcar muito mais além disso.

DUPLIPENSAR significa o poder de manter duas crenças contraditórias ao mesmo tempo na mente do sujeito, e aceitar as duas. O intelectual do Partido sabe em que direção suas memórias devem ser alteradas; ele, portanto, sabe que está fazendo truques com a realidade; porém, com o exercício do DUPLIPENSAR, ele também se satisfaz com o fato de a realidade não ser violada. O processo tem que ser consciente, ou não seria executado com precisão suficiente, mas também tem que ser inconsciente, ou traria consigo uma sensação de falsidade e, portanto, culpa. DUPLIPENSAR está bem no coração do Socing, já que o ato essencial do Partido é usar o engano consciente enquanto retém a firmeza de propósito que acompanha a honestidade completa. Contar mentiras deliberadas enquanto acredita nelas de forma genuína, esquecer qualquer fato que tenha se tornado inconveniente para então, quando se tornar necessário de novo, resgatá-lo do esquecimento apenas pelo período em que for útil, negar a existência de realidade objetiva enquanto, o tempo todo, leva em conta essa realidade que se nega — tudo isso é indispensavelmente necessário. Até para usar a palavra DUPLIPENSAR é necessário exercitar o DUPLIPENSAR. Pois, ao usar a palavra, a pessoa admite que está mexendo com a realidade; com um ato renovado de DUPLIPENSAR, apaga-se esse conhecimento; e assim por diante, indefinidamente, com a mentira sempre um salto à frente da verdade. No fim, é por meio do DUPLIPENSAR que o Partido consegue — e pode, até onde sabemos, continuar conseguindo por milhares de anos — parar o curso da história.

Todas as oligarquias do passado perderam poder porque se ossificaram ou porque amoleceram. Ou se tornaram burras e arrogantes, não conseguiram se ajustar às circunstâncias mutantes e foram derrubadas; ou se tornaram liberais e covardes, fizeram concessões quando deveriam ter usado força, e mais uma vez foram derrubadas. Elas caíram, por assim dizer, ou pelo excesso de consciência, ou pela falta dela. A conquista do Partido é ter produzido um sistema de pensamento em que ambas as condições possam existir de forma simultânea. E com nenhuma outra base intelectual o domínio do Partido poderia se tornar permanente. Para poder governar, e continuar governando, deve-se conseguir deslocar o senso de realidade. Pois o segredo de governar é combinar uma crença na própria infalibilidade com o poder de aprender com os erros do passado.

Mal é necessário dizer que aqueles que praticam o DUPLIPENSAR de forma mais sutil são aqueles que inventaram o DUPLIPENSAR e sabem que é um sistema vasto de trapaça mental. Em nossa sociedade, aqueles que têm o maior conhecimento do que está acontecendo também são aqueles que estão mais distantes de ver o mundo como ele é. Em geral, quanto maior o entendimento, maior a ilusão; quanto mais inteligente, menos são. Uma ilustração clara disso é o fato de que a histeria bélica aumenta em intensidade conforme se sobe na escala social. Aqueles que têm uma atitude mais próxima da racionalidade em relação à guerra são as populações de territórios disputados. Para essas pessoas, a guerra é apenas uma calamidade contínua que varre seus corpos de um lado para o outro, como a maré. Que lado está ganhando é uma questão totalmente indiferente a eles. Eles estão cientes de que uma mudança na soberania significa apenas que estarão fazendo o mesmos trabalho de antes para mestres novos, que os tratam da mesma forma que os anteriores. Os trabalhadores levemente mais favorecidos, que chamamos de "os proletários", têm uma consciência apenas intermitente da guerra. Quando é necessário, podem ser estimulados a frenesis de medo e ódio, mas quando são deixados de lado podem esquecer por muito tempo que a guerra está acontecendo. É nas fileiras do Partido, e acima de tudo do Núcleo do Partido, que o verdadeiro entusiasmo de guerra é visto. Aqueles que sabem que a conquista mundial é impossível são os que mais acreditam nela. Esse pensar-conectado peculiar de opostos — conhecimento com ignorância, cinismo com fanatismo — é uma das marcas mais características da sociedade oceânica. A ideologia oficial transborda contradições, mesmo quando não há motivo prático para elas. Assim sendo, o Partido rejeita e vilipendia cada princípio que o movimento socialista defendia originalmente, e escolhe fazer isso em nome do socialismo. Ele prega um desprezo pela classe trabalhadora sem igual nos séculos passados, mas também veste seus membros em um uniforme que em dado momento era específico de trabalhadores manuais e foi adotado por esse motivo. Ele enfraquece de forma sistemática a solidariedade da família, mas chama seu líder por um nome que é um apelo direto ao sentimento de lealdade familiar. Até mesmo os nomes dos quatro Ministério pelos quais somos governados exibem um tipo de descaramento em sua inversão deliberada dos fatos. O Ministério da Paz se preocupa com a guerra, o Ministério da Verdade com mentiras, o Ministério do Amor com a tortura, e o Ministério da Abundância com a inanição. Essas contradições não são acidentais, tampouco resultam de hipocrisia comum; são exercícios deliberados do DUPLIPENSAR. Pois é apenas com o reconciliar de contradições que o poder pode ser retido incessantemente. De nenhuma outra maneira o ciclo antigo poderia ser rompido. Se a igualdade humana deve ser evitada para sempre — se os Superiores, assim como os chamamos, devem manter seu lugar de forma permanente —, então a condição mental prevalecente deve ser a insanidade controlada.

Mas há uma pergunta que quase ignoramos até esse momento. Ela é: POR QUE a igualdade humana deve ser evitada? Supondo-se que as mecânicas do processo tenham sido descritas de forma correta, qual é o motivo para esse esforço imenso e bem planejado em congelar a história em um momento em particular?

Aqui chegamos ao segredo central. Como já vimos, a mística do Partido, e acima de tudo do Núcleo do Partido, depende do DUPLIPENSAR. Mas soterrado nisso está o motivo original, o instinto nunca questionado que primeiro levou à tomada de poder e, mais tarde, trouxe à vida o DUPLIPENSAR, a Polícia do Pensar, a guerra contínua e todo o resto da parafernália necessária. Esse motivo consiste de fato...

Winston tomou ciência do silêncio, como alguém fica ciente de um som novo. Teve a impressão de que Julia estivera quieta demais já há algum tempo. Ela estava deitada de lado, nua da cintura para cima, com a bochecha descansando na mão e uma mecha escura caindo sobre os olhos. Seu peito subia e descia devagar e com regularidade.

— Julia.

Nenhuma resposta.

— Julia, está acordada?

Nenhuma resposta. Ela estava adormecida. Ele fechou o livro, colocou-o com cuidado no chão, deitou-se e puxou a manta sobre os dois.

Ele ainda não havia descoberto o maior segredo, refletiu. Ele entendia COMO; ele não entendia POR QUÊ. O Capítulo I, como o Capítulo III, não havia lhe contado nada que não soubesse, havia apenas sistematizado o conhecimento que ele já tinha. Mas, depois de ler, ele sabia mais do que antes que não estava louco. Estar em uma minoria, mesmo uma minoria de uma pessoa, não fazia de alguém um louco. Havia a verdade e havia a inverdade, e se você se agarrasse à verdade mesmo contra o mundo inteiro, você não estava louco. Um raio amarelo de sol poente passava pela janela e caía sobre o travesseiro. Ele fechou os olhos. O sol no rosto e o corpo macio da garota em contato com o dele próprio lhe davam um sentimento forte, sonolento e confiante. Ele estava seguro, tudo estava bem. Ele pegou no sono murmurando: "A sanidade não é estatística", com a sensação de que essa observação continha em si mesma uma sabedoria profunda.

* * *

Quando acordou, foi com a sensação de ter dormido por muito tempo, mas um olhar para o relógio antigo lhe disse que eram apenas vinte e trinta. Ele ficou deitado, dormitando por um tempo; então o costumeiro canto profundo subiu do pátio abaixo:

Foi só um casinho de nada.
Rápido como um dia de abril,
mas suas palavras, seu olhar,
nunca se viu!
Tudo fez meus sonhos revirar!
Agora meu coração tá cheio de geada!

A canção disparatada parecia ter mantido sua popularidade. Ainda se ouvia por todos os lados. Ela havia durado mais do que a Canção do Ódio. Julia acordou com o som, espreguiçou-se luxuosamente e saiu da cama.

— Estou com fome — ela disse. — Vamos fazer mais café. Droga! O fogo apagou e a água esfriou. — Ela apanhou o fogareiro a querosene e o balançou. — Não tem querosene.

— Podemos conseguir um pouco com o velho Charrington, imagino.

— O mais engraçado é que eu me certifiquei de que estava cheio. Vou me vestir — ela disse. — Parece que esfriou.

Winston também se levantou e se vestiu. A voz incansável continuou:

Eles diz que o tempo cura as coisa tudo,
dizem que sempre dá pra esquecer;
Mas os sorriso e lágrima, o detalhe mais miúdo
Ainda fazem meu coração doer!

Enquanto fechava o cinto do macacão, ele caminhou até a janela. O sol devia ter descido atrás das casas; não estava mais brilhando no pátio. As lajes estavam úmidas como se tivessem sido lavadas um instante antes, e ele tinha a sensação de que o céu havia sido lavado também, tão pálido e fresco era o azul entre as chaminés. Sem cansar, a mulher marchava de um lado para o outro, enchendo-se de prendedores e usando-os, cantando e ficando em silêncio, prendendo mais fraldas e mais e ainda mais. Ele se perguntou se ela trabalhava como lavadeira ou era apenas a escrava de vinte ou trinta netos. Julia se aproximara ao seu lado; juntos, espiaram para baixo com uma espécie de fascinação pela figura vigorosa abaixo. Enquanto olhava para a mulher em sua atitude característica, os braços grossos levantando para o varal, seu traseiro equino poderoso se projetando, ele se deu conta pela primeira vez que ela era linda. Nunca havia ocorrido a ele que o corpo de uma mulher de cinquenta anos, inchado a dimensões monstruosas com gestações, então endurecido, engrossado pelo trabalho até ficar áspero por dentro como um nabo passado, poderia ser lindo. Mas assim era e, afinal de contas, ele pensou, por que não? O corpo sólido sem contornos, como um bloco de granito, e a pele vermelha e rugosa tinham a mesma conexão com o corpo de uma garota como o botão tem conexão com a rosa. Por que o fruto deveria ser visto como inferior à flor?

— Ela é linda — ele murmurou.

— Ela tem um metro de quadril, fácil — Julia disse.

— Esse é o seu estilo de beleza — Winston disse.

Ele abraçou a cintura maleável de Julia, facilmente circulada por um braço. Do quadril ao joelho, seu flanco estava contra o dele. De seus corpos, nenhum filho viria. Essa era a única coisa que nunca poderiam fazer. Apenas pelo boca a boca, de mente a mente, eles poderiam passar aquele segredo adiante. A mulher ali embaixo não tinha cérebro, tinha apenas braços fortes, um coração amoroso e um ventre fértil. Ele se perguntou quantas crianças ela dera à luz. Poderiam ser quinze, com tranquilidade. Tivera seu momento de desabrochar por um ano, talvez, de beleza de rosa selvagem, e então inchou de súbito como um fruto fertilizado, ficando endurecido e vermelho e áspero, e então depois disso sua vida se tornou lavar, esfregar, cerzir, cozinhar, varrer, polir, consertar, esfregar, lavar, primeiro para os filhos, depois para os netos, por mais de trinta anos ininterruptos. Ao final de tudo, ela ainda estava cantando.

A reverência mística que ele sentia por ela estava de alguma forma misturada com o aspecto do céu pálido e sem nuvens além das chaminés na distância interminável. Era curioso pensar que o céu era o mesmo para todos, na Eurásia ou Lestásia, assim como ali. E as pessoas sob o céu também eram muito parecidas — em todos os lugares, por todo o mundo, centenas de milhares de milhões de pessoas exatamente como ele, pessoas ignorantes da existência umas das outras, separadas por muralhas de ódio e mentiras, e ainda assim quase exatamente as mesmas — pessoas que nunca aprenderam a pensar, mas que estavam guardando em seus corações e barrigas e músculos o poder que um dia dobraria o mundo. Se existia esperança, ela estava nos proletários! Sem ter lido o final d'O LIVRO, ele sabia que devia ser a mensagem final de Goldstein. O futuro pertencia aos proletários. E será que ele poderia ter certeza de que quando viesse o momento deles, o mundo que construíssem não seria igualmente estrangeiro para ele, Winston Smith, como o mundo do Partido? Sim, porque ao menos seria um mundo de sanidade. Onde há igualdade, pode haver sanidade. Mais cedo ou mais tarde, aconteceria, a força se transformaria em consciência. Os proletários eram imortais, não se podia duvidar disso quando se olhava para aquela figura valente no pátio. No fim das contas, o despertar deles viria. E até isso acontecer, apesar de poder demorar mil anos, eles ficariam vivos contra todas as probabilidades, como pássaros, passando de corpo a corpo a vitalidade de que o Partido não partilhava e não conseguia matar.

— Você se lembra — ele disse — do tordo que cantou para nós naquele primeiro dia, na beira da floresta?

— Ele não estava cantando para nós — disse Julia. — Ele estava cantando para se agradar. Nem mesmo isso. Ele estava só cantando.

Os pássaros cantavam, os proletários cantavam, o Partido não cantava. Por todo o mundo, em Londres e em Nova York, na África e no Brasil, e nas terras misteriosas e proibidas além das fronteiras, nas ruas de Paris e Berlim, nos vilarejos da infinita tundra russa, nos bazares da China e do Japão — em todo lugar estava a mesma figura sólida inconquistável, tornada monstruosa pelo trabalho e pelas gestações, labutando do nascimento à morte e ainda cantando. Daqueles ventres poderosos, uma raça de seres conscientes deve vir um dia. Você era o morto, o futuro pertencia a eles. Mas você poderia compartilhar daquele futuro se mantivesse a mente viva como eles mantinham o corpo vivo, e passasse adiante a doutrina secreta de que dois mais dois dão quatro.

— Somos os mortos — ele disse.

— Somos os mortos — ecoou Julia com obediência.

— Vocês são os mortos — disse uma voz de ferro atrás deles.

Eles se separaram num salto. As tripas de Winston pareciam ter virado gelo. Ele podia ver o branco em torno das íris de Julia. Seu rosto havia ficado de um amarelo leitoso. O borrão de ruge que ainda estava em cada bochecha se destacava muito, quase como se não estivesse conectado com a pele abaixo.

— Vocês são os mortos — repetiu a voz de ferro.

— Estava atrás da gravura — Julia murmurou.

— Estava atrás da gravura — disse a voz. — Permaneçam exatamente onde estão. Não se movam até mandarmos.

Estava começando, estava começando, enfim! Eles não poderiam fazer nada além de ficarem olhando nos olhos um do outro. Correr para se salvar, sair da casa antes que fosse tarde demais — nenhum pensamento assim lhes ocorreu. Era impensável desobedecer à voz férrea vinda da parede. Houve um estalo como se uma trava tivesse se aberto, e um estrondo de vidro quebrando. A gravura havia caído ao chão, revelando a teletela atrás dela.

— Agora eles podem nos ver — disse Julia.

— Agora podemos ver vocês — disse a voz. — Fiquem no meio do quarto. De costas um para o outro. Mãos na nuca. Não se toquem.

Eles não estavam se tocando, mas parecia a ele que conseguia sentir o corpo de Julia tremer. Ou talvez fosse o seu próprio tremor. Ele mal conseguia impedir seus dentes de baterem, mas os joelhos estavam fora de seu controle. Houve um som de botas pisando lá embaixo, dentro e fora da casa. O pátio parecia estar cheio de homens. Algo estava sendo arrastado pelas pedras. O canto da mulher havia parado de forma abrupta. Houve um clangor longo e ondulante, como se a banheira fosse lançada pelo pátio, e então uma confusão de gritos furiosos que terminou em um grito de dor.

— A casa está cercada — disse Winston.

— A casa está cercada — disse a voz.

Ele ouviu Julia trincar os dentes.

— Imagino que é melhor nos despedirmos de uma vez — ela disse.

— É melhor se despedir de uma vez — disse a voz. E então outra voz, uma bastante diferente, uma voz fina e culta, que Winston tinha a impressão de já ter ouvido antes, interrompeu:

— E, aliás, já que estamos no assunto, *Então vem lamparina apagar para você nanar. Então vem o ceifeiro e corta você inteiro!*

Algo bateu na cama às costas de Winston. A ponta de uma escada tinha sido lançada pela janela e arrebentado o caixilho. Alguém entrava pela janela. Houve um estrépito de botas subindo as escadas. O quarto estava cheio de homens sólidos em uniformes pretos, trajando botas com biqueiras de ferro nos pés e cassetete em mãos.

Winston não estava mais tremendo. Nem mesmo os olhos se moviam muito. Apenas uma coisa importava: ficar parado, ficar parado e não dar uma desculpa para que batessem nele! Um homem com queixo liso de lutador premiado no qual a boca era só um risco parou na frente dele, balançando o cassetete em meditação entre dedão e indicador. Winston olhou nos seus olhos. O sentimento de nudez, com as mãos atrás da cabeça e o rosto e corpo expostos, era quase insuportável. O homem exibiu a ponta de uma língua branca, lambeu o lugar onde deveria ter lábios, e então seguiu em frente. Houve outro estrondo. Alguém havia pegado o peso de papel de vidro da mesa e o quebrado em pedacinhos na pedra da lareira.

O fragmento de coral, um pequeno amassado cor-de-rosa como um botão de rosa de açúcar em um bolo, rolou pelo carpete. Que pequeno, pensou Winston, que pequeno ele sempre foi! Houve um ofegar surpreso e um baque atrás dele, e ele recebeu um chute violento no tornozelo que quase o desequilibrou. Um dos homens havia enfiado o punho na boca do estômago de Julia, fazendo-a se dobrar como uma régua de bolso. Ela se retorcia no chão, lutando para respirar. Winston não ousava virar a cabeça nem mesmo um milímetro, mas às vezes o rosto arquejante dela entrava no seu campo de visão. Mesmo em seu terror, era como se ele pudesse sentir a dor em seu próprio corpo, a dor fatal que, ainda assim, era menos urgente do que a batalha dela para conseguir respirar. Ele sabia como era aquilo: a dor terrível, agonizante que estava lá o tempo todo, mas que ainda não podia ser sentida, porque antes de tudo era preciso conseguir respirar. Então, dois dos homens a ergueram pelos joelhos e ombros e a carregaram para fora do quarto como um saco. Winston vislumbrou seu rosto, de cabeça para baixo, amarelo e contorcido, os olhos fechados, e ainda com um borrão de ruge nas duas bochechas; e esta foi a última vez que ele a viu.

Ele ficou parado, imóvel. Ninguém havia batido nele ainda. Ideias que vinham sozinhas, mas pareciam totalmente desinteressantes, começaram a correr por sua mente. Ele se perguntou se haviam pegado o sr. Charrington. Imaginou o que haviam feito da mulher no pátio. Notou que queria muito urinar e sentiu uma surpresa fraca, porque havia acabado de ir ao banheiro duas ou três horas antes. Reparou que o relógio na cornija dizia nove, o que significava vinte e um. Mas a luz parecia forte demais. A luz não estaria enfraquecendo às vinte e uma horas em uma noite de agosto? Ele se perguntou se, afinal de contas, ele e Julia haviam se enganado com o horário — haviam dormido a noite inteira, o relógio dado a volta toda das doze horas, e eles achavam que era vinte e trinta quando na verdade era oito e meia da manhã seguinte. Mas ele não perseguiu essa ideia. Não era interessante.

Houve outro caminhar na passagem, mais leve. O sr. Charrington entrou no recinto. O comportamento dos homens em uniforme preto se atenuou de súbito. Algo também havia mudado na aparência do sr. Charrington.

Seus olhos recaíram sobre os fragmentos do peso de papel de vidro.

— Recolha os pedaços — ele disse com rispidez.

Um homem se abaixou para obedecer. O sotaque proletário havia desaparecido; Winston subitamente se deu conta de quem era a voz que ele havia escutado poucos momentos antes na teletela. O sr. Charrington ainda usava seu terno de veludo antigo, mas seu cabelo, que era quase branco, havia ficado preto. E ele não estava usando os óculos. Ele deu a Winston um único olhar cortante, como se verificasse sua identidade, e então não prestou mais atenção nele. Ele ainda era reconhecível, mas já não era mais a mesma pessoa. O corpo havia se aprumado e parecia ter ficado maior. O rosto havia passado apenas por mudanças minúsculas que ainda assim funcionaram como uma transformação completa. As sobrancelhas pretas eram menos volumosas, as rugas haviam sumido, todas as linhas do rosto pareciam ter se alterado; até o nariz parecia um pouco mais curto. Era o rosto alerta e frio de um homem de 35 anos. Ocorreu a Winston que, pela primeira vez em sua vida, estava olhando para um membro da Polícia do Pensar e sabia disso.

PARTE III

CAPÍTULO 1

Ele não sabia onde estava. Era presumível que estivesse no Ministério do Amor, mas não havia como ter certeza. Estava em uma cela de teto alto e sem janelas, com paredes de porcelana brilhante. Lâmpadas escondidas inundavam o local com luz fria e havia um som baixo, um zunido, que ele imaginou ter algo a ver com o suprimento de ar. Um banco, ou uma estante, com largura suficiente apenas para sentar corria pela parede, interrompida somente pela porta e, no lado oposto dela, um vaso sanitário sem assento. Havia quatro teletelas, uma em cada parede.

Havia uma dor cega em sua barriga. Estava ali desde que o haviam enfiado no furgão fechado e o levado. Mas ele também estava com fome, uma fome nociva e corrosiva. Talvez fizesse 24 horas desde que havia comido pela última vez, talvez 36. Ele ainda não sabia, provavelmente nunca saberia, se era manhã ou noite quando foram presos. Desde que foi preso, não o haviam alimentado.

Ele ficou sentado o mais imóvel que podia no banco estreito, com as mãos cruzadas no joelho. Já aprendera a se sentar imóvel. Se você fizesse movimentos inesperados, eles gritavam com você da teletela. Mas o desejo por comida crescia dentro dele. O que ele desejava, acima de tudo, era um pedaço de pão. Ele achava que tinha algumas migalhas de pão nos bolsos da calça do macacão. Era até possível — ele achava isso porque de tempos em tempos algo parecia comichar em sua perna — que poderia haver um pedaço considerável de casca ali. No fim, a tentação de descobrir dominou o medo; ele enfiou uma mão no bolso.

— Smith! — gritou uma voz da teletela. — 6079 Smith W.! Mãos fora dos bolsos nas celas!

Ele ficou sentado imóvel de novo, as mãos cruzadas nos joelhos. Antes de ser levado para lá, havia sido levado a um lugar diferente que deveria ter sido uma prisão comum ou centro de detenção temporária das patrulhas. Ele não sabia quanto tempo havia ficado ali; algumas horas, pelo menos; sem relógio ou luz do dia, era difícil medir o tempo. Era um lugar barulhento com cheiro abominável. Eles o haviam colocado em uma cela parecida com essa em que ele estava agora, mas suja, imunda, e lotada com dez ou quinze pessoas o tempo todo. A maioria delas era de criminosos comuns, mas havia alguns prisioneiros políticos entre elas. Ele havia ficado sentado contra a parede, sacudido por corpos sujos, tomado demais pelo medo e a dor na barriga para se interessar pelos arredores, mas ainda notando a diferença surpreendente no comportamento entre os prisioneiros do Partido e os outros. Os prisioneiros do Partido estavam sempre em silêncio e apavorados, mas os criminosos comuns não pareciam ligar para nada nem ninguém. Eles gritavam insultos para os guardas, brigavam ferozmente quando seus pertences eram levados, escreviam palavras obscenas no chão, comiam comida contrabandeada que tiravam de esconderijos misteriosos em suas roupas, e até mesmo gritavam para a teletela quando ela tentava restaurar a ordem. Por outro lado, alguns deles pareciam se dar bem com os guardas, chamavam-nos por apelidos e tentavam conseguir cigarros pelo olho mágico da porta. Os guardas também tratavam os criminosos comuns com certa tolerância, mesmo quando tinham que lidar com eles de forma mais agressiva. Havia muita conversa sobre os campos de trabalho forçado para onde esperava-se que a maioria dos prisioneiros fosse enviada. Nos campos de trabalho, era "até que bom", desde que você tivesse bons contatos e entendesse como as coisas funcionavam. Havia suborno, favoritismo e crime organizado de todo tipo, havia homossexualidade e prostituição, havia até mesmo álcool ilícito destilado de batatas. Os cargos de confiança eram dados apenas aos prisioneiros comuns, em especial gângsteres e assassinos, que formavam uma espécie de aristocracia. Todos os trabalhos sujos eram feitos pelos presos políticos.

Havia um constante entra-e-sai de prisioneiros de todos os tipos: traficantes de drogas, ladrões, bandidos, comerciantes do mercado negro, bêbados, prostitutas. Alguns dos bêbados eram tão violentos que os outros prisioneiros tinham que se unir para os reprimir. Uma enorme ruína em forma de mulher, de cerca de sessenta anos, com imensos peitos caídos e cachos espessos de cabelo branco que havia caído ao se debater, foi carregada para dentro, chutando e berrando, por quatro guardas, que a seguravam um de cada lado. Eles arrancaram as botas com as quais ela estivera tentando chutá-los e a largaram no colo de Winston, quase quebrando o fêmur de ambas as pernas. A mulher se endireitou e saudou a saída deles com um: "Desgraçados filhos de uma p—!". Então, notando que estava sentada em algo irregular, deslizou dos joelhos de Winston para o banco.

— Desculpa, queridinho — ela disse. — Eu num teria sentado em você, só que os desgraçado me botaram aqui. Num sabem tratar uma dama, num é? — Ela pausou, bateu no peito e arrotou. — Mil desculpas — ela disse. — Num tô muito boa, não.

Ela se inclinou para frente e vomitou copiosamente no chão.

— Agora sim — ela disse, inclinando-se para trás de olhos fechados. — Nunca segura lá dentro, é o que eu sempre digo. Tem que tirar quando ainda tá fresquinho no estrombo, tipo isso.

Ela se reavivou, virou para olhar Winston de novo e pareceu gostar dele de imediato. Passou o braço vasto ao redor de seu ombro e o puxou para ela, respirando cerveja e vômito em sua cara.

— Como é que cê se chama, queridinho? — ela disse.

— Smith — disse Winston.

— Smith? — disse a mulher. — Que engraçado. Meu nome é Smith também. Ué — ela acrescentou, sentimental —, eu posso ser sua mãe!

Ela poderia, pensou Winston, ser sua mãe. Ela tinha a idade e o físico aproximados, e era provável que as pessoas mudassem um pouco depois de vinte anos em um campo de trabalho forçado.

Ninguém mais havia falado com ele. Em um nível surpreendente, os criminosos comuns ignoravam os prisioneiros do Partido. "Os políts", eles os chamavam, com uma espécie de desdém desinteressado. Os prisioneiros do Partido pareciam apavorados de falar com qualquer pessoa e, acima de tudo, uns com os outros. Apenas uma vez, quando duas integrantes do Partido estavam pressionadas juntas no banco, ele entreouviu sobre o burburinho algumas palavras sussurradas às pressas entre elas; e em particular uma referência a algo chamado de "sala um-zero-um", que ele não entendeu.

Podia fazer duas ou três horas que o haviam trazido ali. A dor baça em sua barriga nunca ia embora, mas às vezes melhorava e às vezes piorava, e seus pensamentos se expandiam ou contraíam de acordo. Quando ela piorava, ele pensava apenas na dor e em seu desejo por comida. Quando melhorava, o pânico tomava conta dele. Havia momentos em que ele previa as coisas que aconteceriam com ele com tanta realidade que seu coração galopava e a respiração parava. Ele sentia os golpes de cassetetes nos cotovelos e as botas com ponteiras de metal em sua canela; ele se via encolhido no chão, gritando por misericórdia através de dentes quebrados. Mal pensava em Julia. Ele não podia fixar a mente nela. Ele a amava e não a trairia; mas aquilo era apenas um fato, sabido como sabia as regras da aritmética. Não sentia amor por ela e mal se perguntava o que estaria acontecendo com ela. Ele pensava com mais frequência em O'Brien, com uma faísca de esperança. O'Brien talvez soubesse que ele havia sido preso. A Irmandade, ele dissera, nunca tentava salvar seus membros. Mas havia a lâmina; eles mandariam a lâmina se pudessem. Haveria talvez cinco segundos antes que o guarda pudesse correr para dentro da cela. A lâmina cortaria para dentro dele com uma espécie de frieza flamejante, e até mesmo os dedos que a seguravam seriam cortados até o osso. Tudo voltava ao seu corpo doentio, que se encolhia tremendo ante a menor dor. Ele não estava certo de que usaria a lâmina, mesmo que tivesse a oportunidade. Era mais natural existir de um momento para o outro, aceitando mais dez minutos de vida mesmo com a certeza de que haveria tortura no fim disso.

Às vezes, ele tentava calcular o número de azulejos de porcelana nas paredes da cela. Deveria ser fácil, mas ele sempre perdia a conta em um momento ou outro. Com assiduidade, ele se perguntava onde estava e que hora do dia era. Em um momento, ele teve certeza de que havia plena luz do dia do lado de fora, e no seguinte, certeza igual de que era escuridão total. Neste lugar, ele sabia por instinto, as luzes nunca se apagariam. Era o lugar sem escuridão: ele via agora por que O'Brien pareceu reconhecer a alusão. No Ministério do Amor, não havia janelas. Sua cela poderia estar no centro do edifício ou contra a parede externa; poderia estar no décimo andar subterrâneo ou trinta andares acima do chão. Ele se moveu mentalmente de um lugar para outro e tentou determinar pela sensação do corpo se estava empoleirado alto no ar ou enterrado nas profundezas do subsolo.

Houve um som de botas marchando do lado de fora. A porta de aço se abriu com um clangor. Um oficial jovem, uma figura esguia de uniforme negro que parecia brilhar de cima a baixo com couro polido, e cujo rosto pálido de traços retos era como uma máscara de cera, deu um passo diligente para dentro. Ele gesticulou para que os guardas do lado de fora trouxessem o prisioneiro que carregavam. O poeta Ampleforth entrou na cela aos tropeços. A porta fechou de novo com mais um clangor.

Ampleforth fez um ou dois movimentos incertos de um lado para o outro, como se tivesse alguma ideia de que havia outra porta pela qual sair, e então começou a caminhar para cima e para baixo na cela. Ele não havia notado a presença de Winston. Seus olhos perturbados estavam olhando a parede cerca de um metro acima do nível da cabeça de Winston. Ele estava sem sapatos; dedos dos pés gordos e sujos saltavam dos buracos em suas meias. Ele também estava sem se barbear tinha muitos dias. Uma barba desleixada cobria seu rosto até as maçãs, dando-lhe um ar de rufianismo que se encaixava mal com sua estrutura grande e fraca e seus movimentos nervosos.

Winston despertou um pouco da letargia. Precisava falar com Ampleforth e arriscar a repreensão num grito da teletela. Era até mesmo concebível que Ampleforth fosse o portador da lâmina.

— Ampleforth — ele disse.

Não houve grito da teletela. Ampleforth parou, um pouco surpreso. Seus olhos focaram Winston devagar.

— Ah, Smith! — ele disse. — Você também?

— Por que você está aqui?

— Para dizer a verdade... — Ele se sentou sem jeito no banco em frente a Winston. — Só existe um crime possível, não é? — ele disse.

— E você o cometeu?

— Aparentemente sim.

Ele colocou uma mão na testa e pressionou as têmporas por um momento, como se tentasse se lembrar de algo.

— Essas coisas acontecem — ele começou devagar. — Eu consegui me lembrar de uma ocasião... uma ocasião possível. Foi uma indiscrição, sem dúvida. Estávamos produzindo uma edição definitiva dos poemas de Kipling. Eu permiti que a palavra "Deus" ficasse no final de uma estrofe. Não consegui evitar! — ele acrescentou quase indignado, erguendo o rosto para olhar para Winston. — Era impossível mudar a estrofe. Você sabe quantas rimas existem para essa palavra no idioma inteiro? Doze. Por dias eu fiquei revirando o cérebro. Não TINHA outra rima possível.

A expressão em seu rosto mudou. A irritação passou e por um momento ele pareceu quase contente. Uma espécie de calor intelectual, a alegria do pedante que descobriu algum fato inútil, brilhou em meio ao cabelo sujo e desleixado.

— Já lhe ocorreu — ele disse — que a história inteira da poesia inglesa foi determinada pelo fato de que a língua inglesa não tem muitas rimas?

Não, aquele pensamento em particular nunca havia ocorrido a Winston. Tampouco, nas circunstâncias, lhe parecia importante ou interessante.

— Sabe que horas são? — ele disse.

Ampleforth pareceu surpreso de novo.

— Eu mal havia pensado nisso. Eles me prenderam... pode ter sido dois dias atrás... talvez três. — Seus olhos dispararam pelas paredes, como se ele meio que esperasse encontrar uma janela em algum lugar. — Não tem diferença entre noite e dia nesse lugar. Não sei como alguém poderia calcular o tempo.

Eles falaram esporadicamente por alguns minutos, e então, sem motivo aparente, um grito da teletela os mandou ficar quietos. Winston ficou sentado em silêncio, as mãos cruzadas. Ampleforth, grande demais para se sentar com conforto no banco estreito, se agitava de um lado para o outro, fechando as mãos magras primeiro ao redor de um joelho, depois ao redor do outro. A teletela latiu para que ele ficasse parado. O tempo passou. Vinte minutos, uma hora — era difícil avaliar. Mais uma vez houve sons de botas do lado de fora. As tripas de Winston se contraíram. Em breve, muito em breve, talvez em cinco minutos, talvez agora, o pisar de botas significaria que a vez dele havia chegado.

A porta se abriu. O jovem oficial de rosto frio entrou na sala com um passo. Com um breve movimento da mão, indicou Ampleforth.

— Sala 101 — ele disse.

Ampleforth marchou desajeitado para fora por entre os guardas, o rosto vagamente perturbado, mas sem compreender.

O que pareceu ser muito tempo passou. A dor na barriga de Winston havia revivido. Sua mente se arrastava ao redor do mesmo eixo, como uma bola caindo de novo e de novo na mesma série de buracos. Ele tinha apenas seis pensamentos. A dor na barriga; um pedaço de pão; o sangue e os gritos; O'Brien; Julia; a lâmina. Houve outro espasmo em suas entranhas, as botas pesadas se aproximavam. Assim que a porta abriu, a onda de ar criada pelo movimento trouxe o cheiro poderoso de suor frio. Parsons entrou na cela. Ele estava usando bermudas cáqui e uma camisa polo.

Desta vez Winston ficou tão surpreso que esqueceu de seu lugar.

— VOCÊ aqui! — ele disse.

Parsons lançou um olhar para Winston em que não existia nem interesse nem surpresa, somente tristeza. Ele começou a caminhar em espasmos para frente e para trás, incapaz de ficar parado, era claro. Cada vez que ele estendia os joelhos gorduchos, ficava aparente que estavam tremendo. Seus olhos estavam arregalados, como se ele não conseguisse evitar olhar para algo um pouco distante.

— Por que você está aqui? — disse Winston.

— Crimepensar! — disse Parsons, quase chorando. O tom de sua voz implicava a um só tempo uma admissão completa de sua culpa e uma espécie de horror incrédulo de que uma palavra assim pudesse ser aplicada a ele. Ele parou na frente de Winston e começou a apelar para ele ansiosamente: — Você não acha que vão atirar em mim, acha, meu rapaz? Eles não atiram em você se você não fez nada de errado... Só pensamentos, que você não consegue evitar? Sei que dão um julgamento justo. Ah, eu confio que dão! Eles devem saber do meu histórico, não? VOCÊ sabe que tipo de homem eu era. Não era um homem ruim, de jeito nenhum. Não era um crânio, claro, mas esperto. Eu tentava fazer meu melhor pelo Partido, não é? Vou me safar com cinco anos, não acha? Ou até dez anos? Um cara como eu pode ser bastante útil num campo de trabalho. Eles não me dariam um tiro por sair dos trilhos uma vez só, dariam?

— Você é culpado? — disse Winston.

— É claro que sou culpado! — gritou Parsons com um olhar servil para a teletela. — Você não acha que o Partido prenderia um homem inocente, acha? — Sua cara de sapo ficou mais calma e até mesmo adotou uma expressão beata. — Crimepensar é uma coisa pavorosa, meu velho — ele disse como num sermão. — É traiçoeiro. Pode te dominar sem que você perceba. Sabe como me dominou? Quando eu estava dormindo! Sim, é um fato. Lá estava eu, trabalhando sem parar, tentando fazer minha parte... Nunca nem soube que eu tinha qualquer coisa ruim na cabeça. Aí comecei a falar enquanto dormia. Sabe o que me pegaram falando?

Ele afundou a voz, como alguém obrigado a dizer uma obscenidade por motivos médicos.

— "Fim ao Grande Irmão"! Sim, eu disse isso! Disse de novo e de novo, parece. Cá entre nós, meu rapaz, estou contente que tenham me pegado antes de ir mais longe. Sabe o que vou dizer para eles quando for ao tribunal? "Obrigado", é o que vou dizer. "Obrigado por me salvarem antes de ser tarde demais."

— Quem denunciou você? — disse Winston.

— Foi a minha filhinha — disse Parsons, com um tipo de orgulho dolorido. — Ela ouviu pelo buraco da fechadura. Ouviu o que eu estava dizendo e avisou as patrulhas no dia seguinte. Bem esperta para uma pequerrucha de sete anos, não? Não me ressinto dela por isso. Na verdade, estou orgulhoso dela. Mostra que eu a criei com o espírito certo, de qualquer forma.

Ele fez mais alguns movimentos agitados para cima e para baixo, diversas vezes, lançando um olhar desejoso para o vaso sanitário. Então, de súbito, arriou as bermudas.

— Perdão, meu velho — ele disse. — Não consigo evitar. É a espera.

Ele atirou o traseiro largo no vaso. Winston cobriu o rosto com as mãos.

— Smith! — gritou a voz da teletela. — 6079 Smith W! Mostre o rosto. Nenhum rosto coberto em celas.

Winston descobriu o rosto. Parsons usou o vaso, de forma barulhenta e abundante. Então, revelou-se que a descarga estava defeituosa, e a cela fedeu de forma abominável por horas depois.

Parsons foi removido. Mais prisioneiros entraram e saíram de forma misteriosa. Um, uma mulher, foi despachada para a "Sala 101" e, Winston notou, pareceu se encolher e mudar de cor quando ouviu essas palavras. Veio um momento que, se ele havia sido trazido para a cela de manhã, seria a tarde; ou se tivesse sido à tarde, então seria meia-noite. Havia seis prisioneiros na cela, homens e mulheres. Todos sentados bem imóveis. À frente de Winston havia um homem com rosto dentuço e sem queixo, quase exatamente como um grande roedor inofensivo. Suas bochechas gordas e manchadas estavam tão inchadas embaixo que era difícil não acreditar que ele tinha pequenos bolsões para guardar comida ali. Seus olhos cinza pálidos corriam receosos de um rosto para outro e tornavam a se afastar depressa quando alguém olhava de volta.

A porta abriu, e outro prisioneiro foi trazido para dentro, cuja aparência lançou um arrepio momentâneo por Winston. Ele era um homem de ar comum e malvado, que poderia ter sido um engenheiro ou técnico de algum tipo. Mas o que surpreendia era a emaciação de seu rosto. Era como uma caveira. Por causa da magreza, a boca e olhos pareciam desproporcionalmente grandes, e os olhos pareciam cheios de um ódio implacável e assassino por alguém ou alguma coisa.

O homem se sentou no banco a uma distância pequena de Winston. Winston não olhou para ele de novo, mas o rosto atormentado como uma caveira estava vívido em sua mente como se estivesse bem na frente de seus olhos. De súbito, ele se deu conta de qual era o problema. O homem estava morrendo de inanição. A mesma ideia pareceu ocorrer quase ao mesmo tempo para todos na cela. Havia um agito muito fraco por todo o banco. Os olhos do homem sem queixo continuavam voando para o homem de cara de crânio, então voltando cheios de culpa, depois sendo arrastados de volta por uma atração irresistível. Logo ele começou a se remexer no próprio lugar. Enfim, levantou-se, bambeou sem jeito pela cela, enfiou as mãos no bolso do macacão e, com um ar envergonhado, estendeu um pedaço de pão encardido para o homem com rosto de crânio.

Houve um rugido furioso e ensurdecedor da teletela. O homem sem queixo deu um pulo. O homem com cara de crânio enfiou as mãos atrás das costas rápido, como se demonstrasse ao mundo todo que recusou o presente.

— Bumstead! — rugiu a voz. — 2713 Bumstead J.! Deixe cair este pedaço de pão!

O homem sem queixo deixou o pão cair no chão.

— Fique parado onde está — disse a voz. — Encare a porta. Não faça nenhum movimento.

O homem sem queixo obedeceu. Suas grandes bochechas inchadas tremiam sem controle. A porta abriu com um clangor. Quando o jovem oficial entrou e deu um passo para o lado, um guarda baixo e atarracado de braços e ombros enormes emergiu de trás dele. Ele ficou na frente do homem sem queixo, e então, após um sinal do oficial, liberou um soco medonho, com todo o peso do corpo nele, bem na boca do homem sem queixo. A força do soco pareceu quase levantá-lo do chão. Seu corpo foi lançado pela cela e terminou na base do vaso sanitário. Por um momento, ele ficou deitado como se atordoado, com sangue escuro escorrendo da boca e do nariz. Um choramingo ou guincho muito baixo, que parecia inconsciente, saiu dele. Então ele rolou e se colocou de quatro, trôpego. Entre um riacho de sangue e saliva, as duas metades de uma dentadura caíram de sua boca.

Os prisioneiros ficaram sentados muito imóveis, as mãos cruzadas sobre os joelhos. O homem sem queixo se arrastou de volta para seu lugar. Em um lado de seu rosto, a carne escurecia. A boca havia inchado em uma massa cor de cereja com um buraco negro no meio.

De tempos em tempos, um pouco de sangue gotejava no peitoral de seu macacão. Seus olhos cinzentos ainda corriam de um rosto para outro, com mais culpa que antes, como se estivesse tentando descobrir quanto os outros o desprezavam por sua humilhação.

A porta se abriu. Com um gesto pequeno, o oficial indicou o homem com rosto de crânio.

— Sala 101 — ele disse.

Houve um arquejar e um agito ao lado de Winston. O homem havia na verdade saltado para a frente de joelhos com as mãos fechadas juntas.

— Camarada! Oficial! — ele gritou. — Você não precisa me levar para aquele lugar! Eu já não contei tudo para vocês? O que mais existe para saber? Não tem nada que eu não confessaria, nada! Só me digam o que é, e eu confesso na hora. Escrevam e eu assino... qualquer coisa! Não a sala 101!

— Sala 101 — disse o oficial.

O rosto do homem, já bastante pálido, ficou de uma cor que Winston não acreditaria possível. Era definitiva e inconfundivelmente um tom de verde.

— Façam qualquer coisa comigo! — ele gritou. — Vocês estão me matando de fome por semanas. Terminem logo e me deixem morrer. Atirem em mim. Me enforquem. Podem me sentenciar a 25 anos. Querem que eu entregue mais alguém? Só digam quem é, e eu digo a vocês qualquer coisa que quiserem. Eu não ligo quem é ou o que vocês fizerem com a pessoa. Eu tenho uma esposa e três filhos. O maior deles não tem seis anos de idade. Pode pegar todos eles e cortar as gargantas de todos na minha frente, e eu vou ficar parado olhando. Mas não a sala 101!

— Sala 101 — disse o oficial.

O homem olhou de forma frenética para os outros prisioneiros, como se tivesse alguma ideia de que poderia colocar outra vítima em seu lugar. Seus olhos pousaram no rosto amassado do homem sem queixo. Ele estendeu um braço magro.

— É esse que vocês deveriam estar levando, não eu! — ele gritou. — Vocês não ouviram o que ele estava dizendo depois que socaram a cara dele. É só me dar uma chance e eu conto tudo. É ELE que está contra o Partido, não eu. — Os guardas deram um passo adiante. A voz do homem se elevou a um grito agudo. — Vocês não ouviram este homem! — ele repetiu. — Deu algum defeito com as teletelas. É ELE que vocês querem. Levem este aí, não eu!

Os dois guardas corpulentos haviam se abaixado para pegá-lo pelos braços. Mas nesse exato momento ele se lançou no chão da cela e agarrou uma das pernas de metal que apoiavam o banco. Ele havia começado um uivo sem palavras, animalesco. Os guardas o agarraram, mas ele se atracou com força surpreendente. Por talvez vinte segundos, eles o puxaram com força. Os prisioneiros ficaram parados, as mãos cruzadas sobre os joelhos, olhando diretamente adiante. Os uivos pararam; o homem não tinha fôlego para mais nada além de se segurar. Então, veio um tipo diferente de grito. Um chute da bota de um guarda havia quebrado os dedos de uma de suas mãos. Eles os arrastaram pelos pés.

— Sala 101 — disse o oficial.

O homem foi levado embora, caminhando aos tropeços, com a cabeça afundada, acariciando a mão esmagada, toda a capacidade de lutar se esvaído dele.

Muito tempo passou. Se havia sido meia-noite quando o homem com cara de crânio foi levado, já era manhã naquele momento; se era manhã antes, o momento era a tarde. Winston estava sozinho e havia estado sozinho por horas. A dor de ficar sentado no banco estreito era tamanha que com frequência ele se levantava e caminhava, sem ser xingado pela teletela. O pedaço de pão ainda estava onde o homem sem queixo o derrubara. No começo, custou um esforço grande para não olhar para ele, mas no momento a fome havia dado lugar à sede. A boca estava seca e com um sabor ruim. O zumbido e a luz branca incansável induziam uma espécie de tontura, um sentimento vazio dentro da cabeça. Ele se levantava porque a dor nos ossos não era mais suportável, e então se sentava de novo quase na mesma hora porque estava tonto demais para ter certeza de que conseguia ficar de pé. Sempre que suas sensações físicas ficavam um pouco sob controle, o terror voltava. Às vezes, com uma esperança evanescente, ele pensava em O'Brien e na lâmina. Era de se imaginar que a lâmina chegasse escondida em sua comida, se ele um dia fosse alimentado. Mais vagamente, ele pensava em Julia. Em algum lugar, ela estava sofrendo talvez algo pior do que ele. Ela poderia estar gritando de dor naquele momento. Ele pensou: "Se eu pudesse salvar Julia ao dobrar minha dor, será que eu faria isso? Sim, eu faria". Mas aquela era apenas uma decisão intelectual, tomada porque sabia que era como ele deveria pensar. Ele não se sentia assim. Nesse lugar, não se podia sentir qualquer coisa, exceto dor e o conhecimento prévio da dor. Além disso, será que era possível, quando você de fato a sentia, desejar por qualquer motivo que sua própria dor aumentasse? Mas aquela pergunta não era respondível ainda.

As botas se aproximaram de novo. A porta abriu. O'Brien entrou. Winston ficou de pé com o susto. O choque daquela visão removera toda sua cautela. Pela primeira vez em muitos anos, ele se esqueceu da presença de teletelas.

— Eles pegaram você também! — ele gritou.

— Eles me pegaram muito tempo atrás — disse O'Brien com uma leve ironia, quase arrependida. Ele deu um passo para o lado. De trás dele, surgiu um guarda com peito amplo com um longo cassetete preto na mão.

— Você sabia disso, Winston — disse O'Brien. — Não se engane. Você sabia disso, sim... Você sempre soube.

Sim, ele via agora, ele sempre soubera. Mas não havia tempo para pensar naquilo. Ele só tinha olhos para o cassetete na mão do guarda. Ele poderia cair em qualquer lugar: no cocuruto, na ponta da orelha, no antebraço, no cotovelo...

O cotovelo! Ele havia caído de joelhos, quase paralisado, agarrando o cotovelo atingido com a outra mão. Tudo havia explodido em luz amarela. Era inconcebível, inconcebível que um golpe só causasse tanta dor! A luz clareou e ele conseguiu ver os outros dois olhando para baixo, para ele. O guarda ria de suas contorções. Ao menos uma pergunta foi respondida. Nunca, por nenhum motivo no mundo, alguém poderia desejar um aumento de dor. Da dor, só se podia desejar uma coisa: que ela parasse. Nada no mundo era tão ruim quanto a dor física. Diante da dor, não há heróis, nenhum herói, ele pensava sem parar enquanto se encolhia no chão, segurando o braço esquerdo incapacitado.

CAPÍTULO 2

Ele estava deitado em algo que parecia ser um catre, só um pouco mais alto, e estava amarrado de um modo que não conseguia se mover. Uma luz que parecia mais forte do que de costume caía sobre seu rosto. O'Brien estava em pé ao seu lado, olhando para ele com atenção. Do outro lado dele havia um homem de jaleco com uma seringa hipodérmica.

Mesmo depois de seus olhos se abrirem, ele só absorveu o que o cercava pouco a pouco. Tinha a impressão de haver nadado para dentro desse recinto vindo de algum mundo diferente, uma espécie de mundo subaquático muito abaixo dele. Quanto tempo estivera lá embaixo ele não sabia. Desde o momento em que o haviam prendido, ele não havia visto escuridão nem luz do dia. Além disso, suas memórias não eram contínuas. Houve momentos em que a consciência, mesmo o tipo de consciência que se tem no sono, havia parado e recomeçado depois de um intervalo em branco. Mas se os intervalos eram de dias ou semanas ou apenas segundos, não havia como saber.

Com aquele primeiro golpe no cotovelo, o pesadelo tinha começado. Mais tarde, ele se daria conta de que tudo que acontecera antes era apenas uma preliminar, um interrogatório de rotina pelo qual praticamente todos os prisioneiros passavam. Havia diversas opções de crimes — espionagem, sabotagem e coisas do tipo — a que todos tinham que confessar como questão de protocolo. A confissão era uma formalidade, apesar de a tortura ser real. Quantas vezes ele havia sido espancado, por quanto tempo os espancamentos se estenderam, ele não conseguia se lembrar. Sempre havia cinco ou seis homens em uniformes pretos ao redor dele ao mesmo tempo. Às vezes eram punhos, às vezes cassetetes, às vezes varas de aço, às vezes eram botas. Houve momentos em que ele rolou pelo chão, sem vergonha, como animal, retorcendo o corpo para lá ou para cá em um esforço infindável e desesperado de se desviar dos chutes, o que apenas convidou mais e mais chutes, nas costelas, na barriga, nos cotovelos, nas canelas, na virilha, nos testículos, no osso na base da espinha. Houve vezes em que aquilo continuou e se repetiu, até que o que lhe pareceu ser o mais cruel e perverso não era que os guardas continuassem a espancá-lo, mas que ele não conseguisse se forçar a perder a consciência. Houve momentos em que sua coragem o abandonou de tal forma que ele começou a gritar por misericórdia antes mesmo de o espancamento começar, quando a mera visão de um punho recuado para desfechar um soco era o suficiente para fazer com que despejasse uma confissão de crimes reais ou imaginários. Houve outros momentos em que ele começava com a decisão de que não confessaria nada, quando cada palavra tinha que ser arrancada dele entre arquejos de dor, e houve momentos em que ele tentava debilmente achar um meio-termo, quando dizia a si mesmo: "Eu vou confessar, mas ainda não. Preciso me segurar até a dor ficar insuportável. Mais três chutes, mais dois chutes, e então vou contar a eles o que querem". Às vezes, ele era espancado até mal conseguir ficar em pé, então era jogado como um saco de batatas no piso de pedras de uma cela, deixado ali para se recuperar por algumas horas, e então levado para apanhar de novo. Havia também períodos maiores de recuperação. Ele não se lembrava deles muito bem, porque eram passados em boa parte dormindo ou em estado de torpor. Ele se lembrava de uma cela com um catre de madeira, uma espécie de estante saindo da parede, uma pia de latão e refeições de sopa quente e pão, às vezes café. Ele se lembrava de um barbeiro mal-humorado chegando para raspar seu queixo e cortar-lhe o cabelo, e homens em jalecos brancos muito profissionais e sem compaixão tirando seu pulso, medindo reflexos, abrindo pálpebras, passando dedos ásperos nele em busca de ossos quebrados e enfiando seringas em seu braço para que ele dormisse.

Os espancamentos ficaram menos frequentes e se tornaram mais uma ameaça, um horror para o qual ele poderia ser enviado de volta a qualquer momento se suas respostas fossem insatisfatórias. Seus interrogadores agora não eram facínoras em uniformes pretos, mas intelectuais do Partido, pequenos homens rotundos com movimentos ágeis e óculos cheios de reflexo que se revezavam para interrogá-lo em sessões ao longo de períodos que duravam — ele achava, já que não havia como ter certeza — dez ou doze horas de cada vez. Esses outros interrogadores se certificavam de que ele estivesse constantemente com dor, ainda que leve, mas não era majoritariamente na dor que eles se fiavam. Eles davam tapas na cara, torciam suas orelhas, puxavam-lhe o cabelo, mandavam ficar em pé em uma perna só, proibiam-no de urinar, lançavam luzes fortes em seu rosto até as lágrimas escorrerem; o objetivo daquilo era apenas humilhá-lo e destruir seu poder de argumentação e raciocínio. A verdadeira arma deles era o interrogatório implacável que seguia e seguia, hora após hora, induzindo ao erro, preparando arapucas para ele, distorcendo tudo que ele dizia, condenando-o a cada passo por mentiras e contradições até ele começar a chorar tanto de vergonha quanto de fadiga nervosa. Às vezes ele chorava uma meia dúzia de vezes numa única sessão. A maior parte do tempo eles gritavam xingamentos para ele, ameaçando a cada hesitação entregá-lo de novo para os guardas; mas às vezes eles mudavam de tom de súbito, chamavam-no de camarada, apelavam a ele em nome do Socing e do Grande Irmão e perguntavam-lhe com pesar se mesmo naquele momento não havia lhe restado lealdade suficiente ao Partido para fazê-lo desejar desfazer todo o mal que fizera antes. Quando seus nervos estavam em frangalhos depois de horas de interrogatório, até mesmo esse apelo conseguia reduzi-lo a lágrimas ranhentas. No final, as vozes persistentes o quebravam de forma mais completa do que as botas e punhos dos guardas. Ele se tornou apenas uma boca que pronunciava, uma mão que assinava, o que quer que se pedisse dele. Sua única preocupação era descobrir o que queriam que ele confessasse, e então confessar rápido antes que a pressão recomeçasse. Ele confessou o assassinato de importantes membros do Partido, a distribuição de panfletos sediciosos, fraude de fundos públicos, venda de segredos militares, sabotagens de todo tipo. Confessou que havia sido um espião pago pelo governo da Lestásia desde 1968. Ele confessou que era um crente religioso, um admirador do capitalismo e um pervertido sexual. Confessou que havia assassinado a esposa, apesar de saber, e seus interrogadores deviam saber, que a esposa ainda estava viva. Ele confessou que estivera em contato com Goldstein por anos e fora membro de uma organização clandestina que havia incluído quase todos os seres humanos que conhecera. Era mais fácil confessar tudo e implicar todos. Além disso, de certa forma, era tudo verdade. Era verdade que ele havia sido inimigo do Partido, e nos olhos do Partido não havia distinção entre pensamentos e atos.

Havia também memórias de outro tipo. Elas se destacavam em sua mente de forma desconexa, como fotos cercadas pela escuridão total.

Ele estava em uma cela que poderia estar ou escura ou iluminada, porque ele não conseguia ver nada além de um par de olhos. Perto, havia algum instrumento que tiquetaqueava devagar e com regularidade. Os olhos ficaram maiores e mais luminosos. De súbito, ele flutuou de seu assento, mergulhou nos olhos e foi engolido.

Ele estava amarrado a uma cadeira cercado de botões, marcadores e discos, sob luzes ofuscantes. Um homem de jaleco branco estava lendo informações nos registros. Houve o marchar de botas pesadas do lado de fora. A porta se abriu com um clangor. O oficial com cara de cera marchou para dentro, seguido por dois guardas.

— Sala 101 — disse o oficial.

O homem de jaleco branco não se virou. Tampouco olhou para Winston; ele estava olhando apenas para os marcadores.

Ele deslizou por um túnel imenso, um quilômetro de largura, cheio de luz dourada e gloriosa, rugindo com gargalhadas e gritando confissões a plenos pulmões. Estava confessando tudo, até mesmo as coisas que havia conseguido segurar sob tortura. Relatava a história de sua vida inteira para uma audiência que já a conhecia. Com ele estavam os guardas, os outros interrogadores, os homens de jaleco branco, O'Brien, Julia, o sr. Charrington, todos descendo o túnel juntos e berrando gargalhadas. Alguma coisa pavorosa que estivera guardada no futuro havia de alguma forma sido evitada e não se concretizara. Tudo estava bem, não havia mais dor, o último detalhe de sua vida foi desnudado, entendido, perdoado.

Ele estava tentando se levantar do catre de madeira, quase certo de ter escutado a voz de O'Brien. Ao longo de seu interrogatório, apesar de nunca o haver visto, tivera a sensação de que O'Brien estava atrás dele, fora do campo de visão. Era O'Brien quem dirigia tudo. Era ele quem lançava os guardas sobre Winston e quem os impedia de matá-lo. Era ele quem decidia quando Winston devia gritar de dor, quando devia ter um respiro, quando devia ser alimentado, quando devia dormir, quando as drogas deviam ser injetadas em seu braço. Era ele quem fazia as perguntas e sugeria as respostas. Ele era o atormentador, o protetor, o interrogador, o amigo. E uma vez — Winston não conseguia se lembrar se foi durante um sono drogado, ou no sono normal, ou até mesmo em um momento acordado — uma voz murmurou em seu ouvido:

— Não se preocupe, Winston; você está sob minha guarda. Por sete anos, eu vigiei você. Agora o ponto de virada chegou. Eu vou te salvar, eu vou te deixar perfeito. — Ele não tinha certeza se era a voz de O'Brien; mas era a mesma voz que lhe dissera uma vez "Nós nos encontraremos no lugar sem escuridão" naquele outro sonho, sete anos atrás.

Ele não se lembrava de um término para seu interrogatório. Houve um período de escuridão, e então a cela ou quarto em que ele estava no momento havia se materializado gradualmente ao seu redor. Ele estava quase deitado de costas, incapaz de se mover. Seu corpo estava preso em todos os pontos essenciais. Até mesmo a nuca estava presa de alguma maneira. O'Brien olhava de cima com gravidade e bastante tristeza. Seu rosto, visto por baixo, parecia áspero e desgastado, com bolsas sob os olhos e linhas cansadas do nariz ao queixo. Ele era mais velho do que Winston o havia imaginado; tinha talvez 48 ou 50 anos. Sob sua mão, havia um botão com uma alavanca no topo e números ao redor.

— Eu avisei — disse O'Brien — que se nos encontrássemos de novo, seria aqui.

— Sim — disse Winston.

Sem aviso nenhum, exceto por um movimento leve da mão de O'Brien, uma onda de dor inundou seu corpo. Era uma dor assustadora, porque ele não conseguia ver o que estava havendo, e sentia que estavam lhe atingindo com um ferimento mortal. Ele não sabia se aquilo estava acontecendo de fato ou se o efeito era gerado pela eletricidade; mas seu corpo estava sendo retorcido para fora de sua forma original, as juntas estavam sendo rasgadas devagarinho. Apesar de a dor trazer suor à sua testa, o pior de tudo era o medo de sua coluna vertebral estar prestes a se partir. Ele cerrou os dentes e respirou com força pelo nariz, tentando se manter quieto pelo maior tempo possível.

— Você está com medo — disse O'Brien, observando seu rosto — de que daqui a um instante alguma coisa se quebre. Seu medo em específico é que será sua coluna. Você tem uma imagem mental vívida de cada vértebra se separando uma da outra e a medula óssea vazando. É nisso que está pensando, não é, Winston?

Winston não respondeu. O'Brien baixou a alavanca perto do marcador. A onda de dor sumiu quase tão rápido quanto havia surgido.

— Isso foi quarenta — disse O'Brien. — Você pode ver que os números nesse marcador vão até cem. Você poderia, por favor, se lembrar, ao longo de nossa conversa, de que eu tenho em minhas mãos o poder de lhe causar dor a qualquer momento e em qualquer nível que eu quiser? Se você mentir para mim, ou tentar me enganar de qualquer maneira, ou até mesmo ficar abaixo de seu nível normal de inteligência, você vai berrar de dor no mesmo instante. Você entende isso?

— Sim — disse Winston.

Os modos de O'Brien ficaram menos severos. Ele rearrumou os óculos de forma pensativa, e deu um passo ou dois para cima e para baixo. Quando falou, sua voz estava gentil e paciente. Ele tinha um ar de médico, professor, talvez até de um padre, mais ansioso para explicar e persuadir do que para punir.

— Eu estou me dando ao trabalho de lidar com você, Winston — ele disse —, porque você é alguém que vale o esforço. Você sabe perfeitamente bem o que tem de errado com você. Sabe há anos, apesar de ter lutado contra esse conhecimento. Você está desajustado mentalmente. Sofre de uma memória defeituosa. Você não consegue se lembrar de eventos reais e se convence de que se lembra de outros eventos que nunca aconteceram. Por sorte, isso é curável. Você nunca se curou disso porque não escolheu fazer isso. Havia um pequeno esforço da vontade que você não estava preparado para fazer. Até mesmo agora, estou bastante ciente, você se agarra à sua doença com a impressão de que é uma virtude. Agora, vamos tomar um exemplo. Neste momento, com que potência a Oceânia está em guerra?

— Quando eu fui preso, Oceânia estava em guerra com a Lestásia.

— Com a Lestásia. Bom. E a Oceânia sempre esteve em guerra com a Lestásia, não é verdade?

Winston inspirou. Ele abriu a boca para falar, e então não falou. Não conseguia tirar os olhos do marcador.

— A verdade, por favor, Winston. A SUA verdade. Diga-me o que você acha que lembra.

— Eu me lembro que até uma semana antes de eu ser preso, não estávamos em guerra com a Lestásia de jeito nenhum. Nós estávamos em aliança com eles. A guerra era contra a Eurásia. Isso durou quatro anos. Antes disso...

O'Brien o interrompeu com um aceno na mão.

— Outro exemplo — ele disse. — Alguns anos atrás, você teve uma ilusão muito séria, de fato. Você acreditou que três homens, três membros do Partido em algum momento, chamados Jones, Aaronson e Rutherford... homens que foram executados por traição e sabotagem depois de fazer as confissões mais completas possíveis... não eram culpados dos crimes dos quais tinham sido acusados. Você acreditou ter visto evidência documental inconfundível provando que suas confissões eram falsas. Você alucinou com uma certa foto. Acreditou inclusive que a teve em suas mãos. Era uma foto parecida com esta.

Um recorte oblongo de jornal havia aparecido entre os dedos de O'Brien. Por talvez cinco segundos, estava dentro do campo de visão de Winston. Era uma foto, e não havia dúvida a respeito de sua identidade. Era A foto. Era outra cópia da foto de Jones, Aaronson e Rutherford na função do Partido em Nova York, na qual ele havia esbarrado onze anos antes e destruído de imediato. Por um instante, estava diante dos seus olhos, então sumiu outra vez. Mas ele a vira, sem dúvida, ele a vira! Fez um esforço desesperado e agonizante para libertar a parte de cima de seu corpo. Era impossível mover sequer um centímetro em qualquer direção. Por um momento, havia se esquecido do botão. Tudo o que ele queria era segurar a foto em suas mãos de novo, ou ao menos vê-la.

— Ela existe! — ele gritou.

— Não — disse O'Brien.

Ele atravessou o recinto. Havia um buraco da memória na parede em frente. O'Brien ergueu a grade. Sem ser visto, o frágil pedaço de papel rodopiava na corrente de ar quente; desaparecia em um lampejo de chamas. O'Brien deu as costas para a parede.

— Cinzas — ele disse. — Nem sequer cinzas identificáveis. Poeira. Não existe. Nunca existiu.

— Mas existiu sim! Ela existe! Existe na memória. Eu me lembro. Você se lembra.

— Eu não me lembro — disse O'Brien.

O coração de Winston afundou. Isso era duplipensar. Ele tinha uma sensação de impotência mortal. Se pudesse ter certeza de que O'Brien estava mentindo, não pareceria ter importância. Mas era perfeitamente possível que O'Brien tivesse de fato se esquecido da foto. E, assim sendo, então ele já teria se esquecido de sua negação de lembrar e esquecido de todo o ato de esquecimento. Como se poderia ter certeza de que eram apenas truques? Talvez aquele deslocamento lunático na mente pudesse de fato acontecer: aquele era o pensamento que o derrotava.

O'Brien olhava para ele, especulando. Mais do que nunca, ele tinha o ar de um professor se esforçando com um aluno promissor, mas teimoso.

— Há um lema do Partido que lida com o controle do passado — ele disse. — Repita, por obséquio.

— Aquele que controla o passado controla o futuro; aquele que controla o presente controla o passado — repetiu Winston com obediência.

— Aquele que controla o presente controla o passado — disse O'Brien, assentindo com a cabeça em uma aprovação lenta. — É a sua opinião, Winston, de que o passado tem existência real?

De novo, a sensação de impotência desceu sobre Winston. Seus olhos correram para o botão. Ele não sabia se "sim" ou "não" era a resposta que o salvaria da dor; sequer sabia qual resposta ele acreditava ser a verdadeira.

O'Brien sorriu fracamente.

— Você não é um metafísico, Winston — ele disse. — Até esse momento, você nunca havia considerado o que se quer dizer com existência. Vou colocar em palavras mais precisas. O passado existe, concretamente, no espaço? Existe, em algum lugar, um mundo de objetos sólidos, onde o passado ainda está acontecendo?

— Não.

— Então onde o passado existe, se existe?

— Nos registros. Está escrito.

— Em registros. E...?

— Na mente. Em memórias humanas.

— Na memória. Muito bem, então. Nós, o Partido, controlamos todos os registros e controlamos todas as memórias. Então controlamos o passado, não?

— Mas como vocês impedem as pessoas de se lembrarem das coisas? — gritou Winston de novo, esquecendo o botão por um instante. — É involuntário. Está fora do sujeito. Como podem controlar a memória? Vocês não controlaram a minha!

Os modos de O'Brien ficaram austeros de novo. Ele colocou a mão na alavanca.

— Pelo contrário — ele disse. — VOCÊ não a controlou. É por isso que foi trazido para cá. Você está aqui porque fracassou na humildade, na autodisciplina. Não cometeu o ato de submissão que é o preço da sanidade. Preferiu ser um lunático, uma minoria de um só. Apenas a mente disciplinada pode ver a realidade, Winston. Você acredita que a realidade é algo objetivo, externo, que existe por si só. Também acredita que a natureza da realidade é autoevidente. Quando você se ilude pensando que vê algo, imagina que todas as pessoas veem a mesma coisa que você. Mas eu lhe digo, Winston, que a realidade não é externa. A realidade existe na mente humana, e em nenhum outro lugar. Não a mente individual, que pode cometer erros, e de qualquer forma perece logo: apenas na mente do Partido, que é coletiva e imortal. O que quer que o Partido decida que é a verdade é verdade. É impossível ver a realidade, exceto pelos olhos do Partido. Esse é o fato que você precisa reaprender, Winston. Ele requer um ato de autodestruição, um esforço da vontade. Você deve ser humilde antes de se tornar são de mente.

Ele pausou por alguns momentos, como se permitindo que o que dizia fosse absorvido.

— Você se lembra — ele seguiu — de escrever no seu diário: "Liberdade é a liberdade de dizer que dois mais dois dá quatro"?

— Sim — disse Winston.

O'Brien ergueu a mão esquerda, as costas viradas para Winston, com o dedão recolhido e quatro dedos estendidos.

— Quantos dedos estou mostrando, Winston?

— Quatro.

— E se o Partido disser que não são quatro, mas cinco... Então quantos?

— Quatro.

A palavra terminou num ofego de dor. O giro no medidor havia disparado para 55. O suor havia irrompido por todo o corpo de Winston. O ar rasgou para dentro de seus pulmões e saiu de novo em gemidos profundos que, mesmo cerrando os dentes, ele não conseguiu segurar. O'Brien o observou, os quatro dedos ainda estendidos. Ele baixou a alavanca. Desta vez, a dor apaziguou apenas um pouco.

— Quantos dedos, Winston?

— Quatro.

O medidor foi a 60.

— Quantos dedos, Winston?

— Quatro! Quatro! O que mais posso dizer? Quatro!

O medidor devia ter subido de novo, mas Winston não olhou para ele. O rosto pesado e austero e os quatro dedos levantados preenchiam sua visão. Os dedos estavam erguidos perante seus olhos como pilares, enormes, borrados e parecendo vibrar, mas quatro, inconfundíveis.

— Quantos dedos, Winston?

— Quatro! Pare com isso, pare com isso! Como você consegue continuar? Quatro! Quatro!

— Quantos dedos, Winston?

— Cinco! Cinco! Cinco!

— Não, Winston, isto não serve. Você está mentindo. Você ainda pensa que são quatro. Quantos dedos são, por favor?

— Quatro! Cinco! Quatro! O número que quiser. Só pare, faça a dor parar!

De súbito, ele estava sentado com o braço de O'Brien ao redor de seus ombros. Talvez tivesse perdido a consciência por alguns segundos. As amarras que haviam segurado seu corpo estavam soltas. Ele se sentia gelado, tremia descontroladamente, seus dentes batiam, as lágrimas rolavam pelas bochechas. Por um momento, ele se agarrou a O'Brien como um bebê, curiosamente reconfortado pelo braço pesado ao redor de seus ombros. Ele tinha a sensação de que O'Brien era seu protetor, que a dor era algo que vinha de fora, de alguma outra fonte, e que seria O'Brien que o salvaria dela.

— Você aprende devagar, Winston — disse O'Brien com gentileza.

— Como posso evitar? — ele choramingou. — Como evitar ver o que está na frente dos meus olhos? Dois com dois são quatro.

— Às vezes, Winston. Às vezes são cinco. Às vezes são três. Às vezes é tudo isso de uma vez só. Você precisa se esforçar mais. Não é fácil voltar à sanidade mental.

Ele deitou Winston na maca. O travamento em seus membros apertou de novo, mas a dor havia sumido e a tremedeira parou, deixando-o apenas fraco e com frio. O'Brien apontou com a cabeça para o homem de jaleco branco, que havia ficado parado durante os procedimentos. O homem se inclinou e olhou dentro dos olhos de Winston, sentiu-lhe o pulso, colocou uma orelha no seu peito, deu batidinhas aqui e ali, então assentiu para O'Brien.

— Mais uma vez — disse O'Brien.

A dor fluiu para o corpo de Winston. A agulha deveria estar em setenta, setenta e cinco. Ele havia fechado os olhos dessa vez. Sabia que os dedos ainda estavam lá, e ainda eram quatro. Tudo o que importava era de alguma forma permanecer vivo até o fim do espasmo. Ele havia parado de notar se estava gritando ou não. A dor aliviou de novo. Ele abriu os olhos. O'Brien havia baixado a alavanca.

— Quantos dedos, Winston?

— Quatro. Imagino que são quatro. Eu veria cinco se pudesse. Estou tentando ver cinco.

— O que você quer: me convencer de que vê cinco ou ver cinco dedos de fato?

— Ver os cinco dedos.

— Mais uma— disse O'Brien.

Talvez o medidor estivesse em oitenta, noventa. Winston não conseguia se lembrar intermitentemente por que a dor estava acontecendo. Atrás de suas pálpebras fechadas com força, uma floresta de dedos parecia estar se movendo em um tipo de dança, costurando para dentro e fora, desaparecendo um atrás do outro e reaparecendo. Ele estava tentando contá-los, não conseguia lembrar por quê. Só sabia que era impossível contá-los, e que isso de alguma forma era devido à identidade misteriosa entre quatro e cinco. A dor apaziguou de novo. Quando ele abriu seus olhos, foi para descobrir que ainda via a mesma coisa. Dedos inumeráveis, como árvores em movimento, ainda passavam correndo em todas as direções, cruzando e recruzando. Ele fechou os olhos de novo.

— Quantos dedos estou mostrando, Winston?

— Eu não sei. Eu não sei. Você vai me matar se fizer aquilo de novo. Quatro, cinco, seis... Com toda a honestidade, eu não sei.

— Melhor — disse O'Brien.

Uma agulha perfurou o braço de Winston. Quase de imediato, um calor maravilhoso, curador, se espalhou por todo seu corpo. A dor já estava esquecida em parte. Ele abriu os olhos e olhou com gratidão para O'Brien. Ao ver seu rosto pesado e enrugado, tão feio e tão inteligente, seu coração pareceu virar. Se ele pudesse se mover, estenderia uma mão e a pousaria no braço de O'Brien. Nunca o amara tão profundamente quanto naquele momento, e não só porque ele havia parado a dor. A sensação antiga, de que no fundo não importava se O'Brien era amigo ou inimigo, havia voltado. O'Brien era uma pessoa com quem se podia falar. Talvez não se desejasse tanto o amor, mas, sim, a compreensão. O'Brien o havia torturado até os limites da loucura, e em pouco tempo, tinha certeza, ele o mandaria à morte. Não fazia diferença. De alguma maneira, aquilo ia mais fundo do que amizade: eles eram íntimos; apesar das palavras de fato talvez nunca terem sido ditas, havia um lugar em que poderiam se encontrar e falar. O'Brien olhava para ele com uma expressão que sugeria que o mesmo pensamento ocorria em sua mente. Quando ele falou, foi em um tom tranquilo e de conversa:

— Você sabe onde está, Winston? — ele disse.

— Não sei. Posso tentar adivinhar. No Ministério do Amor.

— Sabe há quanto tempo está aqui?

— Não sei. Dias, semanas, meses... Eu acho que meses.

— E por que você imagina que trazemos pessoas para este lugar?

— Para fazer com que confessem.

— Não. Não é esse o motivo. Tente de novo.

— Para punir.

— Não! — exclamou O'Brien. Sua voz havia mudado de forma extraordinária, e seu rosto havia de súbito ficado tanto austero quanto animado. — Não! Não apenas para extrair uma confissão, não para punir. Devo dizer por que nós trouxemos você até aqui? Para curar você! Para deixá--lo são! Você entende, Winston, que ninguém que trazemos para este lugar deixa nossas mãos sem estar curado? Não estamos interessados nos crimes idiotas que você cometeu. O Partido não está interessado no ato aberto: o pensamento é tudo que nos importa. Nós não apenas destruímos nossos inimigos, nós os transformamos. Você entende o que quero dizer com isso?

Ele estava dobrado sobre Winston. Seu rosto parecia enorme por conta de sua proximidade, e pavorosamente feio porque era visto de baixo. Além disso, estava cheio de uma espécie de exaltação, uma intensidade lunática. De novo, o coração de Winston afundou. Se fosse possível, ele teria se encolhido mais na maca. Tinha certeza de que O'Brien estava prestes a girar o medidor por pura arbitrariedade. Neste momento, no entanto, O'Brien se afastou. Ele deu um passo ou dois para um lado e para o outro. Então continuou, com menos veemência:

— A primeira coisa que você tem que entender é que neste lugar não há martírios. Você leu sobre as perseguições religiosas do passado. Na Idade Média, houve a Inquisição. Foi um fracasso. Ela começou para erradicar a heresia e acabou por perpetuá-la. Para cada herege que queimava na fogueira, milhares de outros surgiam. Por que isso? Porque a Inquisição matava os inimigos em campo aberto, e os matava quando ainda não estavam arrependidos: na verdade, ela matava essas pessoas porque não estavam arrependidas. Homens morriam porque não abandonavam suas crenças verdadeiras. Era natural que a glória pertencesse à vítima e toda a vergonha ao inquisidor que a queimava. Mais tarde, no século XX, houve os totalitários, como foram chamados. Houve os nazistas alemães e os comunistas russos. Os russos perseguiam a heresia com mais crueldade do que a Inquisição. E eles imaginaram que tinham aprendido com os erros do passado; eles sabiam, pelo menos, que não se deve criar mártires. Antes de expor as vítimas a um julgamento público, eles deliberadamente se empenhavam em destruir a dignidade dessas pessoas. Eles as exauriam com tortura e solidão até se tornarem uns desgraçados, desprezíveis e servis, confessando qualquer coisa que colocassem na boca deles, cobrindo-se de abuso, acusando e se abrigando uns atrás dos outros, choramingando por misericórdia. E ainda assim, depois de apenas alguns anos, a mesma coisa acontecia de novo. Os mortos se tornavam mártires e sua degradação era esquecida. Mais uma vez, por que isso? Em primeiro lugar, porque as confissões que haviam feito eram obviamente falsas e extorquidas. Não cometemos erros desse tipo. Todas as confissões proferidas aqui são verdadeiras. Nós as tornamos verdadeiras. E, acima de tudo, nós não permitimos que os mortos se levantem contra nós. Você precisa parar de imaginar que a posteridade o vingará, Winston. A posteridade nunca vai ouvir falar de você. Você será retirado por completo do fluxo da história. Nós o transformaremos em gás e o derramaremos na estratosfera. Nada restará de você, nem um nome em registro, nem uma memória em cérebro vivo. Você será aniquilado no passado, assim como no futuro. Você nunca terá existido.

Então por que se incomodar em me torturar?, pensou Winston, com uma amargura momentânea. O'Brien se aprumou como se Winston tivesse dito aquilo em voz alta. Seu grande rosto feio se aproximou, com os olhos um pouco estreitados.

— Você está pensando — ele disse — que, já que pretendemos destruí-lo por completo, de modo que nada que você diga faça ou possa fazer a menor diferença... Nesse caso, por que nós nos incomodamos em interrogá-lo? Era isso que você estava pensando, não era?

— Sim — disse Winston.

O'Brien sorriu de leve.

— Você é um defeito no padrão, Winston. Você é uma mancha a ser limpa. Eu não acabei de falar que somos diferentes dos perseguidores do passado? Não ficamos contentes com obediência negativa, nem mesmo com a submissão mais abjeta. Quando você finalmente se render a nós, deve ser por vontade própria. Nós não destruímos o herege porque ele nos resiste: enquanto ele resistir, nós nunca o destruiremos. Nós convertemos o herege, capturamos sua mente interior, nós o remoldamos. Nós queimamos todo o mal e toda a ilusão de dentro dele; nós o trazemos para nosso lado, não na aparência, mas de forma genuína, de corpo e alma. Nós o transformamos em um de nós antes de o matar. É intolerável para nós que um pensamento errôneo possa existir em qualquer lugar no mundo, por mais secreto e impotente que possa ser. Até mesmo no instante da morte, não podemos permitir qualquer desvio. Nos dias antigos, o herege caminhava para a fogueira ainda um herege, proclamando sua heresia, exultando nela. Até mesmo as vítimas dos expurgos russos podiam levar a rebelião trancada em sua mente quando caminhavam pela passagem esperando pela bala. Nós, porém, deixamos o cérebro perfeito antes de explodi-lo. O comando dos déspotas antigos era: "Não farás", não roubarás, não matarás. O comando dos totalitários era "Farás", um afirmativo. Nossa ordem é: "SÊ". Ninguém que trazemos para este lugar resiste contra nós. Todos são lavados até a alma. Até mesmo aqueles três traidores miseráveis em cuja inocência você um dia acreditou... Jones, Aaronson e Rutherford. No fim, nós os quebramos. Eu mesmo fiz parte do interrogatório. Eu vi os três gradualmente se desgastando, gemendo, rastejando, chorando... E, no fim, não era por dor ou medo, mas apenas por penitência. Quando terminamos com eles, eles eram apenas cascas de homens. Não havia nada dentro deles, exceto arrependimento pelo que haviam feito e amor pelo Grande Irmão. Foi tocante ver como eles o amavam. Eles imploraram para serem alvejados depressa, para que pudessem morrer com as mentes ainda limpas.

A voz dele havia ficado quase sonhadora. A exaltação, o entusiasmo lunático, ainda estavam em seu rosto. Ele não está fingindo, pensou Winston, não é um hipócrita, ele acredita em cada palavra do que diz. O que mais o oprimia era a consciência de sua própria inferioridade intelectual. Ele observou aquela forma pesada porém graciosa passeando de um lado para o outro, entrando e saindo do seu campo de visão. O'Brien era um ser maior que o próprio Winston em todos os sentidos. Não existia ideia que ele já tivesse tido, ou pudesse vir a ter, que O'Brien não tivesse sabido muito tempo antes, examinado e rejeitado. A mente dele CONTINHA a de Winston. Mas, nesse caso, como podia ser verdade que O'Brien estava louco? Devia ser ele, Winston, quem estava louco. O'Brien parou e baixou os olhos para ele. Sua voz ficou austera de novo.

— Não imagine que vai se salvar, Winston, por mais completamente que se entregue a nós. Ninguém que já tenha se desviado alguma vez é poupado. E mesmo se escolhermos deixar você viver até o final natural de sua vida, ainda assim você nunca escaparia de nós. O que acontece com você aqui é para sempre. Entenda isso desde já. Nós o esmagaremos a tal ponto que não há volta. Vão lhe acontecer coisas das quais nunca vai se recuperar, mesmo que vivesse mil anos. Nunca mais você será capaz de sentimentos humanos comuns. Tudo estará morto dentro de você. Nunca mais será capaz de amor, ou amizade, ou alegria de viver, ou riso, ou curiosidade, ou coragem, ou integridade. Você estará oco. Nós apertaremos você até se esvaziar e então o preencheremos com nós mesmos.

Ele pausou e sinalizou para o homem de jaleco branco. Winston percebeu algum tipo de equipamento pesado sendo empurrado para uma posição atrás de sua cabeça. O'Brien havia se sentado ao lado da maca, então seu rosto estava quase na mesma altura do de Winston.

— Três mil — ele disse, falando por cima da cabeça de Winston ao homem no jaleco branco.

Duas almofadas suaves, que pareciam levemente úmidas, se grudaram nas têmporas de Winston. Ele se encolheu. Havia dor se aproximando, um novo tipo de dor. O'Brien pôs uma mão de forma reconfortante, quase gentil, na dele.

— Desta vez não vai doer — ele disse. — Fique com os olhos fixos nos meus.

Nesse momento, houve uma explosão devastadora, ou o que pareceu ser uma explosão, apesar de não ficar claro se houve algum ruído. Sem dúvida ocorreu um clarão cegante de luz. Winston não ficou ferido, apenas prostrado. Apesar de já estar deitado de costas quando a coisa aconteceu, ele teve uma sensação curiosa de ter sido derrubado para aquela posição. Um golpe extraordinário e indolor o havia achatado. Algo também havia acontecido dentro da sua cabeça. Conforme seus olhos focavam outra vez, ele se lembrou de quem era e onde estava e reconheceu o rosto que olhava para o seu; mas em um ou outro lugar havia uma extensão grande de vazio, como se uma parte de seu cérebro houvesse sido removida.

— Não vai durar — disse O'Brien. — Olhe nos meus olhos. A Oceânia está em guerra com que país?

Winston pensou. Ele sabia o que significava Oceânia e que ele mesmo era um cidadão da Oceânia. Ele também se lembrava da Eurásia e Lestásia; mas quem estava em guerra com quem, ele não sabia. Na verdade, não sabia que havia alguma guerra acontecendo.

— Eu não lembro.

— Oceânia está em guerra com a Lestásia. Você se lembra disso agora?

— Sim.

— A Oceânia sempre esteve em guerra com a Lestásia. Desde o começo de sua vida, desde o começo do Partido, desde o começo da história, a guerra seguiu sem parar, sempre a mesma guerra. Você se lembra disso?

— Sim.

— Onze anos atrás vocês criou uma lenda a respeito de três homens que haviam sido condenados à morte por traição. Você fingiu que havia visto um pedaço de papel que provava que eram inocentes. Nunca existiu um pedaço de papel assim. Você inventou e depois passou a acreditar nele. Você se lembra agora do momento em que você o inventou pela primeira vez. Você se lembra disso?

— Sim.

— Um momento atrás, eu mostrei dedos da minha mão para você. Você viu cinco dedos. Lembra disso?

— Sim.

O'Brien mostrou os dedos de sua mão esquerda, com o dedão encolhido.

— Há cinco dedos aqui. Você vê cinco dedos?

— Sim.

E ele de fato os viu, por um instante rápido, antes do cenário de sua mente mudar. Ele viu cinco dedos, e não havia deformidade. Então tudo estava normal de novo, e o medo antigo, o ódio e a perplexidade se amontoaram de volta em sua mente. Mas houve um momento — ele não sabia quanto tempo, trinta segundos, talvez — de certeza luminosa, quando cada sugestão nova de O'Brien havia preenchido um pedaço de vazio e se tornado a verdade absoluta, e quando dois mais dois poderiam ser três com a mesma facilidade que poderiam ser cinco, se isso fosse necessário. Havia sumido, mas O'Brien havia baixado a mão antes; apesar de ele não conseguir recapturar aquilo, conseguia se lembrar, como alguém se lembra de uma experiência vívida de um período da própria vida quando era, de fato, alguém diferente.

— Agora você percebe — disse O'Brien — que isso é possível.
— Sim — disse Winston.

O'Brien se levantou com um ar satisfeito. À sua esquerda, Winston viu o homem de jaleco branco abrir uma ampola e puxar para trás o êmbolo de uma seringa. O'Brien se virou para Winston com um sorriso. Quase da mesma forma antiga, ele reposicionou os óculos no nariz.

— Você se lembra de escrever em seu diário — ele disse — que não importava se eu era amigo ou inimigo, já que eu era ao menos uma pessoa que entendia você e com quem podia falar? Você tinha razão. Eu gosto de conversar com você. Sua mente me atrai. Ela lembra a minha própria mente, tirando o fato de que você por acaso é maluco. Antes de encerrarmos a sessão, você pode me fazer algumas perguntas, se quiser.

— Qualquer pergunta que eu quiser?
— Qualquer coisa. — Ele viu que os olhos de Winston foram para o botão. — Está desligado. Qual sua primeira pergunta?
— O que fizeram com Julia? — disse Winston.

O'Brien sorriu de novo.

— Ela te traiu, Winston. De imediato... sem reservas. Poucas vezes eu vi alguém se entregar com tanta prontidão. Você mal a reconheceria se a visse. Toda a sua rebeldia, sua

enganação, sua loucura, sua mente suja... Tudo foi queimado dela. Foi uma conversão perfeita, um caso clássico.
— Vocês torturaram Julia?
O'Brien deixou essa sem resposta.
— Próxima pergunta — ele disse.
— O Grande Irmão existe?
— É claro que existe. O Partido existe. O Grande Irmão é a encarnação do Partido.
— Ele existe do mesmo jeito que eu existo?
— Você não existe — disse O'Brien.
Mais uma vez a sensação de impotência o atacou. Ele conhecia, ou podia imaginar, os argumentos que provavam a sua própria não existência; mas eles eram bobagem, eram apenas uma brincadeira com palavras. A afirmação "você não existe" não continha um absurdo lógico? Mas qual era a utilidade de dizer isso? Sua mente se encolheu quando pensou nos argumentos incontestáveis e insanos com os quais O'Brien o demoliria.
— Eu acho que existo — ele disse com cansaço. — Estou ciente de minha própria identidade. Eu nasci e morrerei. Tenho braços e pernas. Ocupo um lugar específico no espaço. Nenhum outro objeto sólido pode ocupar o mesmo lugar ao mesmo tempo. Nesse sentido, o Grande Irmão existe?
— Não tem importância. Ele existe.
— O Grande Irmão morrerá um dia?
— É claro que não. Como ele poderia morrer? Próxima pergunta.
— A Irmandade existe?
— Isso, Winston, você nunca saberá. Se escolhermos libertá-lo quando terminarmos com você, e se você viver até ter noventa anos de idade, ainda assim nunca descobrirá se a resposta para essa pergunta é Sim ou Não. Por todo

o tempo que viver, isso será uma charada sem resposta em sua mente.

Winston ficou em silêncio. Seu peito subiu e desceu um pouco mais rápido. Ele ainda não havia feito a pergunta que surgira primeiro em sua mente. Ele tinha que perguntar, e ainda assim, era como se a língua não se dispusesse a pronunciar. Havia um traço de diversão no rosto de O'Brien. Mesmo seus óculos pareciam refletir um brilho irônico. Ele sabe, pensou Winston, ele sabe o que vou perguntar! Ao pensar isso, as palavras explodiram dele:

— O que tem na Sala 101?

A expressão no rosto de O'Brien não mudou. Ele respondeu com secura:

— Você sabe o que tem na Sala 101, Winston. Todo mundo sabe o que tem na Sala 101.

Ele ergueu um dedo para o homem no jaleco branco. Era evidente que a sessão estava no fim. Uma agulha penetrou o braço de Winston. Ele afundou quase instantaneamente em sono profundo.

CAPÍTULO 3

—Existem três estágios em sua reintegração — disse O'Brien. — Existe aprender, existe entender e existe aceitar. Está na hora de você entrar no segundo estágio.

Como sempre, Winston estava deitado de barriga para cima. Ultimamente, porém, suas amarras estavam mais frouxas. Elas ainda o prendiam à maca, mas ele conseguia mover os joelhos um pouco, virar a cabeça de um lado para o outro e erguer os braços a partir do cotovelo. O botão também havia se tornado um terror menor. Ele conseguia evitar os choques se fosse esperto: era só quando ele demonstrava burrice que O'Brien puxava a alavanca. Às vezes, eles atravessavam uma sessão inteira sem usar o botão. Ele não conseguia se lembrar de quantas sessões houvera. O processo inteiro parecia se estender por um tempo longo e pouco definido — semanas, possivelmente —, e os intervalos entre sessões poderiam às vezes ser dias, às vezes apenas uma hora ou duas.

— Deitado onde está — disse O'Brien —, com frequência você se perguntou... você até me perguntou... por que o Ministério do Amor deveria gastar tanto tempo e trabalho com você. E quando estava livre, você se intrigava com o que era essencialmente a mesma pergunta. Conseguia captar a mecânica da sociedade em que vivia, mas não seus motivos subjacentes. Lembra-se de escrever no seu diário: "Eu entendo COMO: eu não entendo POR QUÊ"? Foi quando você pensou em "por quê" que duvidou de sua própria sanidade.

Você leu O LIVRO, o livro de Goldstein, ou ao menos partes dele. Ele disse algo que você ainda não soubesse?

— Você leu? — disse Winston.

— Eu o escrevi. Quer dizer, eu colaborei na escrita. Nenhum livro é escrito individualmente, como você sabe.

— É verdade o que ele diz?

— Como descrição, sim. A agenda que ele estabelece não tem sentido. O acúmulo secreto de conhecimento, uma aceleração gradual do iluminismo, finalmente uma rebelião proletária, a derrubada do Partido. Você mesmo previu que era isso o que o livro diria. É tudo bobagem. Os proletários nunca vão se rebelar, não em mil anos, nem daqui a um milhão. Eles não conseguem. Eu não preciso lhe contar o motivo: você já sabe. Se algum dia você alimentou sonhos de insurreição violenta, deve abandoná-los. Não há como o Partido possa ser derrubado. O domínio do Partido é eterno. Faça disso o ponto de partida de seus pensamentos.

Ele se aproximou da maca.

— Para sempre! — ele repetiu. — E agora vamos voltar à pergunta de "como" e "por quê". Você entende bem COMO o Partido se mantém no poder. Agora me diga POR QUE nós nos agarramos ao poder. Qual é nosso motivo? Por que deveríamos querer poder? Vá em frente, fale — ele acrescentou quando Winston permaneceu em silêncio.

Ainda assim, Winston não falou por mais um ou dois momentos. Um sentimento de cansaço tomara conta dele. O leve brilho ensandecido de entusiasmo havia voltado ao rosto de O'Brien. Ele sabia de antemão o que O'Brien diria. Que o Partido não buscava o poder para seus próprios fins, mas apenas pelo bem da maioria. Que o Partido buscava poder porque os homens da massa eram criaturas frágeis e covardes que não conseguiriam suportar a liberdade ou encarar a verdade, e deviam ser governados e sistematicamente enganados por outros que fossem mais fortes que eles. Que a escolha para a humanidade residia entre a liberdade e a felicidade e que, para a maior parte da humanidade, a felicidade era melhor. Que o Partido era o guardião eterno dos fracos, uma seita dedicada fazendo o mal para que o bem pudesse surgir, sacrificando sua própria felicidade pela dos outros. O terrível, pensou Winston, o terrível era que quando O'Brien dizia isso, ele acreditava. Dava para ver em seu rosto. O'Brien sabia de tudo. Ele sabia mil vezes melhor do que Winston como o mundo era, em que degradação a massa de seres humanos vivia e com que mentiras e barbaridades o Partido os mantinha ali. Ele havia entendido tudo, pesado tudo, e não fazia diferença: tudo era justificado pelo propósito maior. O que se pode fazer, pensou Winston, contra o lunático que é mais inteligente que você, que ouve seus argumentos com calma e então simplesmente persiste em sua própria loucura?

— Vocês estão nos governando pelo nosso próprio bem — ele disse, debilmente. — Vocês acreditam que os seres humanos não são capazes de se governar sozinhos, e portanto...

Ele tomou um susto e quase gritou. Um clangor de dor atravessou seu corpo. O'Brien havia girado o botão a 35.

— Isso foi idiota, Winston, idiota! — ele disse. — Você deveria saber a essa altura que não deve dizer uma coisa dessas.

Ele puxou a alavanca para trás e prosseguiu.

— Agora vou lhe dar a resposta para a minha pergunta. É esta: o Partido busca poder pura e simplesmente pelo poder. Não estamos interessados no bem dos outros; estamos interessados apenas em poder. Não em riqueza ou luxo ou vida longa ou felicidade: apenas poder, poder puro.

O que poder puro quer dizer você entenderá daqui a um instante. Somos diferentes de todas as outras oligarquias do passado, porque de fato sabemos o que estamos fazendo. Todos os outros, mesmo aqueles que se assemelhavam a nós, eram covardes e hipócritas. Os nazistas na Alemanha e os comunistas na Rússia se aproximaram muito de nós no método, mas nunca tiveram a coragem de reconhecer seus próprios motivos. Eles fingiam, talvez até mesmo acreditassem, ter tomado o poder contra a própria vontade e por tempo limitado; e que logo adiante, no fim do arco-íris, havia um paraíso em que seres humanos estariam livres e iguais. Nós não somos assim. Sabemos que ninguém toma o poder com a intenção de abrir mão dele. O poder não é um meio, é um fim. Não se estabelece uma ditadura para salvaguardar uma revolução; cria-se a revolução para estabelecer a ditadura. O objetivo da perseguição é a perseguição. O objetivo da tortura é a tortura. O objetivo do poder é o poder. Agora você começa a me entender?

Winston se espantou, como havia se espantado antes, pela exaustão no rosto de O'Brien. Era forte e carnudo e brutal, cheio de inteligência e uma espécie de paixão controlada perante a qual ele se sentia indefeso; mas estava cansado. Havia bolsas sob os olhos, pele pendurada das bochechas. O'Brien se inclinou sobre ele, deliberadamente aproximando o rosto extenuado.

— Você está pensando — ele disse — que meu rosto está velho e cansado. Está pensando que eu falo de poder, mas não sou capaz nem de evitar a deterioração do meu próprio corpo. Será que não consegue entender, Winston, que o indivíduo é apenas uma célula? O cansaço da célula é o vigor do organismo. Você morre quando corta as unhas?

Ele se afastou da cama e começou a andar de um lado para o outro, uma mão no bolso.

— Nós somos os padres do poder — ele disse. — Deus é poder. Mas no momento, poder é só uma palavra, no que diz respeito a você. Está na hora de você ter alguma ideia do que significa poder. A primeira coisa que precisa entender é que poder é coletivo. O indivíduo apenas tem poder enquanto deixa de ser um indivíduo. Você conhece o lema do Partido "Liberdade é escravidão". Já lhe ocorreu que essa frase é reversível? Escravidão é liberdade. Sozinho, livre, o ser humano é sempre derrotado. Deve ser assim porque cada ser humano está fadado a morrer, que é o maior de todos os fracassos. Mas se ele conseguir chegar à submissão total e completa, se conseguir escapar de sua própria identidade, se ele conseguir se fundir ao Partido de modo que ele também SEJA o Partido, então ele é todo-poderoso e imortal. A segunda coisa de que você deve se dar conta é que poder é poder sobre seres humanos. Sobre o corpo, mas, acima de tudo, sobre a mente. Poder sobre a matéria, ou a realidade externa, como você definiria, não é importante. Nosso controle sobre a matéria já é absoluto.

Por um momento, Winston ignorou o botão. Ele fez um esforço violento para se levantar até uma posição sentada na maca, e apenas conseguiu dobrar seu corpo de forma dolorosa.

— Mas como se pode controlar a matéria? — ele irrompeu. — Você não controla nem o clima ou a lei da gravidade. E ainda há doença, dor, morte...

O'Brien o silenciou com um gesto.

— Nós controlamos a matéria porque controlamos a mente. A realidade está dentro da mente. Você vai aprender aos poucos, Winston. Não há nada que não possamos fazer. Invisibilidade, levitação... qualquer coisa. Eu poderia sair flutuando como uma bolha de sabão se quisesse. Eu não quero, porque o Partido não quer. Você deve se livrar dessas ideias do século XIX sobre leis da natureza. Nós fazemos as leis da natureza.

— Mas não fazem! Não são sequer mestres do planeta. E a Eurásia e Lestásia? Vocês nem conseguiram conquistar esses países ainda.

— Irrelevante. Nós os conquistaremos quando for do nosso interesse. E se não conquistarmos, que diferença faria? Nós podemos calar as vozes deles, cancelar sua existência. A Oceânia é o mundo.

— Mas o mundo em si é só um grão de areia. E o homem é pequeno, impotente! Há quanto tempo ele existe? Por milhares de anos, a Terra foi desabitada.

— Bobagem. A Terra tem a nossa idade, não mais. Como ela poderia ser mais velha? Nada existe se não for pela consciência humana.

— Mas as pedras estão cheias dos ossos de animais extintos... mamutes e mastodontes e répteis imensos que viveram aqui muito antes de sequer se ouvir falar do homem.

— Você já viu esses ossos, Winston? É claro que não. Biólogos do século XIX inventaram isso. Antes do homem, não havia nada. Depois do homem, se ele puder chegar a um fim, não haverá nada. Fora do homem, não há nada.

— Mas o universo inteiro está fora de nós. Olhe para as estrelas! Algumas delas estão a milhões de anos-luz de distância. Estão fora de nosso alcance para sempre.

— O que são as estrelas? — disse O'Brien com indiferença. — São pedacinhos de fogo a alguns quilômetros de distância. Nós poderíamos alcançá-las, se quiséssemos. Ou poderíamos apagá-las. A Terra é o centro do universo. O sol e as estrelas giram ao redor dela.

Winston fez outro movimento convulsivo. Dessa vez, ele não disse nada. O'Brien continuou como se respondesse a uma pergunta dita em voz alta:

— Para alguns propósitos, é claro, isso não é verdade. Quando navegamos o oceano ou previmos um eclipse, nós achamos conveniente partir do princípio de que a Terra gira ao redor do sol e que as estrelas estão a milhões de quilômetros de distância. Mas e daí? Você acha que está fora do nosso alcance produzir uma astronomia com dois sistemas? As estrelas podem estar perto ou longe, de acordo com o que precisarmos. Você acha que nossos matemáticos não estão à altura disso? Esqueceu do duplipensar?

Winston se encolheu de novo na maca. O que quer que dissesse, a resposta rápida o destruía como um porrete. E ainda assim ele sabia, ele SABIA, que tinha razão. A crença de que nada existia fora de sua própria mente — com certeza devia existir alguma maneira de demonstrar que isso era falso. Isso não havia sido exposto muito tempo atrás como uma falácia? Havia até mesmo um nome para aquilo, que ele tinha esquecido. Um sorriso fraco retorceu os cantos da boca de O'Brien quando ele baixou os olhos para Winston.

— Eu te disse, Winston, que a metafísica não é o seu forte. A palavra que você está procurando é solipsismo. Mas você está errado. Isso não é um solipsismo. Solipsismo coletivo, se preferir. Mas isso é algo diferente: na verdade, é o oposto. Tudo isso é uma digressão — ele acrescentou em outro tom. — O poder real, o poder pelo qual temos que lutar noite e dia, não é poder sobre coisas, mas sobre homens. — Ele fez uma pausa e por um momento retomou seu ar de professor questionando um pupilo promissor. — Como um homem assegura seu poder sobre outro, Winston?

Winston pensou.

— Fazendo o outro sofrer — ele disse.

— Exato. Fazendo o outro sofrer. Obediência não é suficiente. A não ser que ele esteja sofrendo, como ter certeza de que ele está obedecendo a sua vontade e não a dele mesmo? O poder reside em infligir dor e humilhação. O poder está em rasgar mentes humanas em pedacinhos e juntá-las de novo nas formas que você quiser. Você começa a ver, então, que tipo de mundo estamos criando? É o exato oposto das utopias idiotas hedonistas que os velhos reformistas imaginaram. Um mundo de medo e traição e tormento, um mundo de atropelar e ser atropelado, um mundo que ficará MAIS impiedoso conforme se refina, não menos. O progresso no nosso mundo será progresso em direção a mais dor. As civilizações antigas afirmavam ter suas fundações no amor ou na justiça. A nossa é fundamentada no ódio. Em nosso mundo, não haverá emoções além de medo, raiva, triunfo e auto-humilhação. Todo o resto nós destruiremos... tudo. Nós já estamos rompendo hábitos de pensamento sobreviventes de antes da Revolução. Cortamos a ligação entre filhos e pais, e entre homem e homem, e entre homem e mulher. Ninguém mais ousa confiar em uma esposa ou filho ou amigo. No futuro, entretanto, não haverá esposas ou amigos. Filhos serão tirados das mães logo após o nascimento, como se tiram ovos das galinhas. O instinto sexual será erradicado. Procriação será uma formalidade anual, como a renovação de uma carteirinha de racionamento. Nós aboliremos o orgasmo. Nossos neurologistas estão trabalhando nisso neste momento. Não haverá lealdade, exceto a lealdade ao Partido. Não haverá amor, exceto amor pelo Grande Irmão. Não haverá riso, exceto pela gargalhada de triunfo por um inimigo derrotado. Não haverá arte, literatura, ciência. Quando formos onipotentes, não precisaremos mais de ciência. Não haverá distinção entre beleza e feiura. Não haverá curiosidade, nenhuma apreciação do processo da vida. Todos os prazeres concorrentes serão destruídos. Mas sempre... E não se esqueça disso, Winston... Sempre haverá a embriaguez de poder, sempre aumentando e sempre ficando mais sutil. Em quase todos os momentos, haverá a emoção pela vitória, a sensação de pisotear um inimigo impotente. Se você quiser uma visão do futuro, imagine uma bota pisando num rosto humano... para sempre.

Ele parou como se esperasse que Winston falasse. Winston havia tentado se encolher de volta para dentro da superfície da maca. Ele não conseguia dizer nada. Seu coração parecia ter congelado. O'Brien prosseguiu:

— E lembre-se de que é para sempre. O rosto sempre estará lá para ser pisado. O herege, o inimigo da sociedade, sempre estará lá, para que possa ser derrotado e humilhado de novo. Tudo que você passou desde que caiu em nossas mãos... tudo isso continuará, e pior. Espionagem, traições, prisões, torturas, execuções, desaparecimentos, nada disso cessará, nunca. Será um mundo de terror assim como um mundo de triunfo. Quanto mais o Partido for poderoso, menos ele será tolerante: quanto mais fraca a oposição, mais firme o despotismo. Goldstein e suas heresias viverão para sempre. Todos os dias, em todos os momentos, eles serão derrotados, desacreditados, ridicularizados, cuspidos, e ainda assim, sobreviverão sempre. Esse teatro que montei com você durante sete anos será montado de novo e de novo, geração após geração, sempre de formas mais sutis. Sempre teremos os hereges aqui, na palma de nossa mão, gritando de dor, alquebrados, desprezíveis... E no fim, penitentes em absoluto, salvos de si mesmos, arrastando-se aos nossos pés por vontade própria. É esse o mundo que estamos preparando, Winston. Um mundo de vitória após vitória, triunfo após triunfo após triunfo; um pressionar, pressionar, pressionar sem fim, no nervo do poder. Você está começando, eu vejo, a se dar conta de como será esse mundo. Mas no fim você fará mais do que entender. Você o aceitará, o receberá de braços abertos, fará parte disso.

Winston havia se recuperado o suficiente para falar.

— Você não pode! — ele disse com fraqueza.

— O que quer dizer com essa observação, Winston?

— Você não poderia criar um mundo como acabou de descrever. É um sonho. É impossível.

— Por quê?

— É impossível basear uma civilização em medo e ódio e crueldade. Nunca duraria.

— Por que não?

— Não teria vitalidade. Desintegraria. Cometeria suicídio.

— Que bobagem. Você está imaginando que o ódio é mais exaustivo do que o amor. Por que deveria ser? E se fosse, que diferença faria? Imagine que estamos optando por nos cansar mais rápido. Imagine que optamos por acelerar o ritmo da vida humana, até homens estarem senis aos trinta anos de idade. Ainda assim, que diferença faria? Você não consegue entender que a morte do indivíduo não é morte? O Partido é imortal.

Como de costume, a voz havia surrado Winston até a impotência. Além disso, ele estava apavorado com a ideia de que, se persistisse discordando, O'Brien giraria o botão de novo. E ainda assim, ele não conseguiu ficar em silêncio.

Debilitado, sem argumentos, sem nada para apoiá-lo exceto seu horror inarticulado pelo que O'Brien dissera, ele voltou ao ataque.

— Eu não sei... Eu não ligo. Vocês fracassarão de alguma forma. Algo vai derrotar vocês. A vida derrotará vocês.

— Nós controlamos a vida, Winston, em todos os seus níveis. Você está imaginando que há algo chamado de natureza humana, que ficará revoltado com o que fazemos e se voltará contra nós. Mas nós criamos a natureza humana. Homens são infinitamente maleáveis. Ou talvez você tenha voltado à sua ideia anterior de que os proletários ou escravos se levantarão e nos derrubarão. Tire isso da cabeça. Eles são tão impotentes como os animais. A humanidade é o Partido. Os outros estão de fora... irrelevantes.

— Eu não ligo. No fim, eles vão derrotar vocês. Mais cedo ou mais tarde, vão ver quem vocês são de verdade, e então vão rasgar vocês em pedacinhos.

— Você vê qualquer evidência de que isso está acontecendo? Ou qualquer motivo pelo qual deveria?

— Não. Eu acredito nisso. Eu SEI que vocês vão fracassar. Tem algo no universo... Eu não sei, algum espírito, algum princípio... que vocês nunca vão vencer.

— Você acredita em Deus, Winston?

— Não.

— Então o que é esse princípio que vai nos derrotar?

— Eu não sei. O espírito da Humanidade.

— E você se considera uma parte da humanidade?

— Sim.

— Se você é parte da humanidade, Winston, você é o último. Sua espécie está extinta; nós somos os herdeiros. Você entende que está SOZINHO? Você está fora da história, você é inexistente. — Seus modos mudaram e ele disse de forma mais dura: — E você se considera moralmente superior a nós, com nossas mentiras e nossa crueldade?

— Sim, eu me considero superior.

O'Brien não falou. Duas outras vozes estavam falando. Depois de um momento, Winston reconheceu uma das vozes como a sua própria. Era uma gravação da conversa que tivera com O'Brien, na noite em que havia se juntado à Irmandade. Ele se ouviu prometer que mentiria, roubaria, forjaria, mataria, encorajaria o uso de drogas e prostituição, disseminaria doenças venéreas, jogaria ácido sulfúrico na cara de uma criança. O'Brien fez um gesto impaciente, como se dizendo que a demonstração mal valia a pena. Então ele desligou um interruptor e as vozes pararam.

— Levante dessa cama — ele disse.

As amarras haviam se soltado. Winston desceu para o chão e se levantou precariamente.

— Você é o último membro da humanidade — disse O'Brien. — Você é o guardião do espírito humano. Você vai se ver como é. Tire as roupas.

Winston soltou a corda que mantinha o macacão fechado. O fecho do zíper havia sido arrancado deles muito tempo atrás. Ele não conseguia se lembrar se em algum momento desde sua prisão ele havia tirado toda a sua roupa em qualquer momento. Sob o macacão, seu corpo estava envolto em trapos amarelados imundos, mal reconhecíveis como restos de roupas íntimas. Quando ele as deixou cair ao chão, viu que havia um espelho de três lados no canto mais distante da sala. Ele se aproximou, então parou de súbito. Um grito involuntário havia lhe escapado.

— Vá em frente — disse O'Brien. — Fique entre as laterais do espelho. Você verá o perfil também.

Ele havia parado porque estava com medo. Uma coisa curvada com um ar de esqueleto acinzentado estava vindo em sua direção. A aparência de fato era assustadora, e não apenas pelo fato de que ele sabia que era ele mesmo. Moveu-se mais para perto do espelho. O rosto da criatura parecia se projetar por causa da carcaça inclinada. Um rosto lastimável de presidiário com uma testa nodosa que dava em um couro cabeludo careca, um nariz torto, e zigomas surrados sobre os quais estavam seus olhos, ferozes e atentos. As bochechas estavam sulcadas, a boca tinha aparência afundada. Com certeza aquela era sua própria face, mas lhe pareceu que ela mudara mais do que Winston mudara por dentro. As emoções que ela registrava eram diferentes das que ele sentia. Ele havia ficado parcialmente calvo. No primeiro momento, achou que também havia ficado grisalho, mas era apenas o couro cabeludo que estava cinza. Exceto pelas próprias mãos e um trecho do rosto, seu corpo estava cinza por todos os lados com uma sujeira antiga, arraigada. Aqui e ali sob a sujeira havia as cicatrizes vermelhas de feridas, e, perto do tornozelo, a úlcera varicosa era uma massa inflamada com cascas de pele se soltando. Mas a coisa verdadeiramente assustadora era a emaciação de seu corpo. O barril formado pelas costelas estava estreito como o de um esqueleto; as pernas haviam encolhido de modo que os joelhos estavam mais grossos que as coxas. Ele entendia agora o que O'Brien quis dizer com ver de perfil. A curvatura da coluna era assombrosa. Os ombros magros estavam inclinados para a frente, transformando o peito numa cavidade; o pescoço esquálido parecia se dobrar com o peso do crânio. Se tivesse que adivinhar, ele diria que era o corpo de um homem de sessenta anos de idade, sofrendo de alguma doença maligna.

— Você pensou às vezes — disse O'Brien — que meu rosto... o rosto de um membro do Núcleo do Partido... parecia velho e desgastado. O que você acha de seu próprio rosto?

Ele tomou o ombro de Winston e o girou para que se encarassem.

— Olhe para a condição em que está! — ele disse. — Olhe para essa imundície nojenta em seu corpo. Olhe a sujeira entre seus dedos dos pés. Olhe essa ferida nojenta sangrando na sua perna. Você sabia que está fedendo feito um bode? Provavelmente parou de perceber. Olhe para sua magreza. Está vendo? Eu consigo fechar o dedão e o indicador ao redor do seu bíceps. Poderia quebrar seu pescoço feito uma cenoura. Você sabia que perdeu 25 quilos desde que chegou às nossas mãos? Até mesmo seu cabelo está caindo aos punhados. Olhe isso! — Ele puxou da cabeça de Winston e mostrou uma mecha. — Abra a boca. Estão sobrando nove, dez, onze dentes. Quantos você tinha quando veio para cá? E os poucos que ainda tem estão caindo! Olhe aqui!

Ele pegou um dos dentes da frente de Winston entre o dedão e o indicador poderosos. Uma pontada de dor disparou pelo maxilar de Winston. O'Brien havia arrancado o dente solto pela raiz. Ele o jogou do outro lado da cela.

— Você está apodrecendo vivo — ele disse. — Está caindo aos pedaços. O que você é? Um saco de imundície. Agora dê meia-volta e olhe para aquele espelho de novo. Vê aquela coisa encarando você? Aquilo é o último membro da humanidade. Se você é humano, aquilo é a humanidade. Agora se vista de novo.

Winston começou a se vestir de novo com movimentos lentos e rígidos. Até aquele momento, parecia não ter notado como estava magro e fraco. Apenas um pensamento se agitava em sua mente: que ele deveria estar naquele lugar há mais tempo do que imaginara. Então, de súbito, enquanto fixava os trapos miseráveis ao redor do próprio corpo, um sentimento de pena por seu corpo arruinado o dominou. Antes que percebesse o que estava fazendo, desabou em um banquinho ao lado da maca e caiu no choro. Ele estava ciente de sua feiura, sua falta de graça, um monte de ossos em roupas íntimas imundas sentado chorando sob uma luz branca forte; mas não conseguia se impedir. O'Brien colocou uma mão em seu ombro, quase com gentileza.

— Não vai durar para sempre — ele disse. — Você pode escapar disso quando quiser. Tudo depende de você.

— Você fez isso! — chorou Winston. — Você me reduziu a esse estado.

— Não, Winston, você se reduziu a esse estado. Foi isso que você aceitou quando se colocou contra o Partido. Tudo estava contido naquela primeira ação. Não aconteceu nada que você não tenha previsto.

Ele pausou, e então seguiu:

— Nós o espancamos, Winston. Nós quebramos você. Você viu como seu corpo está. Sua mente está no mesmo estado. Eu não acho que deva haver muito orgulho ainda em você. Você foi chutado e açoitado e insultado, você gritou de dor, você rolou no chão sobre seu próprio sangue e vômito. Você choramingou por misericórdia, você traiu tudo e todos. Você consegue pensar alguma degradação que não lhe tenha acontecido?

Winston havia parado de chorar, apesar de as lágrimas ainda vazarem de seus olhos. Ele ergueu os olhos para O'Brien.

— Eu não traí Julia — ele disse.

O'Brien baixou os olhos para ele, pensativo.

— Não — ele disse. — Não; isso é perfeitamente verdade. Você não traiu Julia.

A reverência peculiar por O'Brien, que nada parecia conseguir destruir, tornou a encher o coração de Winston. Que inteligente, ele pensou, que inteligente! O'Brien nunca deixava de compreender o que lhe era dito. Qualquer outra pessoa na terra teria respondido de imediato que ele HAVIA traído Julia. Pois o que havia que eles não tivessem arrancado dele sob tortura? Ele lhes havia dito tudo que sabia dela, seus hábitos, sua personalidade, sua vida anterior; ele havia confessado com os detalhes mais triviais tudo que havia acontecido em seus encontros, tudo que havia dito a ela, e ela a ele, suas refeições do mercado negro, seus adultérios, seus planos vagos contra o Partido — tudo. E ainda assim, no sentido que ele entendia da palavra, ele não a havia traído. Ele não havia deixado de amá-la; seus sentimentos por ela permaneciam os mesmos. O'Brien havia visto o que ele queria dizer sem a necessidade de explicação.

— Diga-me — ele disse —, quando é que vão atirar em mim?

— Pode demorar muito tempo — disse O'Brien. — Você é um caso difícil. Mas não desista da esperança. Todo mundo é curado uma hora ou outra. No fim, nós atiraremos em você.

CAPÍTULO 4

Ele estava muito melhor. Engordava e se fortalecia a cada dia, se era apropriado falar em dias.

A luz branca e o zunido eram os mesmos de sempre, mas a cela era um pouco mais confortável do que as outras em que ele havia estado. Havia um travesseiro e um colchão sobre o catre, e um banquinho para sentar. Eles haviam lhe dado um banho e permitiam que se lavasse com alguma frequência com uma bacia de lata. Até lhe davam água quente para se lavar. Deram-lhe roupas íntimas novas e um macacão limpo. Aplicaram uma pomada mitigante em sua úlcera varicosa. Arrancaram o resto de seus dentes e lhe deram uma dentadura nova.

Semanas ou meses deviam ter se passado. Teria sido possível agora manter a contagem do tempo, se ele sentisse algum interesse em fazer isso, já que estava sendo alimentado no que parecia ser intervalos regulares. Ele estava recebendo, julgava, três refeições nas 24 horas; às vezes ele se perguntava vagamente se as recebia à noite ou de dia. A comida era surpreendentemente boa, com carne em uma das três refeições. Uma vez, veio até um maço de cigarros. Ele não tinha fósforos, mas o guarda mudo que lhe trazia a comida acendeu para ele. Na primeira vez que tentou fumar passou mal, mas perseverou e fez o maço durar muito tempo, fumando meio cigarro depois de cada refeição.

Eles lhe haviam dado uma lousa com um toco de lápis amarrado no canto. De início, ele não a usou. Mesmo quando acordado, ele se encontrava completamente letárgico.

Com frequência, ficava deitado de uma refeição para a outra quase sem se mover, às vezes dormindo, às vezes acordando em devaneios vagos em que abrir os olhos era esforço demais. Fazia muito tempo que ele se acostumara a dormir com uma luz forte no rosto. Parecia não fazer diferença, exceto que os sonhos que se tinha assim eram mais coerentes. Ele sonhou muito por todo esse tempo, e eram sempre sonhos felizes. Ele estava na Terra Dourada, ou sentado entre enormes ruínas gloriosas iluminadas pelo sol, com sua mãe, com Julia, com O'Brien — sem fazer nada, apenas sentados sob o sol, falando de coisas pacíficas. Os poucos pensamentos que tinha quando acordado eram na maior parte relacionados com seus sonhos. Ele parecia ter perdido o poder do esforço intelectual, agora que o estímulo da dor havia sido removido. Ele não estava entediado, não sentia desejo de conversar ou se distrair. Apenas ficar sozinho, não apanhar ou ser interrogado, ter o suficiente para comer e estar todo limpo era completamente satisfatório.

Paulatinamente, ele começou a passar menos tempo dormindo, mas ainda não sentia o impulso de sair da cama. Tudo com o que se importava era ficar deitado quieto e sentir a força se reunir em seu corpo. Ele se cutucava aqui e ali, tentando se certificar de que não era uma ilusão que seus músculos estavam ficando mais arredondados e sua pele mais esticada. Enfim, ficou estabelecido além de qualquer margem de dúvida que ele estava engordando; suas coxas estavam agora definitivamente maiores que os joelhos. Depois disso, com relutância de início, ele começou a se exercitar com regularidade. Em pouco tempo, conseguia caminhar três quilômetros, medidos com passos da cela, e seus ombros caídos estavam se endireitando. Ele tentou exercícios mais elaborados, e ficou surpreso e humilhado de descobrir que coisas não conseguia fazer. Ele não conseguia acelerar a caminhada, não conseguia segurar o banquinho com o braço esticado, não conseguia ficar em uma perna só sem cair. Ele se agachou e descobriu que tentar erguer o corpo a partir daquela posição causava dores agonizantes nas coxas e panturrilhas. Ele ficou deitado de barriga para baixo e tentou levantar o próprio peso com as mãos. Não tinha jeito, ele não conseguia se levantar nem um centímetro. Porém, depois de mais alguns dias — mais algumas refeições —, até mesmo aquele feito foi realizado. Chegou um momento em que ele conseguia se levantar seis vezes em sequência. Ele começou a ficar de fato orgulhoso do corpo, e a acalentar uma crença intermitente de que seu rosto também estava voltando ao normal. Apenas quando ele passava a mão por acaso no couro cabeludo careca é que se lembrava do rosto amassado e arruinado que o havia mirado do outro lado do espelho.

Sua mente ficou mais ativa. Ele se sentava no catre, as costas contra a parede e a lousa nos joelhos, e se punha a trabalhar de forma deliberada na tarefa de se reeducar.

Ele havia capitulado. Isso estava estabelecido. Na verdade, ele via agora que estivera pronto para capitular muito antes de ter tomado a decisão. A partir do momento em que se encontrou dentro do Ministério do Amor — e, sim, mesmo durante aqueles minutos em que ele e Julia estavam em pé, impotentes, enquanto a voz de ferro da teletela lhes dizia o que fazer —, ele entendeu a frivolidade, a superficialidade de sua tentativa de se colocar contra o poder do Partido. Ele sabia agora que a Polícia do Pensar o observara por sete anos como um besouro sob uma lupa. Não havia nenhum ato físico, nenhuma palavra dita em voz alta que não houvessem notado, nenhuma linha de raciocínio que não tivessem conseguido inferir. Até mesmo a pontinha de poeira esbranquiçada em seu diário eles haviam devolvido no lugar com cuidado. Haviam tocado gravações para ele, mostrado fotos. Algumas eram fotos de Julia e ele. Sim, até mesmo de... Ele não podia mais lutar contra o Partido. Além disso, o Partido estava certo. Devia estar; como o cérebro coletivo imortal poderia estar errado? Por qual padrão externo você poderia verificar os julgamentos deles? A sanidade era estatística. Era apenas uma questão de aprender a pensar como eles. Apenas...!

O lápis caiu, grosso e desajeitado em seus dedos. Ele começou a escrever os pensamentos que vinham à sua mente. Escreveu primeiro em letras maiúsculas grandes e desajeitadas:

LIBERDADE É ESCRAVIDÃO

Então, quase sem pausa, escreveu embaixo:

DOIS MAIS DOIS É CINCO

Mas então veio uma espécie de embargo. Sua mente, como se fugisse de algo, parecia incapaz de se concentrar. Ele sabia que sabia o que vinha a seguir, mas naquele momento não conseguia se lembrar. Quando de fato lembrou, foi apenas raciocinando conscientemente o que deveria ser: não veio sozinho, por conta própria. Ele escreveu:

DEUS É PODER

Ele aceitava tudo. O passado era alterável. O passado nunca havia sido alterado. A Oceânia estava em guerra com a Lestásia. Oceânia sempre estivera em guerra com a

Lestásia. Jones, Aaronson e Rutherford eram culpados dos crimes de que eram acusados. Ele nunca havia visto a foto que os inocentava. Nunca havia existido, ele a inventara. Lembrava-se de lembrar coisas contrárias, mas essas eram memórias falsas, produtos de autoengano. Como tudo aquilo era fácil! Era só se entregar e todo o resto vinha. Era como nadar contra uma corrente que empurrava você para trás por mais que se digladiasse, e então de súbito decidir dar meia-volta e deixar-se levar pela corrente em vez de se opor. Nada havia mudado, exceto a sua própria atitude: o que estava predestinado acontecia de qualquer forma. Ele mal se lembrava por que se rebelara algum dia. Tudo era fácil, exceto por...!

Qualquer coisa poderia ser verdade. As supostas leis da Natureza eram uma bobagem. A lei da gravidade era uma bobagem. O'Brien havia dito:

— Eu poderia sair flutuando desse chão como uma bolha de sabão se quisesse.

Winston decifrou assim:

— Se ele PENSAR que está flutuando do chão, e se eu PENSAR ao mesmo tempo que estou vendo isso, então a coisa acontece.

De súbito, como um destroço de naufrágio submerso rompendo a superfície da água, o pensamento irrompeu em sua mente: "Não acontece de verdade. Nós imaginamos. É uma alucinação". Ele empurrou o pensamento para baixo no ato. A falácia era óbvia. Ela partia do pressuposto de que em algum lugar ou outro, fora do sujeito, havia um mundo "real", onde coisas "reais" aconteciam. Mas como poderia haver um mundo assim? Que conhecimento temos de que qualquer coisa existe, se não através de nossas mentes? Todos os eventos estão na mente. O que quer que aconteça em todas as mentes é o que acontece de verdade.

Ele não teve dificuldade para se livrar da falácia e não corria perigo algum de sucumbir. Ele se deu conta, no entanto, de que nunca deveria lhe ter ocorrido. A mente deveria desenvolver um ponto cego sempre que um pensamento perigoso se apresentasse. O processo deveria ser automático, instintivo. CRIMEPARAR, eles chamavam na Novilíngua.

Ele começou a se exercitar em CRIMEPARAR. Ele apresentava proposições a si mesmo: — "o Partido diz que a terra é plana", "o Partido diz que gelo é mais pesado que água" — e praticava não ver ou não entender os argumentos que contradiziam aquilo. Não era fácil. Requeria poderes imensos de raciocínio e improvisação. Os problemas matemáticos levantados, por exemplo, com uma declaração como "dois com dois dão cinco" estavam além de seu alcance intelectual. Também requeria um tipo de atletismo da mente, uma habilidade de em um momento fazer o uso mais delicado da lógica e no seguinte estar inconsciente dos erros lógicos mais crassos. A estupidez era tão necessária quanto a inteligência, e igualmente difícil de atingir.

Ao longo de todo esse tempo, com uma parte de sua mente ele se perguntava quando atirariam nele. O'Brien havia dito: "Tudo depende de você". Porém, ele sabia que não havia ato consciente com o qual pudesse acelerar o processo. Poderia ser dali a dez minutos ou dez anos. Eles podiam mantê-lo na solitária por anos, podiam mandá-lo para um campo de trabalho forçado, podiam libertá-lo por algum tempo, como faziam às vezes. Era perfeitamente possível que antes de ele ser alvejado, o teatro de sua prisão e interrogatório fosse encenado desde o começo de novo. A única coisa certa era que a morte nunca vinha em um momento esperado. A tradição — a tradição não dita: de alguma forma você sabia, apesar de nunca ouvir alguém dizer — era que eles atiravam pelas costas; sempre na nuca, sem aviso, enquanto você descia um corredor de uma cela para outra.

Um dia — mas "um dia" não era a expressão correta; era tão provável que fosse o meio da noite quanto de dia; uma vez — ele caiu em um delírio estranho e feliz. Estava caminhando pelo corredor, esperando a bala. Ele sabia que viria em mais um momento. Tudo estava resolvido, esclarecido, reconciliado. Não havia mais dúvidas, mais nenhuma discussão, mais nenhuma dor, mais nenhum medo. Seu corpo estava saudável e forte. Ele caminhava com facilidade, com uma alegria de movimento e uma sensação de andar sob a luz do sol. Ele não estava mais nos corredores brancos estreitos do Ministério do Amor, estava na enorme passagem iluminada pelo sol, um quilômetro de largura, na qual parecia entrar no delírio induzido pelas drogas. Ele estava na Terra Dourada, seguindo a trilha de terra pelo velho pasto aparado por coelhos. Ele sentia a grama curta e elástica sob os pés e o gentil brilho do sol em seu rosto. No final do pasto, havia os olmeiros se movendo de leve, e em algum lugar mais além havia o córrego onde os robalinhos nadavam em poças verdes sob os salgueiros.

De súbito, ele saltou na cama num choque de horror. O suor surgiu em sua nuca. Ouviu-se gritando:

— Julia! Julia! Julia, meu amor! Julia!

Por um momento, teve uma alucinação esmagadora de sua presença. Ela parecera não apenas estar com ele, mas dentro dele. Era como se tivesse entrado na textura de sua pele. Naquele momento, ele a amara mais do que quando estavam juntos e livres. Também soube que, em algum lugar, ela ainda estava viva e precisava de sua ajuda.

Ele se deitou na cama e tentou se recompor. O que ele havia feito? Quantos anos havia acrescentado à sua servidão só com aquele momento de fraqueza?

Em mais um momento, ele ouviria o marchar de botas do lado de fora. Eles não deixariam um surto como esse passar sem punição. Agora eles saberiam, se já não sabiam antes, que Winston estava quebrando o acordo que fizera com eles. Ele obedecia ao Partido, mas ainda odiava o Partido. Nos velhos tempos, escondera uma mente herege sob uma aparência de conformidade. Agora, ele havia recuado um passo mais além: na mente, ele havia se rendido, mas na esperança de manter as profundezas do coração invioladas. Ele sabia que estava errado, mas preferia estar errado. Eles entenderiam isso, O'Brien entenderia isso. Estava tudo confessado naquele único grito tolo.

Ele teria que começar tudo de novo. Poderia levar anos. Ele passou a mão sobre o rosto, tentando se familiarizar com o novo formato. Havia sulcos profundos nas bochechas, as maçãs dos rostos pareciam afiadas, o nariz achatado. Além disso, desde a última vez que se vira no espelho, ele havia recebido uma dentadura nova e completa. Não era fácil preservar a inescrutabilidade quando não se sabia qual era a aparência de seu próprio rosto. De qualquer forma, o mero controle de expressões faciais não era suficiente. Pela primeira vez, ele se deu conta de que se você quiser guardar um segredo, também deve escondê-lo de si mesmo. Você deve saber o tempo todo que ele está lá, mas até que ele seja necessário, você nunca deve deixá-lo emergir à consciência de qualquer forma que possa ser nomeada. Dali em diante, ele não devia apenas pensar certo; ele tinha que sentir certo, sonhar certo. E esse tempo todo, devia manter seu ódio trancado dentro de si como uma bola de matéria que era uma parte de si mesmo e ainda assim desconectada do resto dele, uma espécie de cisto.

Um dia, eles decidiriam atirar nele. Não dava para saber quando aconteceria, mas uns poucos segundos antes seria possível adivinhar. Era sempre de trás, descendo um corredor. Dez segundos seriam suficientes. Nesse tempo, o mundo dentro dele poderia virar de ponta-cabeça. E então, de súbito, sem uma palavra dita, sem uma mudança no passo, sem mudar um traço em seu rosto — de súbito, a camuflagem teria caído e pá!, as baterias de seu ódio se acenderiam. Ódio o preencheria como uma chama enorme, estrondosa. E quase no mesmo pá! instantâneo a bala entraria, tarde demais, ou cedo demais. Eles teriam despedaçado seu cérebro em migalhas antes que pudessem reivindicá-lo. O pensamento herege passaria sem punição, sem arrependimento, fora do alcance deles para sempre. Eles teriam aberto um buraco em sua própria perfeição. Morrer com ódio deles, isso era liberdade.

Ele fechou os olhos. Era mais difícil do que aceitar uma disciplina intelectual. Era uma questão de se degradar, se mutilar. Ele teria que mergulhar na imundície mais imunda. O que era a coisa mais horrível, mais doentia de todas? Ele pensou no Grande Irmão. O rosto enorme (por sempre vê-lo em pôsteres, ele sempre imaginava a face como algo de um metro de largura), com seu bigode pesado preto e os olhos que te seguiam de um lado para o outro, pareceu flutuar por sua mente por vontade própria. Quais eram seus sentimentos verdadeiros pelo Grande Irmão?

Passos pesados de botas ecoaram na passagem. A porta de ferro abriu com um clangor. O'Brien entrou na cela. Atrás dele estavam o oficial com cara de cera e os guardas de uniforme negro.

— Levante — disse O'Brien. — Venha aqui.

Winston ficou em pé na frente dele. O'Brien pegou os ombros de Winston com suas mãos fortes e olhou para ele com atenção.

— Você pensou em me enganar — ele disse. — Isso foi idiota. Arrume essa postura. Olhe para o meu rosto.

Ele pausou e continuou em um tom mais gentil:

— Você está melhorando. Intelectualmente, tem pouquíssima coisa errada com você. É só no emocional que você não conseguiu progredir. Diga para mim, Winston... E lembre-se: sem mentiras, você sabe que eu sempre consigo detectar uma mentira... Diga para mim: quais são seus sentimentos verdadeiros pelo Grande Irmão?

— Eu o odeio.

— Você o odeia. Bom. Então chegou o momento de dar o último passo. Você deve amar o Grande Irmão. Não é suficiente obedecê-lo: você deve amar o Grande Irmão.

Ele soltou Winston com um pequeno empurrão para os guardas.

— Sala 101 — ele disse.

CAPÍTULO 5

Em todos os estágios de sua prisão, ele soubera, ou parecera saber, a localização em que se encontrava dentro do edifício sem janelas. Era possível que houvesse diferenças leves na pressão do ar. As celas onde os guardas o espancaram ficavam abaixo do nível do solo. A sala onde ele fora interrogado por O'Brien ficava no alto, perto do teto. Este lugar estava muitos metros abaixo da terra, tão fundo quanto era possível ir.

Era maior do que a maioria das celas em que ele estivera. Mas ele mal notava as imediações. Tudo em que reparou foi que havia duas mesinhas pequenas diretamente na frente dele, cada uma coberta com baeta verde. Uma estava a apenas um metro ou dois dele, a outra estava mais longe, perto da porta. Ele estava amarrado com as costas retas numa cadeira, tão apertado que não podia mover nada, nem mesmo a cabeça. Uma espécie de acolchoado duro segurava sua cabeça por trás, forçando-o a olhar para a frente.

Por um momento ele ficou sozinho, então a porta se abriu e O'Brien entrou.

— Você me perguntou uma vez — disse O'Brien — o que havia na Sala 101. Eu disse que você já sabia a resposta. Todo mundo sabe. O que tem na Sala 101 é a pior coisa no mundo.

A porta se abriu de novo. Um guarda entrou, carregando algo feito de arame, um tipo de caixa ou cesta. Ele colocou aquilo na mesa mais distante. Por causa da posição em que O'Brien estava, Winston não conseguia ver o que era.

— A pior coisa no mundo — disse O'Brien — varia de indivíduo para indivíduo. Talvez ser enterrado vivo, ou morrer queimado, ou afogado, ou empalado ou cinquenta outras mortes. Há casos em que pode ser algo bastante trivial, nem mesmo fatal.

Ele havia se movido um pouco para o lado, de modo que Winston tivesse uma visão melhor da coisa na mesa. Era uma jaula oblonga de arame com um cabo em cima para carregar. Preso na frente, havia algo que parecia ser uma máscara de esgrima, com o lado côncavo para fora. Apesar de estar a três ou quatro metros de distância dele, ele podia ver que a gaiola estava dividida longitudinalmente em dois compartimentos, e havia alguma criatura dentro de cada um. Eram ratos.

— No seu caso — disse O'Brien —, a pior coisa no mundo são ratos.

Uma espécie de tremor premonitório, um medo de algo de que não estava certo o que era, atravessou Winston assim que vislumbrou a jaula pela primeira vez. Mas naquele momento, o significado daquela peça com jeito de máscara na frente da jaula de súbito fez sentido para ele. Suas entranhas pareceram se transformar em água.

— Vocês não podem fazer isso! — ele gritou em uma voz aguda rachando. — Vocês não poderiam, não poderiam! É impossível.

— Você se lembra — disse O'Brien — do momento de pânico que acontecia nos seus sonhos? Havia uma parede de escuridão na sua frente, e um rugido nos ouvidos. Havia algo terrível do outro lado da parede. Você sabia que sabia o que era aquilo, mas não ousava escancarar o que era. Eram os ratos que estavam do outro lado da parede.

— O'Brien! — disse Winston, fazendo um esforço para controlar sua voz. — Você sabe que não é necessário. O que você quer que eu faça?

O'Brien não respondeu de pronto. Quando falou, era com a forma professoral que o afetava às vezes. Ele olhou a distância, pensativo, como se estivesse se dirigindo a uma audiência num lugar além das costas de Winston.

— Sozinha — ele disse —, a dor não é sempre o suficiente. Há momentos em que um ser humano vai aguentar a dor, mesmo ao ponto da morte. Mas para todos existe algo insuportável... Algo que não pode ser contemplado. Coragem e covardia não estão envolvidas. Se você está caindo de um lugar alto, não é covardia se agarrar a uma corda. Se você emergiu das profundezas da água, não é covardia encher os pulmões de ar. É apenas um instinto que não pode ser destruído. É o mesmo com os ratos. Para você, eles são insuportáveis. Eles são uma forma de pressão que você não pode aguentar, mesmo que quisesse. Você fará o que é exigido de você.

— Mas o que é, o que é? Como posso fazer isso, se não sei o que é?

O'Brien pegou a jaula e a trouxe para a mesa mais próxima. Ele a colocou com cuidado sobre o tecido. Winston conseguia escutar o sangue pulsando em seus ouvidos. Ele tinha sensação de estar sentado em total solidão. Estava no meio de um imenso campo aberto, um deserto plano encharcado de luz do sol, através do qual todos os sons lhe chegavam de distâncias enormes. Ainda assim, a jaula com ratos estava a menos de dois metros dele. Eram ratazanas enormes. Estavam na idade em que o focinho fica rombudo, feroz, e a pelagem fica marrom em vez de cinza.

— O rato — disse O'Brien, ainda se dirigindo a sua audiência invisível —, apesar de ser um roedor, é carnívoro. Você está ciente disso. Você deve ter ouvido a respeito das coisas que acontecem nos bairros pobres desta cidade. Em algumas ruas, as mulheres não podem ousar deixar o bebê sozinho em casa, nem mesmo por cinco minutos. Os ratos com certeza atacarão o pequeno. Em pouco tempo, vão arrancar toda a carne até os ossos. Eles também atacam gente doente ou moribunda. Eles mostram inteligência surpreendente em saber quando um ser humano está indefeso.

Houve um estouro de guinchos vindo da jaula. Pareceu chegar a Winston de longe. Os ratos estavam brigando; estavam tentando se atacar pela divisória. Ele também ouviu um gemido profundo de desespero. Isso também pareceu vir de fora dele mesmo.

O'Brien pegou a jaula, e, ao fazer isso, pressionou algo nela. Houve um estalo alto. Winston fez um esforço frenético para se soltar da cadeira. Não havia esperança; todas as partes dele, até mesmo a cabeça, estavam presas, imobilizadas. O'Brien aproximou a jaula. Estava a menos de um metro da cara de Winston.

— Eu ativei a primeira trava — disse O'Brien. — Você entende a construção dessa jaula. A máscara se encaixará na sua cabeça, sem deixar nenhuma saída. Quando eu ativar essa outra trava, a porta da jaula vai subir. Essas bestas famintas vão disparar como balas. Você já viu um rato saltar no ar? Eles vão saltar no seu rosto e atacar de imediato. Às vezes, atacam os olhos primeiro. Às vezes, eles se enfiam pela bochecha e devoram a língua.

A jaula estava mais perto; estava se aproximando. Winston ouviu uma sucessão de guinchos estridentes que pareciam ocorrer no ar sobre sua cabeça. Mas lutou furiosamente contra seu pânico. Pensar, pensar, mesmo com uma fração de segundo restante — pensar era a única esperança. De súbito, o pavoroso odor bolorento daquelas feras atingiu suas narinas. Surgiu uma convulsão violenta de náusea dentro dele, e ele quase perdeu a consciência. Tudo havia ficado preto. Por um instante ele ficou insano, um animal gritando. Ainda assim, ele saiu da escuridão agarrado a uma ideia. Havia uma, e apenas uma, maneira de se salvar. Ele tinha que interpor outro ser humano, o CORPO de outro ser humano, entre ele e os ratos.

O círculo da máscara era grande o suficiente agora para impedir a visão de qualquer outra coisa. A porta de arame estava a poucos palmos de seu rosto. Os ratos agora sabiam o que estava vindo. Um deles pulava para cima e para baixo; o outro, um velho vovô escamoso dos esgotos, ficou de pé, com as patas rosadas nas barras, e farejou o ar com ferocidade. Winston conseguia ver os bigodes e os dentes amarelos. De novo, o pânico negro tomou conta dele. Ele estava cego, impotente, irracional.

— Era uma punição comum na China Imperial — disse O'Brien, didático como sempre.

A máscara estava chegando ao seu rosto. O arame tocou sua bochecha. E então... não, não era o alívio, apenas esperança, um pequeno fragmento de esperança. Tarde demais, talvez tarde demais. Mas ele havia entendido de súbito que no mundo inteiro havia apenas UMA pessoa para quem ele poderia transferir sua punição — UM corpo que ele poderia enfiar entre ele e as ratazanas. E ele gritava freneticamente, de novo e de novo:

— Faça isso com a Julia! Com a Julia! Eu não! Julia! Não ligo para o que vocês façam com ela. Arranquem a cara dela, arranquem tudo até os ossos. Eu não! Julia! Eu não!

Ele estava caindo para trás, em profundezas imensas, para longe dos ratos. Ele ainda estava preso à cadeira, mas havia caído e atravessado o chão, as paredes do edifício, a terra, os oceanos, a atmosfera, o espaço sideral, os abismos entre as estrelas — sempre para longe, longe, longe dos ratos. Ele estava a anos-luz de distância, mas O'Brien ainda se encontrava parado ao seu lado. Ainda havia o toque frio de arame em sua bochecha. Mas em meio à escuridão que o envolveu, ele ouviu outro clique metálico, e soube que a porta da jaula havia sido fechada e não aberta.

CAPÍTULO 6

O Café Castanheira estava quase vazio. Um raio de sol entrava inclinado por uma janela e caía sobre mesas empoeiradas. Era o horário solitário das quinze horas. Uma música metálica gotejava das teletelas.

Winston estava sentado em seu canto costumeiro, o olhar perdido em um copo vazio. De vez em quando, ele erguia a cabeça para ver um rosto imenso que o olhava da parede em frente. O GRANDE IRMÃO ESTÁ OBSERVANDO VOCÊ, dizia a legenda. Sem ser chamado, o garçom veio e completou seu copo com Gim Victory, colocando no copo algumas gotas de outra garrafa com uma pluma atravessando a rolha. Era sacarina com infusão de cravos, a especialidade do café.

Winston estava ouvindo a teletela. No momento, apenas música vinha dela, mas existia a possibilidade de a qualquer momento haver um boletim especial do Ministério da Paz. As notícias do front africano eram inquietantes ao extremo. De forma intermitente, ele havia se preocupado a respeito o dia inteiro. Um exército eurasiano (a Oceânia estava em guerra com a Eurásia; a Oceânia sempre estivera em guerra com a Eurásia) estava se movendo para o sul a uma velocidade pavorosa. O boletim do meio-dia não havia mencionado uma área definida, mas era provável que já houvesse um campo de batalha na boca do Congo. Brazzaville e Léopoldville estavam em perigo. Não era preciso olhar para um mapa para ver o que isso significava.

Não era apenas uma questão de perder a África Central: pela primeira vez na guerra inteira, o território da própria Oceânia estava ameaçado.

Uma emoção violenta, não exatamente medo, mas uma espécie de empolgação indiferente, surgiu nele, então se apagou de novo. Ele parou de pensar na guerra. Nesses dias, ele nunca conseguia focar a mente em qualquer assunto por mais de alguns momentos a cada vez. Pegou o copo e o secou num gole. Como sempre, o gim o fez estremecer, e até mesmo quase vomitar. O negócio era horrível. O cravo e a sacarina, eles próprios pavorosos o suficiente do seu jeito doentio, não conseguiam esconder o rançoso cheiro de óleo; e o pior de tudo era que o cheiro de gim, que ficava nele por noite e dia, estava inextricavelmente misturado em sua mente com o cheiro daqueles...

Ele nunca os nomeava, nem mesmo em seus pensamentos, e, sempre que possível, nunca os visualizava. Eles eram algo de que ele estava parcialmente ciente, pairando perto de seu rosto, um cheiro que havia grudado em suas narinas. Conforme o gim subiu nele, ele arrotou através de lábios roxos. Havia engordado desde que o libertaram e recuperado a cor anterior — de fato, mais do que recuperado. Seus traços haviam engrossado, a pele no nariz e bochechas estava asperamente vermelha, até mesmo seu couro cabeludo careca também exibia um tom de rosa profundo. Um garçom, de novo sem ser chamado, trouxe o tabuleiro de xadrez e a edição atual do *The Times*, com a página aberta na seção do desafio de xadrez. Então, vendo que o copo de Winston estava vazio, trouxe a garrafa de gim e completou o copo. Não havia necessidade de dar ordens. Eles conheciam seus hábitos. O tabuleiro de xadrez estava sempre esperando por ele, a mesa de canto estava sempre reservada; mesmo quando o lugar estava lotado, ele a tinha para si, já que ninguém queria ser visto perto dele. Ele nem se incomodava em contar as próprias bebidas. Em intervalos irregulares, eles lhe apresentavam um pedaço de papel imundo que diziam ser a conta, mas ele sempre tinha a impressão de que estavam cobrando menos. Não teria feito diferença se fosse o contrário. Ele sempre tinha dinheiro agora. Ele tinha até um emprego, uma sinecura, que pagava melhor do que o trabalho anterior.

A música na teletela havia parado e uma voz tomou conta. Winston ergueu a cabeça para ouvir. No entanto, nenhum boletim do front. Era apenas um anúncio breve do Ministério da Abundância. No trimestre anterior, parecia, a cota para cadarços do Décimo Plano Trienal havia sido superada em 98%.

Ele examinou o problema de xadrez e montou as peças. Era um final complicado, que envolvia um par de cavalos. "Rodada do branco, xeque-mate em dois movimentos". Winston olhou para o retrato do Grande Irmão. Branco sempre ganha, ele pensou com uma espécie de misticismo nebuloso. Sempre, sem exceção; era arranjado dessa forma. Em nenhum desafio de xadrez desde o começo do mundo as peças pretas algum dia haviam ganhado. Não simbolizava o triunfo eterno, invariável, do Bem sobre o Mal? O rosto imenso o olhou de volta, cheio de poder calmo. O branco sempre ganha.

A voz da teletela pausou e acrescentou, num tom diferente e muito mais grave:

— Estejam alertas para um anúncio importante às quinze e trinta. Quinze e trinta! Esta é uma notícia da maior importância. Tomem cuidado de não perder. Quinze e trinta!
— A música tilintante voltou.

O coração de Winston se agitou. Esse era o boletim do front; o instinto lhe dizia que vinham notícias ruins. O dia inteiro, com pequenos jorros de empolgação, a ideia de uma derrota esmagadora na África havia entrado e saído de sua mente. Ele parecia estar de fato vendo o exército eurasiano entrar como um enxame pela fronteira nunca cruzada, despejando-se pela ponta da África como uma coluna de formigas. Por que não havia sido possível flanqueá-los de alguma forma? O desenho da costa oeste africana se destacava vividamente em sua mente. Ele pegou o cavalo branco e o moveu pelo tabuleiro. LÁ era o lugar certo. Mesmo enquanto via a horda negra correndo pelo sul, ele viu outra força, reunida de forma misteriosa, de súbito atacando por trás, cortando suas comunicações por terra e mar. Ele sentia que, ao desejar aquilo, estava trazendo aquela outra força à vida. Mas era necessário agir rápido. Se eles pudessem tomar controle da África inteira, se tivessem aeroportos e bases submarinas no Cabo, cortariam a Oceânia em duas. Isso podia significar qualquer coisa: derrota, colapso, outra divisão do mundo, a destruição do Partido! Ele respirou fundo. Uma mistura extraordinária de sentimentos — mas não era exatamente uma mistura; em vez disso, eram camadas sucessivas de sentimentos, em que não se saberia dizer qual camada estava na base — lutava dentro dele.

O espasmo passou. Ele colocou o cavalo branco de volta ao seu lugar, mas por um momento, não conseguiu se concentrar a estudar o desafio do xadrez com seriedade. Seus pensamentos vagaram de novo. De forma quase inconsciente, ele escreveu com o dedo na poeira da mesa:

2+2 = 5

— Não conseguem entrar em você — ela havia dito.

Mas eles conseguiam entrar em você.

— O que acontece com você aqui é para sempre — O'Brien havia dito.

Aquilo era totalmente verdadeiro. Havia coisas, suas próprias ações, das quais você nunca conseguia se recuperar. Algo era morto em seu peito; queimado, cauterizado.

Ele a havia visto; ele havia até falado com ela. Não havia perigo naquilo. Sabia como que por instinto que eles agora não tinham quase nenhum interesse em suas ações. Poderia ter combinado com ela de se encontrarem uma segunda vez se qualquer um dos dois quisesse. Na verdade, foi por acaso que se encontraram. Foi na praça principal, em um dia vil e mordaz em março, quando a terra estava dura como ferro e toda a grama parecia morta e não havia flor nenhuma em lugar nenhum, exceto por alguns poucos crócus que haviam se empurrado para cima só para ser desmembrados pelo vento. Ele passava apressado, com as mãos congeladas e os olhos lacrimejantes, quando a viu a menos de dez metros de distância. Foi então que se deu conta de que ela havia mudado de alguma forma imprecisa. Eles quase passaram um pelo outro sem sinal algum, então ele se virou e a seguiu, não muito ansiosamente. Ele sabia que não havia perigo, ninguém se interessaria por ele. Ela não falou. Ela andou de forma oblíqua pela grama como se tentasse se livrar dele, então pareceu se resignar em ter Winston ao seu lado. Num instante, eles estavam entre um tufo de arbustos esfarrapados e desfolhados, inúteis tanto para esconder quanto para proteger do vento. Eles pararam. Estava terrivelmente frio. O vento soprava pelos galhos e arrastava os ocasionais crócus sujos. Ele colocou o braço ao redor da cintura dela.

Não havia teletela, mas devia haver microfones escondidos; além disso, eles podiam ser vistos. Não importava, nada importava. Eles poderiam ter se deitado no chão e feito AQUILO, se quisessem. Sua carne congelou de horror ante aquela ideia. Ela não exibiu reação alguma ao abraço; nem sequer tentou se soltar. Ele sabia o que havia mudado nela. Seu rosto estava mais amarelado e havia uma cicatriz longa, em parte escondida pelo cabelo, atravessando a testa até a têmpora; mas aquela não era a mudança. Era que sua cintura havia ficado mais grossa e, de uma forma surpreendente, havia endurecido. Ele se lembrou como certa vez, depois da explosão de um míssil, ele havia ajudado a arrastar um cadáver de algumas ruínas, e se surpreendera não apenas com o peso incrível da coisa, mas com a rigidez e dificuldade de manejo, que fazia o corpo parecer mais com pedra do que carne. O corpo dela dava essa sensação. Ocorreu-lhe que a textura da pele dela estaria bastante diferente do que já havia sido.

Ele não tentou beijá-la, tampouco falaram. Enquanto caminhavam de volta pela grama, ela olhou diretamente para ele pela primeira vez. Foi apenas um olhar momentâneo, cheio de desdém e aversão. Ele se perguntou se era uma aversão que vinha puramente do passado ou se também era inspirada pelo seu rosto inchado e a água que o vento seguia extraindo de seus olhos. Eles se sentaram em duas cadeiras de metal, lado a lado, mas não muito próximos. Ele viu que ela estava prestes a falar. Ela moveu seu sapato desajeitado alguns centímetros e esmagou um galho de forma deliberada. Seus pés pareciam ter ficado mais achatados, ele notou.

— Eu traí você — ela disse sem rodeios.

— Eu traí você — ele disse.

Ela lhe lançou outro olhar de aversão.

— Às vezes — ela disse —, eles ameaçam você com alguma coisa, alguma coisa que você não consegue suportar, não consegue nem pensar. E aí você diz: "Não faça isso comigo, faça com outra pessoa, faça isso com fulano ou ciclano". E talvez você possa fingir depois que foi só um truque e que você só disse para fazer parar e não estava falando sério. Mas não é verdade. No momento em que acontece, você fala sério. Você acha que não tem nenhum outro jeito de se salvar, e está pronto para se salvar dessa forma. Você QUER que aconteça com a outra pessoa. Você não liga a mínima para o que eles sofrem. Você só se importa consigo mesmo.

— Você só se importa consigo mesmo — ele ecoou.

— E depois disso, você não sente mais a mesma coisa em relação à pessoa.

— Não — ele disse —, você não sente mais a mesma coisa.

Não parecia haver mais nada a dizer. O vento colava os macacões contra seus corpos. Quase de imediato se tornou embaraçoso ficar sentado ali em silêncio; além disso, estava frio demais para ficar imóvel. Ela disse algo sobre pegar o metrô e se levantou para ir.

— Nós devemos nos encontrar de novo — ele disse.

— Sim — ela disse —, nós devemos nos encontrar de novo.

Ele a seguiu, irresoluto, por uma pequena distância, meio passo atrás dela. Eles não se falaram de novo. Ela não tentou impedir que ele a seguisse, mas caminhou a uma velocidade suficiente só para impedi-lo de ficar ao lado dela. Ele havia se decidido que a acompanharia até a estação de metrô, mas de súbito esse processo de ficar seguindo alguém no frio pareceu sem sentido e insuportável. Ele foi tomado por um desejo não tanto de se afastar de Julia, mas de voltar ao Café Castanheira, que nunca havia parecido tão atraente como naquele momento. Ele teve uma visão nostálgica de sua mesa no canto, com o jornal e o tabuleiro de xadrez e o gim infinito. Acima de tudo, lá estaria quente. No momento seguinte, não exatamente por acidente, ele se permitiu se separar dela por um pequeno nó de pessoas. Fez uma tentativa frouxa de alcançá-la, então desacelerou, deu meia-volta e partiu no sentido oposto. Quando estava a cinquenta metros de distância, ele olhou para trás. A rua não estava lotada, mas ele já não conseguia distingui-la. Qualquer uma das pessoas no punhado apressado poderia ser ela. Talvez seu corpo engrossado e endurecido não fosse mais reconhecível visto por trás.

— No momento em que acontece — ela havia dito —, você fala sério. — Ele havia falado sério. Ele não havia apenas dito, ele havia desejado. Ele havia desejado que ela e não ele fosse entregue para os...

Algo mudou na música que vinha da teletela. Uma nota rachada e de escárnio, uma nota amarela, entrou no ar. E então — talvez não estivesse acontecendo, talvez fosse apenas uma memória assumindo uma semelhança de som —, uma voz cantou:

"Sob a castanheira, eu vi,
tu me vendeste, e eu te vendi..."

As lágrimas encheram seus olhos. Um garçom passando notou que seu copo estava vazio e voltou com a garrafa de gim.

Ele pegou o copo e cheirou. O negócio não ficava melhor a cada gole, e sim pior. Mas havia se tornado o elemento em que ele nadava. Era sua vida, sua morte e sua ressurreição. Era o gim que o afundava em estupor a cada noite e era o gim que o acordava a cada manhã. Quando ele despertava, raramente antes das onze, com as pálpebras grudando, a boca flamejando e as costas que pareciam estar quebradas, teria sido impossível sequer sair da horizontal se não fosse a garrafa e a xícara deixadas ao lado da cama de um dia para o outro. Ao longo das horas do meio do dia, ele ficava sentado com olhos vidrados, a garrafa a postos, ouvindo a teletela. Das quinze ao horário de fechar, ele era parte fixa no Café Castanheira. Ninguém se importava mais com o que ele fazia, nenhum assobio o despertava, nenhuma teletela o repreendia. Às vezes, talvez duas vezes por semana, ele ia até um escritório empoeirado com ar esquecido no Ministério da Verdade e trabalhava um pouco, ou fingia trabalhar. Ele havia sido indicado para um subcomitê de um subcomitê que havia surgido de um dos inúmeros subcomitês lidando com dificuldades minúsculas que surgiram na compilação da Décima Primeira Edição do Dicionário de Novilíngua. Eles estavam envolvidos na produção de algo chamado Relatório Interino, mas o que estavam relatando ele nunca havia descoberto em definitivo. Tinha algo a ver com uma questão de se as vírgulas deveriam ficar dentro de colchetes ou fora. Havia outros quatro no comitê, todos eles parecidos com ele próprio. Havia dias em que eles se reuniam e de imediato se dispersavam, admitindo com franqueza um para o outro que não havia de fato nada para ser feito. Mas havia outros dias em que eles se sentavam para trabalhar quase com ansiedade, fazendo um tremendo estardalhaço para marcar os minutos no ponto e esboçando longos memorandos que nunca eram terminados — quando a discussão em relação ao que eles supostamente estavam discutindo ficava extraordinariamente complexa e tortuosa, com barganhas sutis a respeito de definições, digressões imensas, brigas — ameaças, inclusive, de apelar a uma autoridade superior. E então, de súbito, a vida sumia deles e eles se sentavam à mesa olhando um para o outro com olhos extintos, como fantasmas desaparecendo com o cantar do galo pela manhã.

A teletela ficou em silêncio por um momento. Winston levantou a cabeça de novo. O boletim! Mas não, estavam apenas mudando a música. Ele tinha o mapa da África atrás das pálpebras. O movimento dos exércitos era um diagrama: uma seta negra rasgando verticalmente para o sul e uma seta branca avançando a leste horizontalmente, cruzando o final da primeira. Como se para se assegurar, ele olhou para o rosto imperturbável no retrato. Será que era concebível que a segunda seta nem sequer existisse?

Seu interesse fugiu de novo. Ele bebeu outro gole de gim, pegou o cavalo branco e fez um movimento hesitante. Xeque. Mas era evidente que era o movimento incorreto, porque...

Sem relação, uma memória flutuou em sua mente. Ele viu um quarto iluminado a vela com uma cama e uma imensa colcha branca, e ele mesmo, um garotinho de nove ou dez anos, sentado no chão, chacoalhando uma caixinha com dados e rindo com empolgação. Sua mãe estava sentada na frente dele e também ria.

Devia ter sido um mês antes de ela desaparecer. Era um momento de reconciliação, quando a fome incômoda em sua barriga estava esquecida e seu afeto anterior por ela tinha se reavivado temporariamente. Ele se lembrava bem do dia, um dia de mundo caindo, inundado com água que corria pelo vidro da janela, e a luz do lado de dentro era fraca demais para conseguir ler. O tédio de duas crianças no quarto escuro e apertado se tornou insuportável. Winston choramingou e resmungou, fez pedidos inúteis por comida, se agitou pelo quarto tirando tudo de lugar e chutando o lambri até os vizinhos baterem na parede, enquanto a criança menor chorava intermitentemente. No final, sua mãe disse:

— Agora se comporte, e eu vou comprar um brinquedo para você. Um brinquedo lindo... Você vai adorar.

E então ela havia saído na chuva, para uma pequena lojinha das vizinhanças que ainda abria de vez em quando, e voltou com uma caixa de papelão contendo um jogo de *Serpentes e Escadas*. Ele ainda conseguia se lembrar do cheiro de papelão molhado. Era um jogo de péssima qualidade. O tabuleiro estava rachado e os dados de madeira estavam tão mal cortados que mal paravam de pé. Winston olhou para aquilo, amuado e com pouco interesse. Mas então sua mãe acendeu uma vela e eles sentaram no chão para jogar. Logo ele estava terrivelmente empolgado e gritando, gargalhando, as peças subiam cheias de esperança e em seguida caíam, deslizando nas cobras de novo quase até a primeira casa. Eles jogaram oito partidas, cada um ganhando quatro. A irmã menor, nova demais para entender como o jogo funcionava, havia sentado com as costas em um travesseiro de apoio, rindo porque os outros estavam rindo. Por uma tarde inteira, todos haviam sido felizes juntos, como no começo de sua infância.

Ele empurrou a imagem para fora da mente. Era uma memória falsa. Ele às vezes era perturbado por memórias falsas. Elas não importavam, desde que o sujeito as reconhecesse pelo que eram. Algumas coisas haviam acontecido, outras não. Ele se voltou para o tabuleiro de xadrez e pegou o cavalo branco de novo. Quase no mesmo instante, ele caiu no tabuleiro com um tinido. Ele tomou um susto, como se um alfinete o tivesse espetado. Um tocar de trombetas agudo perfurou o ar. Era o boletim! Vitória! Sempre significava vitória quando um ribombar de trombetas precedia as notícias. Uma espécie de eletricidade atravessou o café. Até mesmo os garçons haviam se aprumado e levantado as orelhas.

As trombetas haviam soltado um volume imenso de barulho. Uma voz empolgada já tagarelava pela teletela, mas nem bem começara e foi quase afogada por um rugido que vinha do lado de fora. A notícia havia atravessado as ruas como mágica. Ele conseguia ouvir apenas o suficiente do que vinha da teletela para se dar conta de que tudo havia acontecido como ele previra: uma vasta armada marítima havia secretamente montado um ataque súbito por trás do inimigo, a seta branca atravessando a ponta da negra. Fragmentos de frases triunfantes se faziam ouvir entre os ruídos:

— Vasta manobra estratégica... coordenação perfeita... derrota completa... meio milhão de prisioneiros... total desmoralização... controle de toda a África... trazer a guerra a uma distância mensurável de seu fim... vitória... maior vitória na história humana... vitória, vitória, vitória!

Sob a mesa, os pés de Winston faziam movimentos convulsivos. Ele não havia se mexido em seu lugar, mas em sua mente ele corria, corria rápido, estava nas multidões do lado de fora, gritando até ensurdecer. Ele olhou de novo para o retrato do Grande Irmão. O colosso que cavalgou o mundo! A rocha contra a qual as hordas da Ásia se lançavam em vão! Ele pensou em como dez minutos antes — sim, apenas dez minutos — ainda houvera equívoco em seu coração, enquanto ele se perguntava se as notícias do front seriam de vitória ou fracasso. Ah, era mais do que um exército da Eurásia que havia perecido! Muito havia mudado nele desde aquele primeiro dia no Ministério do Amor, mas a mudança curadora final, indispensável, não havia acontecido até aquele momento.

A voz da teletela ainda jorrava seu relato de prisioneiros e saques e assassinatos, mas os gritos lá fora haviam diminuído um pouco. Os garçons voltavam ao trabalho. Um deles se aproximou com a garrafa de gim. Winston, sentado em um sonho prazeroso, não prestou atenção ao copo sendo enchido. Ele não estava mais correndo ou comemorando. Ele estava de volta no Ministério do Amor, com tudo perdoado, a alma branca como a neve. Estava na tribuna dos réus, confessando tudo, implicando todos. Estava descendo o corredor de azulejos brancos, com a sensação de caminhar sob a luz do sol, um guarda armado às suas costas. A bala tão desejada entrava em seu cérebro.

Ele ergueu os olhos para o rosto enorme. Quarenta anos ele levara para descobrir que tipo de sorriso estava escondido sob aquele bigode escuro. Ah, mal entendido cruel e desnecessário! Ah, que exílio teimoso e autoimposto do peito amoroso! Duas lágrimas de gim com cravo escorriam pelas laterais de seu nariz. Mas estava bem, tudo estava bem, a batalha havia terminado. Ele conquistara a vitória sobre si mesmo. Ele amava o Grande Irmão.

APÊNDICE
OS PRINCÍPIOS DA NOVILÍNGUA

APÊNDICE
OS PRINCÍPIOS
DA SOCIOLOGIA

Novilíngua* era o idioma oficial da Oceânia e foi criada para as necessidades ideológicas do Socing, ou Socialismo Inglês. No ano de 1984, não havia ainda ninguém que usasse Novilíngua como único meio de comunicação, fosse na fala ou escrita. Os artigos principais do *The Times* eram escritos nela, mas isso era um TOUR DE FORCE que só podia ser executado por um especialista. Era esperado que a Novilíngua enfim superasse a Velhíngua (ou inglês padrão, como nós chamaríamos) por volta do ano 2050. Enquanto ela conquistava espaço gradualmente, todos os membros do Partido tendiam a usar construções gramaticais e palavras da Novilíngua cada vez mais em sua fala cotidiana. A versão em uso em 1984, encarnada na Nona e na Décima Edição do Dicionário da Novilíngua, era provisória e continha muitas palavras supérfluas e formações arcaicas que deveriam ser suprimidas mais tarde. Nós trataremos aqui da versão final e aperfeiçoada, encarnada na Décima Primeira Edição do Dicionário.

O propósito da Novilíngua era não apenas fornecer um meio de expressão para a visão de mundo e hábitos mentais adequados aos devotos do Socing, mas de

---

* Ao estruturar a gramática da Novilíngua, George Orwell trabalhou e lidou com sintaxe e morfologia já existentes ou coerentes no idioma inglês. Ao ler esse apêndice, deve-se ter em mente que muitos dos exemplos e inovações se basearam na língua inglesa, não na portuguesa. Quando possível, tentou-se adaptar o conteúdo ao máximo e fazer alterações mínimas em relação ao original. (N. do T) impossibilitar todas as outras formas de pensamento. Pretendia-se que quando a Novilíngua tivesse sido adotada de uma vez por todas e a Velhíngua fosse esquecida, um pensamento herege — assim sendo, um pensamento divergindo dos princípios de Socing — deveria ser literalmente impensável, ao menos no sentido em que um pensamento dependia de palavras. Seu vocabulário foi construído de forma a dar expressão exata e com frequência sutil a cada sentido que um membro do Partido pudesse desejar expressar apropriadamente, enquanto excluía todos os outros sentidos e também a possibilidade de chegar neles por meios indiretos. Isso foi feito em parte pela invenção de palavras novas, mas majoritariamente eliminando palavras indesejáveis e arrancando das palavras remanescentes seus sentidos heterodoxos, e o máximo possível de qualquer sentido secundário. Para dar um único exemplo: a palavra LIVRE ainda existia em Novilíngua, mas apenas poderia ser usada em declarações como: "Este cão está livre de pulgas" ou "Este campo está livre de ervas daninhas". Não poderia ser usado em seu sentido antigo de "politicamente livre" ou "intelectualmente livre", já que liberdade política e intelectual não existiam mais nem como conceitos, e eram, portanto, necessariamente sem nome. Bastante diferente da supressão de palavras definitivamente hereges, a redução de vocabulário foi vista como um fim em si mesma, e não se permitiu que nenhuma palavra dispensável sobrevivesse. A Novilíngua foi projetada não para estender, mas sim DIMINUIR o alcance do pensamento, e esse propósito era assistido de forma indireta cortando a opção de palavras a um mínimo.

A Novilíngua se fundou na língua inglesa como nós a conhecemos agora, apesar de muitas frases em Novilíngua, mesmo sem palavras novas, mal serem compreensíveis ao falante de inglês contemporâneo. Palavras de Novilíngua se dividiam em três classes distintas, conhecidas como o vocabulário A, o vocabulário B (também chamado de palavras compostas) e o vocabulário C. Será mais simples discutir cada classe de forma separada, mas as peculiaridades gramaticais do idioma serão abordadas na seção devotada ao vocabulário A, já que a mesma regra se aplica a todas as três categorias.

O VOCABULÁRIO A. O vocabulário A consistia das palavras necessárias para as questões da vida cotidiana — para coisas como comer, beber, trabalhar, colocar suas roupas, subir e descer as escadas, andar em veículos, praticar jardinagem, cozinhar e similares. Era composta quase inteiramente de palavras que já temos, como BATER, CORRER, CÃO, ÁRVORE, AÇÚCAR, CASA, CAMPO — mas em comparação com o vocabulário em inglês contemporâneo, seu número era extremamente pequeno, enquanto os sentidos eram definidos com muito mais rigidez. Todas as ambiguidades e tons de significado haviam sido expurgados. Até onde era possível, uma palavra em Novilíngua era apenas um som *staccato* expressando UM conceito claramente entendido. Teria sido impossível usar o vocabulário A para propósitos literários ou discussões políticas ou filosóficas. Sua pretensão era de apenas expressar pensamentos simples, propositais, em geral envolvendo objetos concretos ou ações físicas.

A gramática de Novilíngua tinha duas peculiaridades notáveis. A primeira era uma intercambialidade quase completa entre partes diferentes do discurso. Qualquer palavra no idioma (a princípio, isso se aplicava até mesmo a palavras muito abstratas como SE e QUANDO) poderiam ser usadas como verbo, substantivo, adjetivo ou advérbio. Entre o formato verbal e nominal, quando eram da mesma raiz, nunca havia variação alguma; essa regra por si só envolveu a destruição de muitas formas arcaicas. A palavra PENSAMENTO, por exemplo, não existia em Novilíngua. Seu lugar era tomado por PENSAR, que cumpria a função por substantivo e verbo. Não foi seguido nenhum princípio etimológico aqui: em alguns casos se escolhia manter o substantivo original, em outros casos, o verbo. Mesmo quando um substantivo e um verbo com parentesco semântico não tinha conexão etimológica, com frequência um ou outro deles era suprimido. Não havia, por exemplo, uma palavra para CORTAR, já que seu sentido era coberto pelo substantivo-verbo FACA. Adjetivos eram formados pela adição do sufixo -OSO; e, para advérbios, adicionava-se -MENTE. Portanto, por exemplo, VELOCIDOSO significava "ligeiro" e VELOCIMENTE queria dizer "rapidamente". Alguns de nossos adjetivos atuais, como BOM, FORTE, GRANDE, PRETO, SUAVE, foram mantidos, mas o número total era muito pequeno. Não havia necessidade para eles, já que quase qualquer sentido adjetival podia ser obtido ao acrescentar -OSO a esse substantivo-verbo. Nenhum dos advérbios agora existentes foi mantido, exceto por aqueles que já terminavam em -MENTE: a terminação -MENTE era invariável. A palavra BEM, por exemplo, era trocada por BOAMENTE.

 Além disso, qualquer palavra — isso de novo se aplicava a princípio a qualquer palavra no idioma — poderia ser negativada acrescentando o afixo NÃO- ou DES-, ou poderia ser fortalecida pelo afixo MAIS-, ou para maior ênfase, DUPLOMAIS-. Portanto, por exemplo, NÃOFRIO significava "quente", enquanto "MAISFRIO" e "DUPLOMAISFRIO" queriam dizer, respectivamente, "muito frio" e "superlativamente frio". Também era possível, assim como no idioma presente, modificar o sentido de quase qualquer palavra com afixos preposicionais, como ANTE-, PÓS, SOBRE-, SUB- etc. Com tais métodos, foi possível trazer uma diminuição imensa ao vocabulário. Dada, por exemplo, a palavra BOM, não havia necessidade de uma palavra como RUIM, já que o significado requerido era expressado de forma igualmente suficiente — de fato, melhor — por NÃOBOM. Tudo que era necessário, em qualquer situação que tivesse duas palavras que formassem um par de opostos naturais, era decidir qual delas suprimir. ESCURO, por exemplo, poderia ser substituído por NÃOCLARO, ou CLARO por NÃOESCURO, de acordo com a preferência.

A segunda marca distintiva da gramática da Novilíngua era sua regularidade. Excetuando-se poucos casos, mencionados abaixo, todas as inflexões seguiam as mesmas regras. Portanto, em todos os verbos, o pretérito e o particípio eram os mesmos e seguiam as mesmas regras. Nenhuma conjugação apresentaria exceções. Todos os plurais eram formados pelo acréscimo de -S ou -ES, conforme o caso. Nenhuma outra irregularidade era permitida. Os plurais de CAMPUS, LÁPIS, SOL, BOTÃO eram CAMPUSES, LÁPISES, SOLES, BOTÃOS. Ignorava-se qualquer outra forma irregular para a comparação de adjetivos (BOM como MAISBOM, PEQUENO para MAISPEQUENO)

A única classe de palavras autorizada a preservar a irregularidade foi a de pronomes relativos e demonstrativos e os verbos auxiliares. Havia também certas irregularidades na formação de palavras, surgidas pela necessidade de fala rápida e fácil. Uma palavra que fosse difícil de pronunciar, ou passível de ser ouvida incorretamente, era considerada *ipso facto* como uma palavra ruim; portanto, às vezes, pelo bem da eufonia, letras a mais eram inseridas em uma palavra ou uma formação arcaica era mantida. Mas essa necessidade surgiu majoritariamente em relação com o vocabulário B. POR QUE tanta importância estava ligada à facilidade de pontuação será esclarecido posteriormente nesse ensaio.

O VOCABULÁRIO B. O vocabulário B consistia de palavras que haviam sido construídas de forma deliberada para propósitos políticos: palavras, por assim dizer, que não apenas tinham uma implicação política em todos os casos, mas que tinham a pretensão de impor uma atitude mental desejável na pessoa que as usava. Sem uma compreensão completa dos princípios de Socing, era difícil usar essas palavras de forma correta. Em alguns casos, elas podiam ser traduzidas em Velhíngua, ou até mesmo em palavras tiradas do vocabulário A, mas isso em geral demandava uma paráfrase longa e sempre envolvia a perda de certos subtextos. As palavras B eram uma espécie de taquigrafia verbal, com frequência unindo alcances inteiros de ideias em algumas poucas sílabas, e ao mesmo tempo mais precisa e forçosa do que o idioma comum.

As palavras B eram, em todos os casos, palavras compostas. [Palavras compostas como DITAFONE, seriam, é claro, encontradas no vocabulário A, mas essas eram apenas abreviações convenientes e não tinham nenhuma cor ideológica especial.] Elas consistiam de duas palavras ou mais, ou porções de palavras, fundidas de uma forma fácil de pronunciar. A amálgama resultante era sempre um substantivo-verbo flexionado conforme as regras comuns. Para dar um único exemplo: a palavra BOMPENSAR, significando, de forma muito geral, "ortodoxia", ou, se o sujeito escolhesse vê-la como um verbo, "pensar de uma forma ortodoxa". Isso era flexionado assim: substantivo-verbo: BOMPENSAR; particípio: BOMPENSADO; gerúndio: BOMPENSANDO; adjetivo: BOMPENSANTE; advérbio: BOMPENSAMENTE; substantivo verbal: BOMPENSADOR.

As palavras B não eram construídas com qualquer plano etimológico. As palavras de que se construíam poderiam ser qualquer parte do discurso, colocadas em qualquer ordem e mutiladas da forma que as deixasse fácil de pronunciar enquanto indicasse a derivação. Na palavra CRIMEPENSAR, por exemplo, o PENSAR vinha em segundo, enquanto que em PENSARPOL (Polícia do Pensar), ela vinha antes, e na última palavra, POLÍCIA havia perdido as últimas sílabas. Por causa da grande dificuldade em garantir eufonia, formações irregulares eram mais comuns no vocabulário B do que no vocabulário A. Por exemplo, as formas adjetivais de MINIVER, MINIPAX e MINIMOR eram, respectivamente, MINIVERO, MINIPACIFICO e MINIAMÁVEL, apenas porque MINIVERDADEIRO, MINIPAZOSO e MINIAMOROSO eram levemente difíceis de pronunciar. A princípio, no entanto, todas as palavras B podiam flexionar e todas se flexionavam da mesma maneira.

Algumas das palavras B tinham sentidos altamente subutilizados, mal inteligíveis a qualquer um que não tivesse dominado o idioma como um todo. Considere, por exemplo, uma frase típica de um editorial do *The Times* como FÓSSILPENSADOR NÃOPEITOSENTEM SOCING. A menor forma que um sujeito poderia decifrar isso na Velhíngua seria: "Aqueles cujas ideias se formaram antes da Revolução não alcançam um entendimento plenamente emocional dos princípios do Socialismo Inglês". Mas essa não é uma tradução adequada. Para começo de conversa, para compreender o sentido inteiro da frase em Novilíngua citada acima, o sujeito precisaria ter uma ideia clara do que se quer dizer por SOCING. E, além disso, apenas uma pessoa plenamente embasada em Socing poderia compreender a força completa da palavra PEITOSENTIR, que implicava uma aceitação entusiasmada e cega, difícil de imaginar hoje; ou da palavra FÓSSILPENSADOR, que estava inextricavelmente ligada à ideia de maldade e decadência. Mas a função especial de certas palavras em Novilíngua, das quais FÓSSILPENSAR era uma, não era tanto expressar sentidos, mas destruí-los. Essas palavras, necessariamente poucas em número, tiveram seus sentidos expandidos até conterem dentro de si baterias inteiras de palavras que, por serem suficientemente abarcadas em um único termo compreensivo, poderiam então ser riscadas e esquecidas. A maior dificuldade que os compiladores do Dicionário de Novilíngua enfrentavam não era inventar palavras novas, mas, ao inventá-las, se certificar do que queriam dizer: certificar-se, assim dizendo, que variações de palavras elas cancelavam ao existir.

Como já vimos no caso da palavra LIVRE, palavras que um dia tiveram um sentido herege eram às vezes retidas pela conveniência, mas apenas com os sentidos indesejáveis arrancados dela. Incontáveis outras palavras, como HONRA, JUSTIÇA, MORALIDADE, INTERNACIONALISMO, DEMOCRACIA, CIÊNCIA e RELIGIÃO haviam simplesmente cessado de existir. Algumas outras palavras guarda-chuva as cobriam e, com isso, as aboliam. Todas as palavras que se agrupassem ao redor dos conceitos de liberdade e igualdade, por exemplo, estavam contidas na única palavra CRIMEPENSAR, enquanto todas as palavras se agrupando ao redor dos conceitos de objetividade e racionalismo estavam contidas na única palavra FÓSSIL-PENSAR. Uma precisão maior teria sido perigosa. O que se requeria de um membro do Partido era uma forma de ver o mundo similar àquela de um hebreu antigo que, sem saber muito mais, sabia que todas as nações que não a sua adoravam a "falsos deuses". Ele não precisava saber que esses deuses se chamavam Baal, Osíris, Moloch, Astaroth e similares: provavelmente, quanto menos soubesse a respeito deles, melhor para sua ortodoxia. Ele conhecia Jeová e os mandamentos de Jeová; sabia, portanto, que todos os deuses com outros nomes ou outros atributos eram falsos. De uma forma um tanto similar, o membro do Partido sabia o que constituía a conduta correta, e em termos excessivamente vagos e generalizados sabia o que desviava disso. Sua vida sexual, por exemplo, estava totalmente regulada pelas duas palavras da Novilíngua CRIMESEXO (imoralidade sexual) e BOMSEXO (castidade). CRIMESEXO cobria todos os delitos sexuais. Cobria fornicação, adultério, homossexualidade e outras perversões e, além disso, a relação sexual praticada sem outras finalidades. Não havia necessidade de enumerá-los em separado, já que todos eram igualmente culpáveis e, a princípio, todos puníveis com a morte. No vocabulário C, que consistia de palavras científicas e técnicas, poderia ser necessário dar nomes especializados para certas aberrações sexuais, mas o cidadão comum não tinha necessidade delas. Ele sabia o que significava BOMSEXO — ou seja, relação sexual entre marido e esposa, com o propósito único de gerar filhos, e sem prazer físico da parte da mulher: tudo mais era CRIMESEXO. Na Novilíngua, era difícil seguir uma linha de raciocínio herege além do entendimento de que ERA herege: além daquele ponto, as palavras necessárias eram inexistentes.

Nenhuma palavra no vocabulário B era ideologicamente neutra. Muitas delas eram eufemismos. Palavras como, por exemplo, FELIZCAMPO (campo de trabalho forçado) ou MINIPAX (Ministério da Paz, ou seja, Ministério da Guerra) queriam dizer quase o oposto do que pareciam significar. Algumas palavras, por outro lado, exibiam um entendimento franco e desdenhoso da natureza real da sociedade oceânica. Um exemplo era RAÇÃOPROLE, querendo dizer o entretenimento idiota e as notícias espúrias que o Partido distribuía para as massas. Outras palavras, de novo, eram ambivalentes, tendo a conotação de "boas" quando aplicadas ao Partido e "ruins" quando aplicadas a um inimigo. Mas além disso havia um grande número de palavras que à primeira vista pareciam ser meras abreviações e que derivavam o tom ideológico não do sentido, mas da estrutura.

Até onde se podia ser planejado, tudo que tinha ou poderia ter significado político de qualquer tipo se encaixava no vocabulário B. O nome de todas as organizações, ou grupo de pessoas, ou doutrina, ou país, ou instituição, ou edifício público, era invariavelmente reduzido ao molde familiar; ou seja, uma única palavra facilmente pronunciável com o menor número de sílabas que preservassem a derivação original. No Ministério da Verdade, por exemplo, o Departamento de Registros, em que Winston Smith trabalhava, se chamava REGIDEP, o Departamento de Ficção se chamava FICDEP, o Departamento de Teleprogramas se chamava TELEDEP, e assim por diante.

Isso não era feito apenas com o objetivo de poupar tempo. Mesmo nas décadas iniciais do século XX, palavras e frases condensadas haviam sido um dos atributos característicos da linguagem política; e havia sido notado que a tendência de usar abreviações desse tipo era mais destacada nos países e organizações totalitários. Exemplos incluíam palavras como: NAZI, GESTAPO, COMINTERN, IMPRECORR, AGITPROP. No começo, a prática foi adotada como que por instinto, mas na Novilíngua ela era usada com um propósito consciente. Percebeu-se que, abreviando palavras dessa forma, a pessoa estreitava e alterava o sentido de forma sutil, cortando a maior parte das associações que poderiam se agarrar a ela de outras formas. As palavras INTERNACIONAL COMUNISTA, por exemplo, trazia uma imagem composta de irmandade humana universal, bandeiras vermelhas, barricadas, Karl Marx e a Comuna de Paris. A palavra COMINTERN, por outro lado, sugere apenas uma organização bastante unida e um corpo de doutrina bem definida. Ela se refere a algo reconhecível com quase a mesma facilidade e de propósito tão limitado quanto uma cadeira ou mesa. COMINTERN é uma palavra que pode ser dita quase sem se pensar, enquanto INTERNACIONAL COMUNISTA é uma expressão em que a pessoa precisa se estender ao menos por um instante. Da mesma forma, as associações ativadas por uma palavra como MINIVER são menores e mais controláveis do que aquelas que surgem com MINISTÉRIO DA VERDADE. Isso respondia não apenas pelo hábito de abreviação sempre que possível, mas também pelo cuidado mais exagerado que se tomava para dar a cada palavra uma pronúncia fácil.

Na Novilíngua, a eufonia vencia todas as outras considerações que não a exatidão de sentido. Regularidade da gramática era sempre sacrificada em nome da eufonia quando parecia necessário. E corretamente, já que o que era necessário, acima de tudo para propósitos políticos, eram palavras curtas e cortadas de sentido inconfundível que pudessem ser ditas rapidamente e levantassem um mínimo de ecos na mente daquele que falava. As palavras do vocabulário B até mesmo ganhavam força do fato de que quase todas elas eram muito parecidas. Quase invariavelmente, essas palavras — BOMPENSAR, MINIPAX, RAÇÃOPROLE, CRIMESEXO, FELIZCAMPO, SOCING, PEITOSENTIR, PENSARPOL e inúmeras outras — eram palavras de sílabas bem delineadas, com a ênfase distribuída de forma igualitária entre a primeira sílaba e as outras. O uso delas encorajava um estilo de fala tagarela, ao mesmo tempo *staccato* e monótono. E isso era exatamente o que se buscava. A intenção era tornar a fala, e em especial a fala sobre qualquer assunto não neutro em ideologia, o mais independente possível da consciência. Para os propósitos da vida cotidiana, era sem dúvida necessário, ou às vezes necessário, refletir antes de falar, mas um membro do Partido convocado a emitir um julgamento político ou ético deveria conseguir despejar as opiniões corretas com o mesmo automatismo que uma metralhadora atirando balas. Seu treinamento o preparava para isso, a linguagem lhe dava um instrumento quase à prova de falhas, e a textura das palavras, com seus sons ásperos e uma certa feiura obstinada que estava de acordo com o espírito de Socing, assistia o processo ainda mais.

Assim como ajudava o fato de ter pouquíssimas palavras para escolher. Em comparação ao nosso, o vocabulário de Novilíngua era minúsculo, e novas formas de reduzi-lo estavam constantemente sendo criadas. A Novilíngua, de fato, diferia da maioria dos outros idiomas no fato de que seu vocabulário diminuía a cada ano, em vez de aumentar. Cada redução era um ganho, já que quanto menor a área de escolha, menor a tentação de pensar. Por fim, esperava-se fazer a fala se articular da laringe sem envolver de modo algum os centros neurológicos mais complexos. Este objetivo estava francamente admitido na palavra de Novilíngua PATOFALAR, que queria dizer "grasnar como um pato". Como várias outras palavras no vocabulário B, PATOFALAR tinha sentido ambivalente. Dado que as opiniões grasnadas fossem ortodoxas, ela não indicava nada além de elogio, e quando o *The Times* se referia a um dos oradores do Partido como um DUPLOMAISBOM PATOFALADOR, estava fazendo um elogio caloroso e valorizado.

O VOCABULÁRIO C. O vocabulário C era suplementar aos outros e consistia apenas de termos científicos e técnicos. Esses lembravam os termos científicos e eram construídos das mesmas raízes, mas o cuidado costumeiro era tomado para defini-los com rigidez e despi-los de sentidos indesejáveis. Eles seguiam as mesmas regras gramaticais das palavras nos outros dois vocabulários. Pouquíssimas palavras C tinham qualquer circulação na fala cotidiana ou na fala política. Qualquer trabalhador cientista ou técnico poderia encontrar todas as palavras de que precisasse na lista devotada à sua especialidade, mas era raro que tivesse mais do que um punhado das palavras que ocorriam nas outras listas. Apenas algumas poucas palavras eram comuns a todas as listas, e não havia vocabulário expressando a função da ciência como um hábito da mente, ou método de pensamento, independente de seus ramos particulares.

Não havia, de fato, uma palavra para "ciência"; qualquer significado que ela poderia possivelmente carregar já estava suficientemente coberto pela palavra SOCING.

Do relato prévio, pode-se notar que em Novilíngua a expressão de opiniões heterodoxas acima de um nível muito baixo era praticamente impossível. Era, é claro, possível pronunciar heresias de um tipo bastante bruto, uma espécie de blasfêmia. Teria sido possível, por exemplo, dizer GRANDE IRMÃO É NÃOBOM. Mas esta declaração, que para um ouvido ortodoxo apenas exibia um absurdo autoevidente, não poderia ser sustentada por argumentos racionais, porque as palavras necessárias não estavam disponíveis. Ideias inimigas ao Socing só podiam ser cogitadas em uma forma vaga, sem palavras, e poderiam apenas ser nomeadas em termos muito amplos que se amontavam e condenavam grupos inteiros de heresias sem defini-las. A pessoa poderia, na verdade, apenas usar a Novilíngua para propósitos heterodoxos ao traduzir de forma ilegítima algumas das palavras de volta para a Velhíngua. Por exemplo, TODOS HOMENS SÃO IGUALES era uma frase possível em Novilíngua, mas apenas no mesmo sentido em que TODOS OS HOMENS SÃO RUIVOS é uma frase possível na Velhíngua. Não continha um erro gramatical, mas expressava uma inverdade palpável — por exemplo, de que todos os homens são de igual tamanho, peso ou força. O conceito de igualdade política não existia mais, e esse sentido secundário havia sido expurgado da palavra IGUAL. Em 1984, quando a Velhíngua ainda era o método normal de comunicação, existia teoricamente o perigo de que, ao usar palavras da Novilíngua, o sujeito pudesse se lembrar dos sentidos originais. Na prática, para qualquer pessoa bem embasada no DUPLIPENSAR, não era difícil evitar fazer isso, mas em algumas poucas gerações até mesmo a possibilidade de um lapso assim desapareceria. A pessoa que crescesse com a Novilíngua como sua única linguagem não saberia que IGUAL um dia tivera o sentido secundário de "politicamente igual", ou que LIVRE um dia significara "intelectualmente livre" mais do que, por exemplo, uma pessoa que nunca ouviu falar em xadrez estaria ciente dos sentidos secundários ligados a RAINHA, REI e PEÃO. Haveria muitos crimes e erros fora do seu alcance para cometer, simplesmente porque não tinham nem nome e eram, portanto, inimagináveis. E era de se prever que, com a passagem do tempo, a característica definidora da Novilíngua se tornaria cada vez mais pronunciada — suas palavras diminuindo cada vez mais, os sentidos cada vez mais rígidos e a oportunidade de colocá-las em mau uso sempre diminuindo.

Quando a Velhíngua tivesse sido superada de uma vez por todas, a última conexão com o passado teria sido cortada. A história já havia sido reescrita, mas fragmentos da literatura do passado sobreviveram aqui e ali, censuradas com imperfeição, e desde que a pessoa retivesse seu conhecimento da Velhíngua, era possível lê-la. No futuro, fragmentos assim, mesmo se sobrevivessem por acaso, seriam ininteligíveis e intraduzíveis. Seria impossível traduzir qualquer passagem da Velhíngua na Novilíngua a não ser que se referisse a algum processo técnico ou alguma ação cotidiana muito simples, ou se já fosse ortodoxa (BOMPENSANTE seria a expressão em Novilíngua) em suas tendências. Na prática, isso significava que nenhum livro escrito antes de aproximadamente 1960 poderia ser traduzido na íntegra. A literatura pré-revolucionária poderia apenas ser sujeitada à tradução ideológica — ou seja, à alteração de sentido, assim como de idioma. Tome, por exemplo, o famoso trecho da Declaração de Independência dos Estados Unidos da América:

> *Consideramos que tais verdades são autoevidentes: todos os homens são criados iguais, dotados pelo Criador de certos direitos inalienáveis; e entre estes estão a vida, a liberdade e a busca da felicidade. Que a fim de assegurar tais direitos, governos são instituídos entre os homens, os quais derivam seus poderes do consentimento dos governados. Que sempre que uma forma de governo se tornar destrutiva de tais fins, é um direito do povo alterá-lo ou aboli-lo e instituir um governo novo...*

Teria sido basicamente impossível traduzir isso para a Novilíngua, mantendo o sentido do original. O mais perto que alguém poderia chegar de fazer isso seria engolir a passagem inteira em uma única palavra: CRIMEPENSAR. Uma tradução na íntegra só poderia ser uma tradução ideológica, em que as palavras de Jefferson seriam modificadas em um panegírico a respeito do governo absoluto.

Uma boa parte da literatura do passado estava, de fato, já sendo transformada dessa forma. Considerações de prestígio tornavam desejável preservar a memória de certas figuras históricas, enquanto ao mesmo tempo se alinhava suas realizações com a filosofia do Socing. Vários escritores, como Shakespeare, Milton, Swift, Byron, Dickens e alguns outros estavam, portanto, em processo de tradução: quando a tarefa fosse completada, seus escritos originais, com tudo o mais que sobrevivesse da literatura do passado, seria destruído. Essas traduções eram um processo lento e difícil, e não se esperava que estivessem prontas antes da primeira ou segunda década do século XXI. Havia também grandes quantidades de literatura meramente utilitária — manuais técnicos indispensáveis e similares — que precisavam ser tratadas da mesma forma. Foi principalmente para dar tempo a esse trabalho preliminar de tradução que a adoção definitiva da Novilíngua ficou marcada para a data distante de 2050.

Compartilhando propósitos e conectando pessoas

Visite nosso site e fique por dentro dos nossos lançamentos:
www.novoseculo.com.br

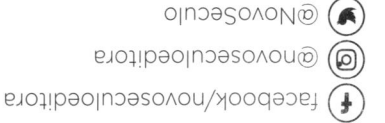

- facebook/novoseculoeditora
- @novoseculoeditora
- @NovoSeculo
- novo século editora

Edição: 1.; reimpressão maio/2021
Fonte: IBM Plex Serif

gruponovoseculo.com.br